UNA NOVELA DE HERNÁN MIGOYA

QUÍTAME TUS SUCIAS MANOS DE ENCIMA

NORMA
Editorial

QUÍTAME TUS SUCIAS MANOS DE ENCIMA
de Hernán Migoya.
Primera edición: mayo de 2010.

© 2010 Hernán Migoya / Represented by
Norma Editorial, S.A.

© 2010 NORMA Editorial por la edición en castellano.
Passeig de Sant Joan 7, 08010 Barcelona.
Tel.: 93 303 68 20 - Fax: 93 303 68 31.
E-mail: norma@normaeditorial.com
ISBN:978-84-679-0151-1
DL: B-18402-2010

Realización técnica: Estudio Kabutomuchi.

www.NormaEditorial.com

www.NormaEditorial.com/blog

La novela incluye fragmentos de la letra de las canciones
"Mix Selva", del grupo Internacional Privados; de "Cholo soy
y no me compadezcas", del compositor Luis Abanto Morales; y
de "Un nuevo amanecer", de la cantante La Tigresa de Oriente.

Consulta los puntos de venta de nuestras publicaciones en www.normaeditorial.com/librerias
Servicio de venta por correo: Tel. 902 120 144, correo@normaeditorial.com, www.normaeditorial.com

En memoria de Robert E. Howard (1906-1936)

"Get your stinky paws off me, you damn dirty ape!"

Primeras palabras que el humano Charlton Heston dirige
a otra civilización en El planeta de los simios
(Planet of the Apes, 1968) de Franklin J. Schaffner

INTROITO

[Extracto del discurso de nueve horas que Su Excelencia el Presidente del Nuevo Orden Mundial, Hamilton Bacque III, pronunció con motivo de la inauguración del M.I.O. –Museo Intermundial de lo Obsolescente–, tal como lo memorizó y reprodujo verbalmente el Voluntario Mayor Lewis Grosz, presente en tal ocasión por obra y gracia de un permiso militar.]

...Este libro está mal escrito, pero es el único libro que existe.

Ahí radica su principal y único mérito. [...]*

¿Qué es un libro?, se preguntarán ustedes. [...] Un libro es un compendio de ideas expresadas por signos sobre una resma de papeles rellenados, por lo general, por ambas caras. Esos signos son como dibujos con significado abstracto, sin relación alguna con el mundo exterior.

¿Y para qué sirve un libro? Ustedes, compatriotas, a buen seguro lo han adivinado. [...]

Un libro no sirve para nada.

Por eso se dejaron de hacer. Por eso se dejaron de difundir.

Por eso se dejó de escribir.

Ya los antiguos pensadores griegos lo predijeron cuando, con gran escándalo de las clases biempensantes y propulsoras de la nación, se introdujo la escritura en la cuna de su civilización, avanzadilla cierta de la decadencia física y moral por venir: "No hay idea que requiera ser escrita, que merezca la pena ser recordada", dijeron entonces.

Y así fue. Felizmente.

*Debido a un lapso de memoria, Grosz no recuerda lo que Su Excelencia manifestó inmediatamente después. No embargante, el resto de omisiones textuales se debe a su intención de ahorrarnos el hastío de la redundancia presidencial y no a su mala retentiva. (Nota del Memorizador Supremo)

No hay idea que pueda definirse como humana que merezca sobrevivir fuera de nuestras cabezas solo como idea, si no es que ha sido
convertida en hecho. La idea por sí sola es un enemigo que hay que
combatir, una fisura con vocación de grieta en el régimen inmunológico
de nuestros cuerpos, un virus que va perturbando nuestro sistema de
defensas, nuestra imbatibilidad física y espiritual. El exceso de ideas
no solo trastorna el mecanismo de nuestro cerebro, apabullándolo y
obturando la correcta ventilación de sus circuitos, sino también incide
en nuestra fortaleza física, al contrariar nuestra voluntad y confundir
nuestro cuerpo con una miríada de conceptos irreales muchas veces
contradictorios y absurdos, hasta hacerlo aletargarse y, vencido, autodestruirse, debido a la falta de claridad y unidireccionalidad de la idea
que debía insuflarle de combustible vital.

Donde hay muchas ideas, no prevalece ninguna, y ello solo provoca
duda, desconcierto, confusión y, en consecuencia, pasividad, agotamiento y muerte.

El Ser Humano se dio cuenta de ello y concentró toda su energía en
convertir la Idea, una sola Idea, en Acto. De esa manera, dio un paso más
allá de su naturaleza y, sublimando su propia vulnerabilidad, no dejó que
ninguna idea nueva o excedente se asentara para crecer como pústula
parásita de la acción, como enfermedad aberrante, como una cosecha
de hiel y podredumbre, como un absceso malformado que hay que sajar
y expulsar antes de que contamine y gangrene al resto del sistema.

Afortunadamente, un día el hombre se dio cuenta de que era esclavo
de las ideas.

Y decidió prescindir de ellas.

Y ese hombre fue libre, porque a partir de entonces vivió para el Acto.
Y así nació nuestro Gran Imperio.

Olviden las ideas. Son buenas para nada.

¡Una idea! Una idea está bien. Una idea puede ser el impulso motor de
nuestra vida, el propulsor irrefrenable de nuestra patria. Una buena idea

sabe adónde se dirige, rauda e imparable, y llega a meta con clamorosa efectividad. Una idea es causa, una idea es larva que hecha efecto se transmuta en pura mariposa de vida. Una idea sola es bella y pura. Más de una ya empieza a ser una complicación.

Una idea es obsesión, y la obsesión un día es realidad. Una idea es el origen de la acción humana, el movimiento más hermoso que jamás haya existido. Más de una idea es un estorbo. Un entorpecimiento del Acto. Un lastre del que hay que liberarse cual detritus de la conciencia.

[...]

¿Por dónde iba? Ah, sí. Más tarde el hombre comprendió que no merecía la pena expresar mediante ese extravagante sistema de signos llamado escritura ninguna de sus ideas, porque, perdida la valía de dicho sistema como vivero de ideas practicables, confirmándose como punto medio donde languidecía el potencial para expresarlas en toda su plenitud, esto es, donde negaba toda posibilidad de ser arranque de una acción, de manifestarse como detonante de una gloriosa realidad, se convertía en excrecencia sin objetivo ni aplicación práctica, en obstáculo en el mecanismo de la psique humana, y por lo tanto en un valor obsoleto.

El lenguaje escrito murió cuando nos dimos cuenta de que no merecía la pena enumerar, detallar ni escribir las ideas que no puedan ser expresadas de hecho. Casi no merece la pena ni verbalizarlas. Cuando uno se pone a verbalizar en la cabeza, es que algo empieza a ir mal. ¡Ustedes lo saben, yo lo sé!

[...]

Pero hay algo peor que la escritura. Oh, sí, mucho peor. ¿Qué puede haber peor que la escritura?, se preguntarán. Y yo se lo voy a decir:

La ficción.

¿Y qué es la ficción?, musitarán, perplejos. Seguramente, muchos de ustedes es la primera vez que oyen tal palabra.

Pues bien, es muy sencillo: la ficción es el reino de la mentira.

Escuchen y olviden:

La ficción es el resultado de dejar que la mente divague desbocada sin un recio brazo que sujete sus bridas. La ficción era un recurso inmundo que en los antiguos y obsolescentes tiempos los ciudadanos con exceso de pensamiento utilizaban para evadirse de la vida real, de sus propias vidas. Una droga insulsa y despreciable que pretendía comunicar certezas a partir de las mentiras, donde la imaginación era el único tirano entronado, y cuyo auge coincidió con el periodo más negro de la civilización humana, pero también con el surgimiento de la esperanza y el primer atisbo de la gloria que estaba por llegar.

La ficción no solo alimentó un tanto por ciento muy importante de la escritura. También invadió otros campos, otras maneras y métodos de perdurabilidad de las ideas nefastas, de las ideas que no podían convertirse en acción, acto y realidad, acumuladas en negro pelotón: el registro sonoro y el registro visual fueron las más importantes alternativas de la ficción.

Este libro pertenece a ese campo minado de la ficción escrita. Pero ni siquiera es un libro en estado puro, pues este libro ya nació con la espuria condición de híbrido bastardo, como ustedes entenderían si pudieran leerlo. Su autor, un joven perturbado que acabó de manera consecuente con la impiedad de sus actos, no fue el creador original de este libro, sino que cual ladrón viscoso y mezquino decidió apropiarse de una mentira ya existente y reconvertirla en su propia mentira. Así eran los hombres que dedicaban su vida a escribir: robaban a otros hombres las mentiras y quién sabe si también alguna verdad, se las adjudicaban y ofrecían como suyas a sus confiados coetáneos, para engatusarlos con falsas moralejas repugnantes y lecciones inaplicables.

A robar una mentira de otro hombre se le llamaba, en tiempos oscuros y decadentes, plagiar, que solo más tarde se convirtió en sinónimo de escribir.

Este joven plagió su libro de otra ficción pre-existente en un formato distinto, también obsoleto en la actualidad: la mentira original procedía

"PUES BIEN, ES MUY SENCILLO:
LA FICCIÓN ES EL REINO DE LA MENTIRA. ESCUCHEN Y OLVIDEN."

de un sistema de captura de imágenes que en tiempos se llamaba cine y que, pese a su efímera existencia, minó y destruyó la moral y los valores de varias generaciones de hombres.

Por suerte, ni los libros ni el cine ni el registro sonoro han llegado a nuestros días.

Acabamos con ellos cuando comprendimos, con el advenimiento de la Nueva Era, que el Superhombre del Mañana no necesitaba otras fuentes de esparcimiento, aleccionamiento o redención que no partieran de la propia realidad: ningún acto de creación hay más edificante y natural que la materialización física de la Idea, ni melodía más bella y pegadiza que el sonido de la batalla, ni crescendo más extasiante ni coda más definitiva que el estertor y expiración del enemigo.

Nada hay más verdadero y memorable que la narración oral de nuestras hazañas: no necesitamos mentiras desnaturalizadas para ensalzar nuestros sentidos, no necesitamos patrañas de espíritus débiles. Nuestra historia viva es el mayor ejemplo de Heroicidad, Superación y Gloria que ninguna historia inventada pueda igualar. Nosotros somos inmortales por nuestros hechos, no por el registro anárquico de nuestras ideas irrealizadas o sin correspondencia efectiva.

Así pues, ¿cuál es el sentido de preservar un objeto tan anecdótico, poco edificante y sin significado ya para nuestra civilización perfecta?

El único sentido que tiene es el de satisfacer nuestra curiosidad por saber cómo éramos, o cómo eran nuestros imperfectos antepasados, por ratificar la caducidad de una cultura decadente y claudicante que por suerte erradicamos por siempre de lo más hondo de nosotros mismos.

Sin embargo, antes de dejar en libre exposición un despojo remanente de una sociedad enterrada, de tal calibre simbólico y tal efecto nocivo, nos hemos asegurado de que su entidad quede anestesiada, neutralizada y anulada por siempre jamás en nuestra sociedad de hoy.

Hoy ha muerto en justa batalla la única persona de nuestro Gran Imperio que aún conocía el significado de los signos escritos en este libro, y por lo tanto podía descifrarlo y entenderlo. Esa persona me leyó este libro a mí. Y conmigo morirá su contenido.

No es que dicho contenido sea digno de ser siquiera preservado del conocimiento público como si de un secreto pernicioso para nuestra civilización se tratara. Tal categoría sería inmerecedora de esta menudencia de texto.

Simplemente, se trata de una historia, en el mal sentido de la palabra: esto es, una historia inventada, en realidad doblemente inventada, y ninguna historia inventada merece ser expuesta ni propalada ni, mucho menos, atraer la atención de ningún ciudadano cabal. Ningún mensaje que no pueda ser ejemplificado mediante la realidad merece ser difundido.

Solo os diré que es tal la ridiculez de su contenido, tal la puerilidad de sus planteamientos y preocupaciones, que dudo que levantara el más mínimo interés en nadie que no fuera un erudito de la historia, en el buen sentido de la palabra, pasada. Su Héroe, aunque ya hiciera distinción y discernimiento de rasgos de superioridad racial respecto de su entorno, aunque por momentos parezca aprehender y asimilar la noble tarea que le era guardada a nuestra especie, resulta en realidad apocado y frágil, revelándose un ser de corazón endeble y actitud deleznable, indigno de llamarse hombre y de que su falsa historia sea contada, menos aún conservada en escritura, máxime cuando su ejemplo no es precisamente modélico ni virtuoso para las generaciones venideras.

Ni el Héroe de este libro ni su autor, nada más alejado de un Héroe, hubieran durado dos días en nuestro Gran Imperio.

Dicho esto, solo resta espacio para el lamento. Qué desgracia que sea este el libro que los ha sobrevivido a todos. Qué desgracia que no fuera el de nuestro Maestro, nuestro Paladín, nuestro Libertador y Mesías, quien también por aquellos lejanos tiempos escogió la escritura como primera forma de comunicación de su, más que idea, ideal, el mismo ideal que ha logrado este milagro de armonía, equilibrio y guerra.

Pero su libro sí [...] pereció bajo las manos destructoras de los hombres débiles, lloriqueantes y envidiosos, y en cambio nos ha quedado esta ridícula reliquia de ellos, del mundo infame que estuvieron a punto de legar a la Humanidad.

Así pues, extirpados de todo conocimiento dañino y vergonzante para el alma humana, inmunizados contra la pereza, la cobardía y la tortuosidad de la conciencia del hombre antiguo, vean y contemplen desde hoy, hombres plenos y sanguinarios, este residuo del pasado imperfecto, este legado perecedero de una raza ya extinta y que, con sus debilidades y sus lamentos, a duras penas podemos creer que fuera hermana nuestra. Pasen [...] y [...] vean, encerrado en esa urna de cristal, este apenas esbozado y sucio fajo de páginas mal acopiadas y editadas manualmente, con pésima técnica y malas artes, que queda como vestigio de un pasado que, a nuestro presente gracias, nunca volverá.

Pasen y vean y estén seguros de que este libro, el único libro que ha sobrevivido al tiempo que todo lo perfecciona, no merece ser leído, descodificado ni comprendido. Y nunca lo será.

Pasen, toquen y huelan, y ríanse como ante el objeto de feria que en realidad es.

"¿Por quién combatiremos?", le preguntó un guardián a nuestro Dios ante el momento inminente de la derrota y la muerte.

"Por el Hombre que Vendrá", respondió Él.

Ese Hombre ha venido. El Hombre que fue Idea y devino Acto.

Y esto SÍ es Verdad.

Nueva Texas, año 2010 de la Era Hitleriana

14

CASO NÖGLER

ARCHIVO POLICIAL N-78
COMISARÍA DE HANNOVER

PREÁMBULO

INFORME CONFIDENCIAL PARA LA FISCALÍA DEL
ESTADO EN HANNOVER

Fecha: 14/2/1978
Fiscal del Estado: Johan Meyer
Oficial a cargo de la investigación: Jonas Reinhardt,
Detective Psicólogo del Dpto. de Policía de Hannover
Inculpado: Rainer Nögler
Fecha de nacimiento: 10/9/61
Motivos de su arresto: Homicidio en primer grado

Herr Reinhardt expone que:
En la mañana del pasado 11/2/78, al día siguiente
de los sucesos acaecidos allí (ver documento adjunto
Clase A), me personé en la residencia de los Nögler
(Königsberger Strasse 245, esquina con Schwarzwald
Strasse) con la intención de supervisar la labor de los
agentes de patrulla Karl Bornham y Petra Stronheim y el
equipo de investigación forense.

El hogar de la familia Nögler está situado en un
barrio de clase media, con un índice de criminalidad
bajo, según me informaron en la comisaría del
distrito. El piso forma parte de un moderno
edificio de apartamentos, defendido por una reja de
apertura automática, más propio de parejas jóvenes

y profesionales solventes solteros que de familias establecidas. Quizás el hecho de que los Nögler estén compuestos por solo tres miembros explique la ubicación de su vivienda en dicha zona.

Dado lo sucedido, se había formado un grupo de curiosos alrededor de la entrada del edificio. Ordené al agente Bornham fotografiarles sin que se apercibieran y a continuación demandar sus nombres e inquirirles si habían podido oír o ver algo durante la consecución del trágico hecho. Bornham no obtuvo resultado de su pesquisa, pero adjunto la cinta grabada con las personas que se acercaron (ver Evidencia F-4323).

El portero nocturno, identificado como Sven Schroeder (Identitäts-ausweis: 2371633857), de 60 años de edad, se encontraba prácticamente en estado de shock ante lo acaecido. Aseguró no haber notado nada sospechoso durante la noche anterior. La familia Nögler ocupa su apartamento en la octava planta, la última, con solamente otro apartamento contiguo al otro extremo del corredor, y el ascensor situado entre ambos.

Es plausible la versión de Schroeder (ver Declaración Adjunta S-2236a), según la cual no escuchó ninguna detonación de diez de la noche a una de la madrugada, período provisional establecido en una primera estimación in situ por el médico forense Frank Haas durante el cual se habría cometido el doble crimen. Sin embargo, pude oler en su aliento (en el del portero Schroeder, se entiende) un más que agrio hedor a alcohol, probablemente cerveza, así como distinguí, semioculto en la base del mueble casillero de inquilinos, un par de videocasetes de aparente —más bien evidente— contenido pornográfico, a juzgar por lo "colorista" de su envoltorio.

A continuación, me dirigí a interrogar uno por uno a los vecinos del inmueble (ver Declaración Adjunta

S-2236b), para averiguar si alguien había escuchado ruidos de detonaciones y/o gritos, sin resultados confirmatorios (hay que señalar la ausencia de los residentes de la séptima planta: el joven ingeniero Lukas Goering, 34 (Identitäts-ausweis: 2583948488), de presunta visita a su hijo pequeño de madre soltera en Düsseldorf, y el matrimonio formado por Lina y Johan Dunst (28 años c.u., respectivamente), de visita -según propia confesión- al Pub Corazones, sito en la Raschplatz, 24, conocido local de relaciones liberales donde es habitual el intercambio de parejas), excepto en la puerta 8° 2ª, como he señalado contigua, aunque a distancia, del hogar de la familia Nögler.

En dicho apartamento reside la auxiliar de enfermería Sophia Wolff (25, Identitäts-ausweis: 2621346566), presente en el momento de mi llegada. Esta muchacha vive sola y al parecer no mantiene relación sentimental alguna -sus ademanes de insecto palo tampoco deben de ser una ayuda al respecto-, aunque en esta ocasión sus padres, Dieter y Alexandra, la acompañaban. Su piso parecía en orden y, a poco que uno se esfuerce en juzgarla, se trata de una mujer equilibrada y responsable. Debido a la intensidad de su trabajo (cuatro turnos semanales de doce horas en el DGP Hospital, Henriettenstiftung Marienstrasse), necesita un descanso y reposo absolutos durante las horas de sueño, esa es una de las razones por las que se mudó a aquel barrio hace dos años.

La noche anterior, según consta en su declaración a la agente Stronheim, se acostó a las nueve de la noche con la intención de levantarse a las cinco de la madrugada, ya que su turno comenzaba a las seis. Sin embargo, el intenso bramido de un aparato de TV, procedente del apartamento de los Nögler, no le dejaba dormir. Según sus propias palabras, "parecía que estaban viendo una película de esas de violencia, porque era continuo el ruido de explosiones, disparos y alaridos de gente (siendo) muerta". También oyó palabras en un idioma extranjero —que no supo precisar, aunque le sonaba a árabe o español—, lo cual, según ella, explicaría los ruidos violentos, ya que "los alemanes somos gente pacífica" (sic). Le pareció extraño percibir una emisión a tal volumen procedente del hogar de los Nögler, dado que, de nuevo según ella, "siempre se distinguieron por su discreción, él tan alto, fumando siempre en pipa y contento en su silencio, enemigo de lo espontáneo (doble sic), y ella tan tímida y poco de armar jaleo: tan alemanes, vamos (triple sic)". Respecto al hijo del matrimonio, Rainer: "No lo veía nunca, en estos dos años ni siquiera sabía que existía, aunque me imaginaba que tenían un hijo, porque ella (se refiere a la madre) siempre subía cereales para desayunar y otras porquerías así (cuádruple sic)".

Tras alrededor de media hora de "insufrible" vigilia por culpa del sonido del aparato televisivo, Sophia escuchó un par de estampidos o detonaciones más que, pese a su integración en el contexto dramático de la banda sonora de la supuesta película (esto es, su aparente naturaleza diegética), le hicieron sentir un escalofrío. Decidida a expresar su protesta y hacer valer su derecho a un descanso tranquilo, salió de su habitación y, en batín y pantuflas, de su vivienda al pasillo con el objetivo de llamar a la puerta de sus vecinos para mostrar su disconformidad.

Así lo hizo. "En la escalera de vecinos el estruendo era casi insoportable. Después de probar cuatro veces con el timbre eléctrico, comencé a golpear directamente sobre la puerta con el puño, y entonces me di cuenta de lo alto que estaba el volumen: la puerta vibraba".

Tras varios minutos de llamadas y golpes a la puerta
que devendrían aporreos, cuando ya se veía dispuesta a
dar la voz de alarma al portero y armar un escándalo,
sintió que el volumen de la película bajaba de golpe.
Al otro lado de la puerta se hizo el silencio: de
pronto, unos pasos resonaron en su dirección.

El pomo de la puerta giró y esta se abrió unos
centímetros. Por el hueco apareció la cabeza rubia de
Rainer Nögler (17, Identitäts-ausweis: 2876298452),
el hijo de la familia, un chico de rostro anémico
e inexpresivo. Según la señorita Wolff, esta es la
conversación que siguió:

S.W.: —Hola, soy la vecina de al lado.

Al ver que él no respondía, siguió hablando.

S.W.: —¿Están tus padres?

El chico identificado como Rainer Nögler se limitó a
negar con la cabeza.

S.W.: —Oh —a ella le pareció extraño, pero prefirió
no decir nada—. ¿Podrías bajar el volumen de tu tele?
Estoy durmiendo.

Rainer seguía sin responder, solo la miraba a los
ojos. En ese momento, ella se sintió estúpida.

S.W.: —Quiero decir... Si no te importa, ¿podrías
mantener el televisor a este volumen? Estoy cansada y
mañana tengo que madrugar. Si no, tendré que llamar a
la policía.

Rainer asintió, otra vez en silencio, y cerró la
puerta sin más.

"Yo estaba dispuesta realmente a avisar a la
policía, usted sabe que a los urbanitas no nos está
permitido provocar barullo nocturno, ni siquiera
ducharnos, ni realizar ninguna actividad que pueda
perturbar el sueño de los vecinos. Vivimos en un mundo
civilizado por algo. Así que me esperé un minuto
delante de la puerta cerrada, porque tenía la sensación

de que el chico no iba a hacerme ningún caso. Sin embargo, no fue así. El volumen continuó bajo, casi inescuchable (sic), incluso desde allí".

La señorita Wolff se acostó de nuevo sin más sobresalto. De inmediato, logró reconciliar el sueño. Recuerda que pensó que era lógico que los padres de Rainer no estuvieran allí: jamás hubieran permitido a su hijo armar semejante alboroto sonoro.

A las tres y veinte de la mañana, el estruendo del televisor de los Nögler volvió a despertarla. Los sonidos parecían proceder, otra vez, de una película. "Juraría que era la misma película, una de esas de marines psicópatas masacrando un pueblo de extranjeros". Por extranjeros, suponemos que la señorita Wolff se refiere a ciudadanos no estadounidenses ni alemanes.

Así que la señorita Wolff salió de nuevo al pasillo, y volvió a aporrear la puerta de la familia Nögler, esta vez más decidida a poner las cosas en su sitio. El batiente se abrió y volvió a aparecer el rostro impertérrito de Rainer, apoyado en la jamba.

"Era raro. Su rostro estaba muy blanco. Me miraba ligeramente inquisitivo, como si estuviera realmente sorprendido de mi intromisión. Parecía querer decir: ¿Qué quiere esta desconocida a esta hora de la noche? Sí, digo bien: esta desconocida. Por su expresión, no parecía recordar que ya me había presentado allí unas horas antes.

Le amenacé con llamar a la policía si no reducía inmediatamente el volumen de su aparato de TV. Le seguí increpando, quizá un pelín histérica. Reconozco que me molesta mucho que no me dejen dormir. Pero él no contestaba nada, no ponía tampoco cara de arrepentimiento, pero no parecía burlarse tampoco.

...POR EL HUECO APARECIÓ LA CABEZA RUBIA DE RAINER NÖGLER (17, IDENTITÄTS-AUSWEIS: 2876298452), EL HIJO DE LA FAMILIA, UN CHICO DE ROSTRO ANÉMICO E INEXPRESIVO.

Solo me miraba como si no estuviera allí. Le seguí profiriendo gritos, lo confieso. Le dije que aquello era inadmisible en nuestro edificio y que en cuanto volvieran sus padres les contaría todo para que le castigaran. ¿Qué clase de educación le habían dado?, le grité. Entonces me fijé en su ropa y enmudecí. Vagamente, había estado pensando que era raro que a aquella hora el chico aún no se hubiera cambiado a un pijama o a una bata, y sin darme cuenta estaba mirando su camisa y su chaleco: fue ahí cuando vi la mancha".

En efecto, la señorita Wolff descubrió en ese mismo instante unas pequeñas motas escarlatas sobre la manga izquierda de la camisa clara de Rainer, correspondiente a la parte del antebrazo: "No se trataba de ketchup ni acetil rojo. Sé distinguir perfectamente cuándo es sangre".

La joven calló de golpe y miró al chico, genuinamente asustada. Rainer no pareció advertir nada raro en ese súbito miedo. Atropelladamente, la señorita Wolff articuló una disculpa improvisada (ni siquiera recuerda lo que dijo) y se volvió hacia su apartamento, sin mirar atrás. Oyó la puerta de sus vecinos cerrarse, y por un momento creyó que el chico se abalanzaba sobre ella con un cuchillo de cocina en la mano. Encogida de hombros, volvió la vista. El pasillo estaba vacío.

En cuanto entró de vuelta a su apartamento, se aferró al teléfono y marcó el número de la policía. Luego, bajó al vestíbulo del edificio e informó al portero nocturno de sus sospechas. El señor Schroeder, bastante incrédulo y más fastidiado, le aconsejó esperar junto a él a que llegara el coche patrulla. Me enorgullece confirmar que este se presentó a los diez minutos.

A las 11.30 horas, justo después de haber sido retirados los cadáveres, Bornham y Stronheim abrieron la puerta del apartamento de los Nögler y me permitieron echar un vistazo a la escena del crimen.

Se trata de un piso bastante amplio (noventa metros cuadrados), con cierto aire tristón cuya causa no sabría definir: probablemente el hecho de que las ventanas den al norte y la luz llegara rebotada al interior. Hasta media altura, las paredes blancas están recubiertas por un forro de listones de madera verdimarrón, lo cual tampoco ayuda a crear un ambiente especialmente optimista.

La puerta de entrada conduce a un breve corredor y este al salón-comedor, donde supuestamente se cometieron los asesinatos. Todo está en orden, excepto por las siluetas marcadas en tiza del suelo. La señorita Wolff, de no haberse sentido tan hipnotizada con la mirada de Rainer, podría seguramente haber vislumbrado desde su posición en el pasillo comunal, a través de la puerta abierta, parte de las piernas de los cadáveres tendidos al fondo.

Todo tiene un aire sobrio y apacible. Cortinas color salmón, suelo de moqueta marrón, juego de sofás grises, mueble-comedor marrón de roble oscuro (siempre los he odiado), con un televisor empotrado. Mesa de madera con hule de color crema o beis (nunca he sabido la diferencia), junto a las ventanas. No hay balcón.

El resto de dependencias, más allá de un tétrico pasillo que las conecta con el salón, está dividido en dos dormitorios, uno de matrimonio y otro que es el cuarto de Rainer; un cuarto de baño y una biblio/videoteca. Todo parece en orden, excepto la cama de matrimonio, que exhibe las sábanas revueltas y la colcha recogida en su base; en cambio, la cama de Rainer está sin deshacer.

El portero sube para hablar conmigo. Me pone al

corriente del quehacer de la familia Nögler. En
realidad, solo llevaban instalados en aquel edificio
un año (la señorita Wolff pecó de excesivo celo al
insistir en la discreción del matrimonio: no es de
extrañar que no notara su presencia, durante un año
entero ni siquiera vivían allí). Procedían de una
buena posición social, pero no estaban pasando buenos
tiempos. Simon Nögler (44) acababa de ser despedido de
su trabajo como técnico de primera en una imprenta por
reducción de plantilla, y se había visto obligado a
sacar una licencia de taxista que le hacía pasar horas
y horas en la calle. Por su parte, su esposa Karin
(41) era profesora de educación primaria, en calidad
de sustituta, pero el último año se había acogido
al régimen de "baja por depresión". Los ingresos
económicos resultaban claramente insuficientes, sobre
todo si lo comparamos con el salario que probablemente
percibían cuando Simon trabajaba en la imprenta. Pese
a todo, en palabras de Schroeder, los Nögler eran
"un matrimonio feliz, al menos siempre se les veía
cariñosos y cómplices. Pocas veces he contemplado una
pareja tan compenetrada y pendiente uno del otro.
Cuando los veías, sabías que era una pareja que iba a
durar para toda la vida. Y así ha sido".

En cuanto a Rainer, se trataba de un chico normal y
corriente (el sr. Schroeder dixit), pero poco hablador,
algo introvertido y nada preocupado por los asuntos de
faldas típicos de la adolescencia. En algún momento,
sabedor de que albergaba en casa un reproductor
de vídeo, el portero intentó crear con él cierta
complicidad, ofreciéndole alguna de sus películas
"especiales" (de contenido pornográfico), pero el chico
siempre las rehusó sin el menor signo de inquietud.
Si tenemos en cuenta que las que ojeé en el casillero
pertenecen al subgénero de la coprofagia, no podemos

por menos que alabar el buen gusto del chico.

Sin embargo, pese a sus indicios de laconismo, poca sensibilidad y sociabilidad escasa, todo indica que se trata de un muchacho muy responsable: no solo llevaba inmaculadamente en orden sus estudios de Secundaria, aunque aún no había decidido si quería seguir estudiando en la Universidad; también ayudaba a sus padres empleándose a media jornada en un videoclub de la misma calle, en el número 173, propiedad de Herr Helmut Schmidt (63), solterón retirado del Bundeswehr tras veinte años de servicios. Stronheim, que ha visitado el videoclub, me explica que el propietario asegura que hace un mes que el chico ya no trabaja allí: lo despidió por hurto de material, en concreto de títulos viejos archivados, por eso no se dio cuenta de inmediato; de hecho tampoco se apercibió hasta ahora de que le faltaba su rifle, que guardaba ilegalmente en el almacén en caso de un improbable atraco. Se trata de un Heckler — Koch G3, el modelo alemán basado en el Cetme español que durante los 60 usó nuestro ejército, y que hallamos apoyado contra el lateral del sofá frente al televisor, en la vivienda de los Nögler.

El trabajo de Rainer en el videoclub e incluso sus hurtos explicarían la videoteca, repleta de títulos ordenados, la mayoría procedentes de viejas películas en blanco y negro, de las de antes de que él hubiera nacido. También hay una estantería de libros, un anaquel dedicado a gruesos volúmenes de Antropología (al parecer, es la carrera que contemplaba estudiar en la Universidad), Inglés y Español (desde niño había sentido preferencia por estas lenguas, y ya se había licenciado de la segunda en una academia privada, con buena nota); el resto consagrado a la ficción popular, casi todo novelas baratas. Hay varias de Karl May y los últimos best-sellers de Sven Hassel.

El cuarto de Rainer es austero hasta la muerte. No hay colgado ni un póster de ningún grupo de rock progresivo, ni del Che Guevara, ni siquiera una esvástica. Cuatro paredes blancas. Una cama, una mesita, un escritorio. Todo escrupulosamente limpio y ordenado.

En el salón, el orden también es general, pero aquí, al contrario, abundan las figuras de porcelana y metal, que atiborran las estanterías, como un caso crítico de hórror vacui inmenso: todas brillan impolutas, la madre es (era) sin duda una obsesa de la acumulación y la limpieza.

Me fijo en el televisor, un agujero negro por pantalla que debe hacer sus buenas veinticuatro pulgadas, empotrado en la barriga del armario. El reproductor de vídeo está vacío: me enseña sus fauces sin dientes. Me siento al otro lado del salón, en la pieza central del tresillo, que queda justo enfrente. Estoy a tres metros de la tele. Desde aquí puedo ver las veces que quiera esa película de "extranjeros" masacrados, esos cerdos amarillos no durarán mucho en la colina. Quizá los extranjeros somos los alemanes, lo hemos sido y seguimos siendo en el cine bélico, somos los otros por antonomasia. Eso me puede producir cierto sentimiento de frustración, conflictos de identidad en plena adolescencia. Tengo mi rifle, que robé a mi jefe, sobre las rodillas. Puedo ser como el héroe yanqui de la película, escapar del campo de prisioneros, coger el arma, volver y tomar la colina a tiro limpio. Acabar con esos sucios alemanes, con esos nazis de mierda. A mis pies yacen papá y mamá, muertos. Sucios alemanes. Quizá también le haga una visita al guarro del portero, ese comemierda no se escapa. Más tarde. Ahora y aquí todo está en orden.

Todo en orden.

¿Y a mi lado? Giro la vista. Más allá del regazo del

A MIS PIES YACEN PAPÁ Y MAMÁ, MUERTOS.

sofá, descubro un paragüero cilíndrico sin paraguas, de cobre brillante, también recientemente lustrado: aún huele a pasta limpiametales. Pero también huele a algo más: la boca del paragüero expele un hedor acre (si es que acre significa lo que creo que significa) y algo picajoso. Me levanto e inclino sobre el paragüero: en su interior hay algo. Meto la mano y saco un par de objetos medio deshechos, procurando que ninguno se me caiga. El de abajo parece un grueso cuaderno o dossier ceniciento. Lo que yace encima parece un escarabajo gigante, totalmente quemado, el caparazón de plástico fundido y como cerrado en sí mismo. Fue una cinta de vídeo, pero ahora es imposible saber qué era lo que contenía. Ninguna señal de la casa editora, ningún número de registro (Ver Evidencia F-4324).

En cuanto al dossier, se trata de una carpeta de cartón rígido azul con refuerzos de hierro, sin ninguna indicación en la cubierta, que envuelve y protege un considerable volumen de páginas. Alguna esquina de las tapas aparece chamuscada, pero todo hace pensar que quien incendió la cinta de vídeo no previó que, bajo ella, aquel mamotreto resistiría el poder del fuego. El interior resta prácticamente incólume, a excepción de algunas manchas marronáceas provocadas por los lengüetazos de las llamas.

Dentro, páginas y páginas mecanografiadas de texto.

A las 15.00 horas, llego a la Comisaría de la Policía Federal en Ernst-August-Platz 1, con mi dossier flameado bajo el brazo. En el pabellón de detenidos, Rainer Nögler me espera para ser interrogado, junto al viejo Matthias Schültz, que me mira con cara de perro apaleado (supongo que no tiene muchas ganas de defender un caso perdido) y migas en el bigote (supongo que he interrumpido su almuerzo). Me siento frente al chico y acciono la grabadora.

Se trata de un adolescente de cabello rubio claro, lacio y revuelto, ojos azules de mirada vaga (blanco visible bajo las pupilas, la derecha más que la izquierda, y el arco superior comido por los párpados), piel muy blanca, irritada en los cartílagos de orejas y nariz. Posible consumidor habitual de cocaína, aunque su mirada es más propia de un heroinómano. La mirada es, además de vaga, insolente. Tiene un punto de cantante pop. Me siento un poco ridículo al decir esto, pero me recuerda a los personajes de los dibujos animados que dibujan los japoneses. A cómo dibujan los nipones un personaje occidental, me refiero: ojos imposiblemente grandes y expresivos, rostro de piel delicada, rasgos algo efébicos pero nobles, mirada lánguida y, en algunos casos, mórbida. Una interpretación bastante ajustada, si bien algo decadentemente erotizada, del ideal ario. Así de guapo es Rainer también (huelga añadir que la estupidez de tal "ideal" ario queda aquí más de relieve que nunca al verse encarnado en un individuo con apellido de origen evidentemente judío).

La nueva camisa inmaculada, mostaza ramplón, con que se presenta ante mí no amortigua la luminosidad de su rostro. Minutos antes tuve oportunidad de revisar la ropa con que le detuvieron: el chaleco gris y la camisa blanca hueso. Busqué las manchas rojas en la tela, que ya eran marrones. La sangre derramada en la matanza parecía un mal trago adolescente de cacao soluble.

Ahora, simplemente, el presunto homicida parece un chico retenido en el despacho del director, listo para recibir una intrascendente reprimenda.

A continuación, reproduzco nuestra conversación:

"JR: —¿Rainer Nögler?

(Solo asiente.)

JR: —Soy el psicólogo del Departamento. Me han encargado que te haga algunas preguntas.

(Vuelve a asentir, pero dudo que me haya escuchado, o habría saltado: "¿Creen que estoy loco?". Siempre lo hacen.)

JR: —En primer lugar, ¿qué es esto?

(Le muestro el dossier, dejándolo sobre la mesa.

Su rostro trasluce expresividad por vez primera, en forma de cierto asombro. También el del abogado.)

RN: —Es es una historia. (Habla muy, muy, muy taciturno.)

JR: —¿Una historia?

(Asiente, algo turbado.)

JR: —¿Una historia de qué? ¿Una historia inventada por ti?

(Calla largo rato. Luego, sorpresivamente, niega con la cabeza.)

JR: —¿No la has inventado tú?

RN: —No. Solo la he escrito yo.

JR: —¿Quieres decir que la has mecanografiado tú?

RN: —Sí. Así es.

JR: —¿Pero la historia ya existía?

RN: —Sí. Es una película.

JR: —Oh. Es la historia que viste en una película.

RN: —Exacto.

JR: —Y decidiste escribirla.

(Asiente.)

JR: —Explícame por qué.

(Matthias interviene.)

MS: —De verdad, Jonas, no entiendo qué tiene que ver eso con lo ocurrido. Mi cliente ya se ha declarado culpable.

JR: —Dime por qué, Rainer.

(Rainer me mira. Creo ver ¿odio?)

RN: —Es una costumbre que tengo. Escribo cosas. Cosas que ya existen. De niño lo hacía: cogía novelas de mi padre y las escribía con mi máquina de escribir

JR: —¿Quieres decir que las transcribías?

RN: —Sí, eso Pero a la mitad me aburría y la dejaba. Y cogía otra. Era una manera de meterme más en las historias. Era una manera...

JR: —¿Tú no tienes imaginación?

RN: —No es eso. Es mi manera de de meterme en esas historias. En vez de leerlas solamente, las leía mientras las escribía. Me imaginaba actores de cine interpretando cada personaje, en mi mente, para poder verlos mejor y reescribía las historias.

JR: —¿Las mejorabas? Quiero decir, ¿las cambiabas en algo?

(No responde.)

JR: —¿Y qué cuenta esta historia?

RN: —Es solo una película.

JR: —¿Es la película que intentaste quemar?

(Rainer asiente.)

JR: —¿Cómo la escribiste? ¿Ibas viendo la película en el reproductor de vídeo mientras transcribías los diálogos?

(Rainer niega.)

JR: —¿Cómo entonces?

RN: —Me la sé.

JR: —¿Te la sabes?

RN: —Sí.

JR: —¿Quieres decir que te la sabes de memoria?

(Rainer asiente. A su lado, Matthias suspira y se coge una miga seca de la corbata. La prueba con la lengua.)

JR: —¿Cuántas veces has visto esa película, Rainer?

(Silencio. La mirada de Rainer se desvía hacia el lado vacío de la sala. Contempla el vacío. Se está perdiendo.)

JR: –¿Rainer? ¿Me escuchas? ¿Cuántas veces has visto esa película?

RN: –Mil ciento veintidós.

(Matthias se atraganta con la miga. Yo no aparto la vista de Rainer, pero él no me mira. Levanto el dossier para llamar su atención, lo esgrimo ante él.)

JR: –¿No te has inventado nada?

(Rainer no responde. Está perdido en algún lugar oscuro. Sus finos, delicados labios comienzan a mascullar en silencio, frases que parecen pertenecer a una narración. Rápido, abro el dossier y miro: está recitando el primer párrafo de la "historia".

Luego su voz languidece. Su mirada no parece volver en sí. Matthias y yo nos miramos. Me levanto y me voy, llevándome el dossier conmigo.)

Le adjunto el dossier en cuestión (Ver Evidencia F-4325: he intercalado en algunas hojas mis notas e impresiones personales) para que lo lea: yo ya lo he leído esta misma noche.

Le recomiendo que lo haga de día.

JR: -¿RAINER? ¿ME ESCUCHAS? ¿CUÁNTAS VECES HAS VISTO ESA PELÍCULA?
RN: -MIL CIENTO VEINTIDÓS.

Dossier:

Transcripción de Rainer Nögler (Evidencia F-4325)

PRÓLOGO

Un parterre de geranios de explosivos colores ocupa toda la imagen. Nos alejamos y descubrimos, a su lado, tendido boca abajo, aplastando nuevas flores indefensas, el cuerpo desnudo de un tipo gordo, desmayado, el recio pelo negro costroso de suciedad, con una botella de alcohol vacía agarrada en una mano. Probablemente se trata de un borracho, pero sus formas obesas y curvilíneas, junto a la calidad de la piel, reluciente, lampiña y esponjosa como la de un cerdo, podrían pertenecer a una mujer.

Seguimos retirándonos progresivamente y empezamos a oír el temible ruido del tráfico de una calle céntrica (alrededor adivinamos unos hollinosos edificios bajos) que bordea, en doble sentido, el parque con el parterre y su borracho. En un extremo, una policía municipal de apretados muslos y regordetes mofletes empieza a soplar desgañitada su silbato, pertrechada en el interior de una garita elevada. Una vaharada de humo gris y aparentemente maloliente lo invade todo, precediendo una horda de viejos y destartalados vehículos de dos, tres y cuatro ruedas que cruza el asfalto con prisas inexplicables. Estamos, evidentemente, ante una recreación de paisaje urbano hecha en estudio.

Los automóviles, conducidos por impacientes adultos desarrapados de morenas facciones primitivas y complexiones chatas, consisten básicamente en coches de todo diseño y tipo (europeo, japonés y americano), unificados estéticamente solo por el menoscabo de sus carrocerías, sus chapas oxidadas y el uso indiscriminado de frenos y bocina, la cual hace las funciones de las luces de posición (nadie las utiliza); carcomidos motocarros con audaces timoneles en camisetas de tirantes y pantalones cortos, realizando imprudentes y alocados adelantamientos, ajenos a su carga humana de hasta seis pasajeros (en su mayoría familias, sentados tres sobre tres sobre la banca posterior), sin respetar semáforos ni el paso de peatones: varios de estos últimos retroceden asustados, al verse prácticamente arrollados por la estampida de autos; y motocicletas montadas en numerosas ocasiones por hasta tres personas desencasquetadas: un matrimonio con su bebé precariamente sostenido por el papá sobre el lomo de la moto, frente a los gigantescos manillares, sin sujeción alguna excepto las nudosas manos progenitoras.

Una pareja en un motocarro ríe señalando el cuerpo del ebrio tirado sobre el jardín del parque. Ella se cubre la cara con una mano, coqueta, sin dejar de mirar. El desmejorado conductor del motocarro también se vuelve y sonríe cruel.

—¡Cúbrete, indesente, que estás todo calato! —la frase suena a todas luces prescindible, pronunciada para acentuar la impresión de lugar exótico y singular, como así manifiesta el subsiguiente subrayado musical de violines y maracas, sostenidas cual vibrar de cola de cascabel.

Y sobre la imagen, se superpone por unos segundos la siguiente frase:

EN LA CAPITAL DE UN PAÍS DEL CONO SUR, EN UN FUTURO CERCANO*...

Una desvencijada camioneta azul del tipo vulgarmente conocido como "ranchera" se sitúa en primer término procedente de la calle más cercana, deteniéndose bruscamente debido a un embudo del tránsito. La conduce John Figueroa. Es un tipo alto, de ojos añiles, un contorno de rostro cuadriculado, angulosas mandíbulas y pelo negro (evidentemente teñido para la ocasión, pues el actor que lo encarna tiene de habitual el pelo castaño, y sus rasgos son manifiestamente germánicos). Ronda los treinta años y su rostro aparece maculado por barro y grasa de motor. Impaciente, masculla una maldición que no logramos identificar, probablemente inventada para la ocasión. Su actitud revela que tiene aún más prisa que los demás conductores.

*En realidad, Su Excelencia, para nosotros quiere ya decir "En un pasado lejano...". (Nota a mano del Restaurador del Libro con vistas a memorizarla para información del Presidente)

Para hacer tiempo, mira a su alrededor, nervioso. Sus ojos recaen sobre un cartel publicitario instalado sobre la fachada de una ruinosa panadería. En él, se ve una fotografía de cuerpo entero del propio John Figueroa, vestido con lujosos pantalones negros y sedosa camisa negra abierta en el pecho, rodeado de atractivas mujeres blancas de apariencia anglosajona, con grandes ojos y bocas, pechos artificialmente resaltados y largas piernas al descubierto, debajo de sus politos y sus minifaldas. En la foto, el modelo mira al espectador mientras sostiene una botella de cerveza en cada mano, con aire confiado y seductor, las mujeres observándole deseosas, bajo el siguiente rótulo en forma de globo de historieta que parte del propio John: TÓMALAS. Un recargado logotipo de la marca Cerveza Inca, reminiscencia de algún tocado precolombino, reina en el extremo superior derecho del cartel.

El John "real" retira la vista del cartel y con desasosiego repasa a los conductores en derredor, inquieto, mientras su mano derecha oculta parcialmente su rostro, como si acariciara su barba de dos días. Luego, más convencido de que nadie le está reconociendo, se suma al clamor de bocinazos, machacando repetidamente su claxon con la mano izquierda. Por fin, la caravana reinicia la marcha y John consigue avanzar varios metros con su auto.

Reanudado el trayecto, John adelanta sin remordimientos a varios vehículos (ciertamente, tiene prisa) y se introduce con premura en un desvío. Un tremendo bache sacude todo el coche: más nervioso todavía, John echa un vistazo por el retrovisor y luego hacia atrás, preocupado, estando a punto de atropellar a un grupo de cuatro niños harapientos de no más de siete años, que venden caramelos en la calle. John les sigue con la mirada, arrepentido de su imprudente acelerón, pero continúa hasta el final de la callejuela. La ranchera recala frente a un establecimiento de pinta cochambrosa: una estructura rectangular de rojo adobe desbaratado bajo una mano de pintura amarilla ya grisácea, precedida de un patio bordeado por un vacilante muro de mampostería concertada.

Los niños rebasados, al ver que el auto estaciona solo unos metros más allá, corren en tropel hacia John, quien acaba de descender de su camioneta y evalúa con esperanza el rótulo pintado a brochazos rojos sobre fondo amarillo del establecimiento, donde dice:

AGENSIA DE TRASPORTES AMAZONIA

Luego, con ansiedad mal disimulada, se dirige hacia la parte posterior de la ranchera. Una alfombrilla de duro plástico negro con relieve rayado cubre apenas lo que parece un bulto oculto bajo la misma. Sudoroso e intranquilo, John se dispone a introducir su mano en el oscuro hueco que se abre bajo la alfombrilla, pero el hatajo de niños se le abalanza antes de que pueda culminar su gesto, agobiándole con incontinentes peticiones de caridad y desapego monetario. Los rostros de los críos son hermosos y suplicantes.

-¡Señor, señor, cómpreme un chiclesito!

-¡Una tarjeta de teléfono, señor!

-¡Amigo, usted es importante, colabore con mi mancha nomás!

John se altera al oír esto último y, haciendo un esfuerzo por enderezar su propósito y reemprender su cometido, se desplaza a contracorriente entre ellos: apreciamos ahora con mayor claridad su sobria vestimenta, un uniforme originalmente blanco de una pieza, con cuello de cisne y patas de elefante, compuesto de una tela suave, probablemente algodón, que envuelve ajustada la nervuda y bien formada figura del protagonista.

John exhibe el forrillo de los bolsillos de sus pantalones, en ademán de disculpa frente a los niños. Estos, decepcionados, le ven cruzar el triste patio arenoso y entrar en la Agencia de Transportes. El mayor le grita, inconforme.

-¡Figureti de mierda!

El interior de la agencia es en realidad otro solar con más viso de deteriorado aparcamiento, rodeado por un perímetro de paredes desportilladas. En la más alejada, un vano desnudo da a un cuarto que hace las veces de oficina. De su hondura, sobresale una broncínea multitud de gentes humildes, gritando hacia el fondo mientras agitan billetes de viaje.

-¡En la boleta nos asegura que el taxi partiría hase una hora!

-¡Devuélvame la plata!

Sin mayor dilación ni miramientos, John se abre paso como puede por entre la marabunta de paisanos, lográndose asomar por el hueco del vano: adentro, desde detrás de una mesa y acuciado por la muchedumbre, un tendero de ajado y anticuado traje polvoriento, poco apropiado en el luminoso día, intenta mantener la situación a raya, consiguiéndolo a duras penas.

-¡No tenemos taxis disponibles! ¡El próximo llega en media hora!

John se fija en un voluminoso crucifijo que cuelga de la pared, junto a un archivador. Por un momento su rostro refleja consternación. Enseguida, recupera la compostura y hace una seña con la mano en dirección al tendero. Fácilmente saca una cabeza al resto de lugareños, así que el jefecito, quien ahora se seca el cobrizo rostro sudoroso con un pañuelo sudado, repara de inmediato en él. Su cara de pronunciada dentadura ladrillosa se ilumina servil y, murmurando continuas y falsas palabras de disculpas ante la quejumbrosa masa aglomerada, con esa predisposición inexplicada pero sobreentendida que siempre muestran los secundarios hacia un protagonista, se apresura con dificultad hacia la salida del despacho.

El tendero consigue salir y se aproxima voluntarioso a John.

-Señor Figueroa, qué plaser resibirle aquí. Soy un loco de sus comersiales…

-Necesito un carro de inmediato.

-¿Adónde? ¿A Tingo María, a Huánuco?

-El lugar no importa. Pero debo salir de aquí ahora mismo.

El tendero pone cara de conejo desvalido.

-Qué lástima. Pero hoy es imposible. Ni de vainas. Mis ferchos están todos en ruta y los que no, están durmiendo la mona, pues. Además, hay varias trochas cortadas por los bandidos y… —Su rostro cambia de pronto, ensombreciéndose con una rastrera sonrisa, al mismo tiempo que un foco parece iluminarle la franja de los ojos (los bordes de sus cuencas repasados con lápiz negro para subrayar lo mestizo de su condición), resaltando la expresión de ruindad, mientras alza su mano y frota el dedo pulgar contra el índice y el corazón—. Claro que, por una pequeña coima… ¿Cómo lo podemos arreglar?

Las facciones de John se contraen, endureciendo el semblante. Al mismo tiempo, consecuencia de ese gesto, su frente desciende un centímetro por debajo de su cabellera inmóvil, produciendo ese extraño efecto que en algunas personas parece indicar, sin ser cierto, que son portadoras de peluquín.

-No tengo encima ni un miserable sol…

La sonrisa complaciente del tendero se hiela de inmediato. Encogiéndose de hombros, parece dispuesto a iniciar una retahíla de pretextos de hombre de negocios debido al beneficio de su empresa, cuando en ese justo momento, un coche blanco de cuatro portezuelas entra en el solar y aparca en un extremo. Del auto bajan variopintos pasajeros anquilosados por el trayecto.

John se dirige sin vacilar hacia el conductor, un joven de gruesos labios, carrillos llenos y piel achocolatada, de ensortijada cabellera y al que la polvareda aposentada confiere apariencia de animal disecado, vestido con una camiseta rasgada que anuncia en su desvaído estampado una marca de refrescos estadounidense.

-Negro, negro... ¿Cuánto por llevarme a la selva?

-No sé. Nomás hable con el jefe...

El tendero, que ha seguido a John, vuelve a encogerse de hombros.

-Señor Figueroa, usted mismo reconose que no lleva plata ensima.

-Pero puedo conseguirla sin apuro. ¿O es que no soy suficiente garantía? Le proporcionaré el doble de lo que cueste el viaje.

El tendero le mira fijamente, con expresión apenada.

-Pues si no sabe siquiera dónde quiere ir...

-Lo más lejos que contemple. El trayecto más remoto. Diga su tarifa y yo le pagaré el doble en cuanto pueda llegarme a una sucursal bancaria.

-En ese caso...

El tendero vuelve a engalanar su faz con una sonrisa raída de mezquinos ribetes. Le tiende la mano a John y, mientras este cede la suya con desgana para verla sacudida sin remisión, el tendero compone con la otra mano un signo de aprobación hacia la muchedumbre, indicándoles que se allegen. Varias personas, mujeres, muchachas y viejos, cargados de bultos y hatillos, comienzan a introducirse por las tres portezuelas del coche no correspondientes al conductor: cinco parroquianos se apretujan ya en los asientos traseros, mientras dos más se acomodan como pueden en el asiento del copiloto, y tres críos se instalan a su gusto en el desolado maletero trasero.

John, al contemplar la invasión que está sufriendo el vehículo, se apresta a disuadir a los pasajeros de que tomen posesión de ese transporte, pero ninguno le escucha. Entonces trata de volver su queja hacia el tendero, pero este ya se ha desentendido de él y se encamina hacia un pordiosero andrajoso de fisonomía desastrada y bribona que le hace señas desde la entrada del solar. Finalmente,

John opta por expresar su desacuerdo con el propio chófer.

-Eh… Eh… esto no es justo… habíamos quedado en que solo me llevaría a mí.

-Ese no es mi problema, pata.

A John se le agota la paciencia y le coge de la floja camiseta.

-Yo no soy su "pata" –masculla sibilante–. Dígale a esta gente que se baje ahora mismo o le hago trizas. ¡Necesito el carro! ¿Es que no lo entiende?

Asustado, el muchacho mulato levanta sus blancas palmas en son de paz, mientras abre la boca exponiendo unos dientes metálicos cubriendo los huecos de la malnutrición.

-OK, pata. Como le digo, hable con mi jefe…

Con visaje contrariado, procurando no perder el oremus, John reflexiona unos segundos. Luego suspira y, teóricamente de nuevo en posesión de sus nervios, busca con la mirada al tendero. Lo localiza tres metros más allá, cuchicheando con el tipo de aspecto maleante, quien le muestra un objeto plegado. Parecen en tratos.

-¡Eh! –grita John, aproximándose hacia ellos–. Eh… amigo, ¿por qué no le dice a su… fercho que yo le alquilo el carro para que me lleve solo a mí?

El tendero no se vuelve, parece sumamente interesado en el trapicheo con el ratero.

-¿Por cuánto has dicho que me lo dejas?

-Veinte soles, hermano.

-¡Veinte soles! Vamos, tú estás volado. No… –el tendero sacude la cabeza, insatisfecho–. No te puedo dar más de quinse.

-¡Pero mírelo, compadre! Es un pisobús de la mejor calidad, y está como quien dise nuevito.

En ese instante, John se fija en el artículo cuya venta se tramita ante sus ojos. Sorprendido, comprueba que lo que el improvisado vendedor sujeta entre sus mugrientas manos de uñas rematadas de roña es una alfombrilla de plástico negro. Descompuesto el otrora apolíneo continente, se abalanza sobre ellos:

-¡Eh! ¡Eh! ¡Esto es mío!

John agarra y tira de la alfombrilla y, pese a encontrar la inicial resistencia del ladronzuelo, este desiste de su posesión al percatarse de quién se la está arrebatando. John sostiene la alfombrilla entre sus manos sin salir de su asombro.

-Pero… pero… malogrado choro cabrón. ¡Es la alfombrilla de mi coche! ¡Me la acabas de robar en mis mismas narices!

El atribulado robador esboza una tímida sonrisa y una disculpa entrecortada, apelando al orgullo gremial.

-Perdone, señorsito… yo no sabía… cómo iba a saber de quién era… No se me enoje…

-Caco desgraciado… rata atorrante…

De pronto, la expresión de John se transfigura, se hincha de ira. Acto seguido, arremete contra el ladrón, atenazándole por el cuello y retrasando su puño, dispuesto a descargarlo contra la desafortunada cara del sujeto.

-¡Dónde está! ¿Dónde la has dejado?

El agrietado delincuente intenta guarecerse con sus cortos brazos, mientras balbucea espantado toda suerte de excusas:

-Yo no sé… Qué sé yo… Por favor… ¿De qué me habla? No me haga daño, señorsito…

-¿Dónde está ella?

John lo zarandea por la pechera de la camisa, soltando espumarajos de rabia y miedo, resoplando hiel y saliva. Los ojos sanguinos, el perfil demudado, repite sin cesar:

-¿Dónde está ella, malandro? ¡Dímelo!

-Suéltelo, señor, le va a haser daño –le aconseja el tendero, aferrándole los brazos.

Enajenado, John por fin libera al tipo, que rueda por el suelo como un botarate. En pleno desquicie, su contrincante de piel clara da unos pasos en círculo, la cara alzada y la mirada perdida.

-¿Qué habéis hecho con ella, degenerados? ¿Indios de mierda?

A su alrededor, empieza a formarse un corro con el gentío presente. Le observan primero con franca curiosidad, sin entender su desazón, luego con inofensivo reproche: un mestizo de modesto atavío destapa con la mano una botella de cerveza y, luego de apreciar la marca de la etiqueta, mira en dirección a John y le señala sonriendo, para a continuación fingir la sujeción de una segunda botella en la otra mano, emulando supuestamente la pose del anuncio publicitario; su sonrisa y señalamiento intermitente se les pega a los demás; al segundo la sonrisa

-¿QUÉ LE HABÉIS HECHO? MACACOS INFELICES... RESINOSOS INMUNDOS... CHOLOS INFECTOS...
DECIDME, ¿QUÉ LE HABÉIS HECHO?

se hace risa colectiva y al tercero abierta carcajada, mientras todos los paisanos, incluidos chófer y tendero, le cercan y apuntan con el dedo, contagiados de hilaridad ante su presencia allí.

John les contempla con abyección indisimulada, mientras musita perdido en su propia demencia:

-¿Qué le habéis hecho? Macacos infelices… resinosos inmundos… cholos infectos… Decidme, *¿QUÉ LE HABÉIS HECHO?*

Delirante, John les lanza la alfombrilla con saña y se arroja contra el blando anillo humano, abriéndose paso entre sus bienintencionados componentes, quienes, como una masa amorfa y sin perder la risotada ni la chanza, tratan de retenerlo y placarlo sin éxito. Tras unos intensos forcejeos, John alcanza por fin a desasirse de sus burlones, echando a correr hacia la calzada. Ahora está ligeramente despeinado.

Al llegar a la acera, a tres metros, localiza el coche donde lo ha confiado. Sudando, angustiado, franquea a grandes zancadas el gravilloso tramo que le separa de la ranchera, precipitándose con gran agitación sobre la trasera de la camioneta. Asomándose al reborde azul, comprueba desazonado la ausencia, patente en la superficie desnuda de metal oxidado.

Pálido como un muerto blanco, John se vuelve en varias direcciones, buscando eléctrico en torno suyo, en medio del ensordecedor tráfico urbano. A su espalda, la chusma que se encontraba en el interior de la agencia abandona el solar y desemboca en la mal empedrada vereda, llevando consigo su capital de sornas y risas, que continúan vertiéndose inalterables ante la alucinada actitud de John.

Este, errabundo, pisa el firme de asfalto y vaga indeciso en contrarios sentidos, sin decidirse por ninguno. Su rostro, cercano a la histeria, se acerca a nosotros y nos interpela con los ojos desorbitados.

-¿Dónde está? ¿Dónde está Nancy? *¡NANCYYYYYYYYYYY!*
Sube la música.

QUÍTAME TUS SUCIAS MANOS DE ENCIMA

CRÉDITOS (REPARTO* Y FICHA TÉCNICA):

PERRY KING	JOHN FIGUEROA
KAREN BLACK	NANCY VELES
FRANK LANGELLA	NANCY VELES
ANDRÉS GARCÍA	SEÑOR SANTO
JOHN SAXON	CHOLO LOPES
IAN OGILVY	LUGARTENIENTE
VANESSA DEL RIO	PITUCO
HENRY SILVA	MULATA
MICHAEL J. POLLARD	MAYOR EVO VELES
CARLOS MEJÍA GODOY	FRAY PÍO I Y II
BARBARA CARRERA	DR. AVELINO HUAMÁN
FERNANDO HILBECK	EMPERATRIZ
RODDY MCDOWALL	CHAMÁN Y HUAMÁN SR.
RON MOODY	WALDO ALVARADO
RAQUEL TEJADA	PASTOR DEL NIÑO MILAGROSO
LAURA GEMSER	SOCORRO
TERESA ANN SAVOY	DRA. VASQUES
MANUEL DE BLAS	TURISTA ALEMANA
JOAQUÍN HINOJOSA	DUEÑO AGENCIA
	ANDINO BUS

PRESENTANDO A MICHAEL PARÉ COMO ERNESTITO

PRODUCTOR EJECUTIVO	FRANKLIN J. SCHAFFNER
PRODUCTORES ASOCIADOS	JACQUES BARR Y JOSÉ LUIS DIBILDOS
MÚSICA	BASIL POLEDOURIS
ARGUMENTO	ROD SERLING, BASADO EN EL CUENTO "DARK RACES" DE ROBERT E. HOWARD (REVISTA WEIRD TALES, DICIEMBRE 1932)
GUIÓN	**RICHARD MATHESON Y CHARLES WILLIAMS**
DIÁLOGOS ADICIONALES	KILGORE TROUT
DIRECCIÓN	**TOM GRIES**

RODAJE EN LOS ESTUDIOS CHURUBUSCO AZTECA DE MÉXICO Y EN EL ESTUDIO BURBANK (CALIFORNIA)

(El idioma hablado de la copia que describo es inglés, excepto por lo que respecta a algunos personajes secundarios, supuestamente indígenas hispanoparlantes; pero al estar filmada en México, con actores de carácter mexicanos, se escapan muchas palabras en jerga procedente, creo, de ese país que no tienen por qué corresponderse a la del imaginario estado sudamericano donde se desarrolla la acción).

*La sonoridad monosilábicamente onomatopéyica de los apellidos de los dos actores principales, así como el irónico detalle de que en el caso de la actriz principal su apellido signifique "negro" –siendo el componente racial (y hasta me atrevería a decir racista) tan primordial en esta "historia", como pronto comprobará–, me hizo pensar en un primer momento que ambos intérpretes no pertenecían sino a la imaginación desbocada de Rainer. Sin embargo, una búsqueda superficial en los archivos de una revista especializada me ha confirmado que dichos actores no solo existen en la realidad, sino que son considerados de cierta valía en el medio cinematográfico e incluso se pone mucha esperanza en el futuro de sus respectivas carreras. Todos los demás nombres, como profano en la materia que soy, me son absolutamente desconocidos, pero nada me hace pensar que no sean también reales. (Nota de Jonas Reinhardt)

1ª PARTE
SANTO SATÁN

CAPÍTULO 1

Una mansión de estilo colonial español y colores pasteles, que no se ven pero se adivinan, aparece rodeada por una alta verja. Frente a los dobles batientes principales, ante decorativas y decorosas rejas coronadas en puntas de lanza, hacen guardia un par de vigilantes de seguridad, armados con relucientes pistolas enfundadas y ametralladoras de mano, demasiado nuevas. Más acá, ocupando la entrada asfaltada, la carrocería de los lujosos coches aparcados brilla bajo la explosión de vistosos fuegos artificiales, que ilumina la calle frontal exterior, rebosante de desechos orgánicos y plásticos, junto a peatones con apariencia miserable que deambulan cual muertos vivientes, arrastrando carretillas con cartones o intentando alquilar o vender sus niños de mirada absorta. De fondo, resuena un vals para indicar que más allá de las rejas, esta noche es de festejo dentro de aquel privilegiado lugar.

Sobre la imagen, destaca el siguiente rótulo sobreimpresionado:

SIETE DÍAS ANTES

En el salón principal de estilo manierista que corresponde a (damos por sentado) la mansión cuya fachada nos ha sido expuesta, miembros evidentes de la clase alta —casi todos de piel blanca y rasgos germánicos y eslavos— galantemente danzan de a pareja mixta en la pista de baile hermoseada por flamantes arañas de luz y ríen con decadente convencimiento en los aledaños, sosteniendo copas de variados y atinamos a creer gustosos licores.

Aunque al principio solo le vemos de espaldas, por lo insistente de nuestra mirada comprendemos que uno de ellos es John Figueroa. De pie, muy envarado, viste esmoquin con pajarita y trata de mostrarse educado con el grupo de chismosos y chismosas que le rodea, inventores de preguntas que sean compatibles con el pequeño hueco que la deglución de canapés les deja en el carrillo izquierdo.

-La corbata michi le sienta bacán... –musita alguien indefinido en el grupo, probablemente en frase grabada a posteriori.

-Díganos, John, ¿y cómo el hombre más deseado del cine y la televisión ha acabado cayendo de bruces frente al altar? –cuestiona interesada y de paso nos informa la Chismosa 1, que también es la Solterona 3.

-Estaba cansado de huir –responde un desinteresado John, provocando las carcajadas de su entorno. Su rotunda barbilla le brilla, denotando que le han maquillado mal para la secuencia. El aire algo aburrido, peina con los ojos el otro extremo del salón.

-Pero un hombre como usted, que siempre ha hecho gala de su agnosticismo, pasar ahora por una ceremonia religiosa... –le reprocha el Chismoso 2.

En ese momento, John encuentra la persona que ansiaba: una cabellera de un exuberante rubio oxigenado se vuelve de pronto, y contemplamos a su dueña a placer (incluso más tiempo del necesario), una mujer de al menos treinta años pero que aparenta menos por exigencias del guión: rostro carnoso y pecas, textura epidérmica de pelirroja teñida y una desconcertante pero no exenta de atractivo –sobre todo cuando uno se acostumbra a ella– bizquera. Su mirada rutila al localizar la de John, tornándose pura, de una ternura y cariño dignos de la más entregada amante.

-...Por una ceremonia religiosa y por el mismísimo Infierno si es lo que hace falta –añade John fuera de cuadro.

Todos ríen en derredor, pero en sus risas resuena un mucho de rencor y envidias por el aplomo y la seguridad con que ha sido enunciada la opinión.

-¡Amigos, amigos, un momento, por favor! –les interrumpe una voz seca.

Al pie de la escalinata con balaustrada de alabastro que se vierte en el salón, un sesentón en traje de seda azul, hombre enteco y aún fibroso, con un raudo corte de pelo a cepillo, sostiene un vaso de aguardiente y lo golpea rítmicamente con una cucharilla, procurando llamar la atención de los invitados.

-¡Refrenen el impulso de sus ternos por unos segundos y atiendan, carajo!

El firme repiqueteo de la cucharilla termina por partir la boca del vaso. Todos enmudecen al hacerse más firme e irritada la voz del viejo. El hombre está acostumbrado a dar órdenes y ejercer su voluntad, y la imperiosidad de su tono no pasa desapercibida en el salón: se hace un forzosamente deferente e incómodo silencio. John también se vuelve, visiblemente embarazado.

El anfitrión readopta su compostura solícita y una sonrisa relaja su morena faz de viejo indio adaptado a los usos del blanco, sonrisa que entibia la endiablada dureza de sus ojos opacos. Agita la mano en dirección a John.

-John, ven aquí.

John obedece, salvando con amplios y seguros trancos la distancia física que les enfrentaba, y el hombre rodea con un brazo los hombros del joven, mientras sigue hablando a los presentes, pronunciando con rígida claridad, en un esfuerzo voluntario por transformar el traicionero seseo en un clasista ceceo.

-Es un honor para mí poder anunsiárlez algo casi tan grato como haber ganado la precidensia de nuestra sufrida nación: todo se andará… –la audiencia responde con una servil carcajada–. Mientras lo sigo intentando, tendré que conformarme con ganar un yerno –más risas–. Lo que está claro es que no puedo dejar pasar la ocasión de celebrar un día que como padre me llena de orgullo. Si mi esposa viviera, también estaría orgullosa… y sé que lo está ahora, allá en los siéloz. John, te entrego la mano de mi hija.

-Gracias, mayor Veles.

-Espero que seas digno de ella. Sé que lo serás.

La mirada que su futuro suegro dedica a John en medio de una ovación general no está exenta de amenaza, detalle difícil de velar con la aridez de ese rostro. Luego, con cordialidad de político, se encara a la concurrencia y adelanta el brazo armado con el quebrado vaso de quebranta en honor a su hija.

-¡Nancy, brindo por ti! ¡Tu madre te da su bendición!

Nancy sonríe feliz y levanta en candorosa correspondencia su copa de champán. John baja a reunirse con ella y ambos brindan, redimiendo el papelón con el enredo de sus ojos. El padre de Nancy bebe exultante del vaso roto, sin sentirse arredrado por el filamentoso borde.

-¡Y ahora a divertirse todos! –grita el Mayor, entusiasmado–. ¡Selebrémoz esta unión y todo lo que significa! ¡Entre otras cosas, unos nietos de cojones claros!

Todos ríen con fervorosa afinidad, excepto John, quien torna severa la expresión gentil de su rostro.

-Ya empezamos –murmura a su prometida.

-No te lo tomes a mal –justifica Nancy, sin cambiar de sonrisa–. Ya sabes cómo es el viejo. Déjale aparentar.

-Ni tú ni yo ni él somos puros de origen, por más que se buscase a la esposa más aristocrática del país. Por el amor de Dios, ¿es que no se mira nunca al espejo? Tu padre es indio hasta el tuétano. ¿De qué cree que puede servir intentar blanquear su progenie?

-De mucho, aparentemente –remata Nancy, hociqueando de manera significativa hacia un palco acaparado por varias presuntas autoridades políticas y empresariales que en estos momentos se incorporan de sus asientos para saludar con impostada efusión al Mayor: todos son de rostro pálido, cabello rubio o rojizo y ojos claros.

John sigue la dirección de la mirada de Nancy y sacude la cabeza.

-Espero que no llegue nunca a la presidencia –sibila reprobador.

-¡John! –le censura Nancy, pero su escándalo es fingido. Ambos carantoñean mientras beben, y acercan sus rostros, besuqueándose suave por encima de las copas mediadas.

-Sabes por qué transijo con todo este circo, ¿verdad? –insiste John.

Nancy se ruboriza. Los jóvenes se vuelven a besar.

Una mano cae sobre la espalda de John. Este se da la vuelta, algo tenso. Se trata del Mayor, quien pulquérrimo aplica con parsimonia y apatía un límpido pañuelo a un supuesto corte en la comisura del labio (el corte no se ve, tan sólo la pizca de rojo sobre blanco).

-John, ¿tienes un minuto? Nancy, ve con las damas.

-Sí, padre.

Nancy obedece, pero John la despide con un irreverente guiño de ojo mientras ella muerde maliciosa su labio inferior.

El Mayor vuelve a rodear la espalda de John con un brazo, posando sobre el hombro de su futuro yerno una mano cargada de sortijas de oro. John se esmera por ser ese yerno ideal, pero se le nota algo forzado en el papel que le toca representar. Ambos caminan junto a la pista de baile.

-Bueno, John, todo va viento en popa. Supongo que eres conzsiente del tipo de vida que tendrás que sezar de cultivar.

-¿Perdón, Mayor? –inquiere John, genuinamente desconcertado ante la inopinada permutación de eses y ces.

-Sabes a qué me refiero, no me pongas en evidencia –el Mayor fisgonea los ojos de John, sin dejar de taponar el labio.

-Nada más lejos de mis intenciones que contrariarle, mayor Veles, usted lo sabe. Pero no, no sé a qué se refiere.

El discurso del Mayor continúa como si no hubiera escuchado nada:

-También sé el tipo de vida que llevan los actores y los modelos. Tú ahora me dirás que son gente respetable y hasta inteligente, y por Dios que tú realmente me lo parésez. Pero he conocido a muchos, y sé que no solo son escoria, sino escoria estúpida, que es mucho peor. Gandules y pervertidos, haraganes y más promiscuos que una partida de marineros chapetones en día de permiso.

-Yo no soy así, Mayor.

-Lo creo, lo creo –reconoce el Mayor, desmintiéndolo acto seguido, al volver a escrutar sus ojos–. Mi hija no arriesgaría su pocisión y su futuro por un patán ansioso de peliculina. La abogacía, al contrario que la interpretación, es una carrera seria. Pero permíteme que te cuente una cosa sobre el matrimonio. Yo lo he vivido. Sé de lo que hablo. Y también sé que tú sabes lo que se rumorea de mí. Déjame que te diga la verdad –el Mayor se planta frente a John y retiene su mirada sin pestañear–. En toda mi vida, jamás le he sido fiel a mi esposa. Ni viva ni muerta. Entiendes, ¿no es así?

-Yo seré fiel a Nancy, Mayor.

-Eso es lo que quería oír –asiente complacido el Mayor–. Si me entero que eres como yo, vendré aunque sea del panteón familiar a darte una patada en tu culo blanco.

-No es blanco, Mayor.

-¿Cómo?

-Mi culo. No es blanco, Mayor.

El Mayor sonríe desdeñoso, sin conceder mayor trascendencia, mostrando unos dientes marmóreos excepto por un desagradable hilo amarillo que delinea su base. Ambos varones han arribado a la altura de una mesa con cócteles y canapés, servida por eficientes y callados camareros indígenas. El Mayor comunica con la mano a uno de los sirvientes el licor de su preferencia y, mientras este prepara el trago, aquel lo estudia fijamente, aún hablando con John.

-Mira bien a este hombre, John.

John se concentra en el sirviente, de lóbrega piel, rasgos simiescos y brocha de espeso cabello homogéneo, quien sirve pausadamente al Mayor sin darse por aludido ni levantar la vista. El Mayor le estudia con descarado y divertido menosprecio, el labio inferior fruncido en cruel sarcasmo, la fosilla sublabial hendida, como si estuviera sopesando la pureza de raza de un semental recién adquirido o el derecho a vivir de una especie sin solución de continuidad.

-Él no es blanco. Él se dezprezia por no ser blanco. A él le gustaría estar entre aquellos blancos –señala el palco con los pálidos industriales y políticos.

-¿Como a usted? –la impertinencia se le escapa entre dientes.

-No –responde el Mayor, impertérrito–. A él le encantaría ser como tú. Blanco como tú. Ergo, tú eres blanco. Al menos, lo zufisiente. Y eso es lo que cuenta, John, eso es lo que cuenta… Si tú fueras cholo o nieto de esclavos, negro teléfono, jamás estarías aquí, a este lado de la mesa.

John se sobresalta a su pesar. El indio ha alzado bruscamente la cabeza y es imposible leer la pizarra de sus salvajes ojos en su impetuoso viraje hacia el Mayor: no se sabe si lo que los hace brillar es ira, indignación o pura alegría por haber sido mencionado. Antes de que John pueda adivinarlo, la expresión del hombre se neutraliza y torna a ser una estéril y dócil máscara de sumisión.

-Su licor de siruela, señor.

El Mayor acepta la copa con la mano ocupada. Por fin repara en el pañuelo que ha ido apretando contra su heridita, y al comprobarlo moteado de rojo, lo arroja con resignación y prepotencia a una ponchera, indiferente a la reacción del sirviente, por otro lado nula, ya que asiste al desplante sin parpadear.

El Mayor se ha desviado hacia los grupos de convidados y, tras localizar a su hija, que va alternando la atención reconcomida de su puñado de chismosos personal a los dos hombres, le remite un mohín matizado de cariño: todo va bien; Nancy suspira. El Mayor no le quita los ojos de encima mientras barrunta, sorbiendo el licor:

-MI CULO NO ES BLANCO.

-Yo puedo ser un semental y aun así ganaré las elecsiónez. Pero mi hija debe ser, de por vida, una santa.

-Lo es, Mayor. Es conmigo con quien se va a casar.

El Mayor se gira presto hacia John con los ojos vitrificados, pero en un segundo sus facciones se relajan y la sonrisa de siempre se adueña de sus rasgos cobrizos, al tiempo que borbota una risa de tres exactos "ja ja ja". Prolongan el paseo entre los demás privilegiados.

-Sé lo que piensas sobre el matrimonio y la religión. No eres sonso, sabes que las inztitusiónez y los ritos son nesezárioz para la zupervivensia de la zosiedad. Y yo sé el ezfuerso que estás haciendo anteponiendo esa zupervivensia a la tuya propia como individuo con libre albedrío. Nunca es fácil sacrificar el egoísmo. Espero que tu integridad esté a la altura de tus intensiónez. Por cierto, ¿cómo encajas la idea de ingresar mañana al Acondicionamiento?

John pretende parecer distraído mientras elige un segundo trago frente a la mesa de cócteles:

-Digamos… que no acabo de entender qué nos va a enseñar sobre el matrimonio un cura piadoso y casto, que jamás ha yacido con mujer.

-Te equivocas. No hay cura piadoso y casto —de nuevo su corta y medida ráfaga de tres metrallas: "ja ja ja"—. El Acondicionamiento no lo conduce un religioso, sino un secular.

-Aun así, ¿qué puede saber él que no sepamos nosotros?

John enrojece abruptamente. El Mayor ríe para sí, profiriendo un sonido nasal triunfante.

-Cuidado, John, no resbales. No estropees tu actuación. Hasta ahora, ibas bien.

-No quería decir eso, Mayor. Disculpe.

-Lo sé —el Mayor le da dos palmadas en un brazo, comprensivo, con campechanía apócrifa—. Bueno, pues para tu información, las clases las impartirá el mejor hombre posible. El Señor Santo… qué apellido tan apropiado, ¿no es cierto?… es también viudo. Perdió a su esposa en el último gran sismo, el de 1978. Pero, al contrario que yo —el Mayor subraya su inciso con un pintoresco alzamiento de cejas por sus extremos enfrentados—, él sí le fue y le sigue siendo fiel. Es un hombre admirable, admirable desde todos los puntos de vista. Rebosa… ¿cómo definirlo?… una autoridad sin eztridensia, que solo se palpa, no la explota. Rebosa empecinamiento por el bien. Sigue los mandamientos de nuestra religión a rajatabla, con un rigor extremo, como si en realidad no costara acatar los preséptoz del Dios selezte. Y bien sabemos lo que cuesta.

-Dígamelo usted.

El Mayor sonríe otra vez.

-De acuerdo, tú ganas: yo no lo sé. Mis buenas coimas me supone que esa pandilla de putangueros apoye mi candidatura.

-Lo que no entiendo es cómo alguien puede pasarse siete días seguidos hablando sobre el matrimonio.

-Lo entenderás, John. Santo es un buen hombre. Tan cumplidor de las normas religiosas que hasta irrita. Un hombre santo, ya te digo. Si sobrevives a él, tu matrimonio con mi hija sobrevivirá.

El Mayor ofrece la mano a John, en actitud más militar que papal. John la acepta y sacude con propósito de rectitud. Ambos se miden con la mirada. El Mayor parece recordar algo y se carcajea.

-A todo esto –le propina una nueva palmada mientras se regodea al hilo de un pensamiento interior infinitamente gozoso–, ¿quieres saber cómo le llaman por aquí?

CAPÍTULO 2

Una cúpula de madera reclama todo nuestro perímetro visual.

Nos sobra tiempo para observar que se trata de una bóveda de media esfera trenzada con geométricas y mesmerizantes formas abstractas. Contagia una sensación de orden y cierto malestar claustrofóbico.

Quien mira la cúpula con nosotros, el perfil enteramente vuelto hacia arriba con manifiesta fruición, en éxtasis emocional, es un hombre maduro: alto, de elegante desgarbo, viste una guayabera leonada, pantalones de lino y zapatillas blancas. Su rostro alargado, de cabellera delicada y pulcramente peinada a los lados, de escarchadas sienes y castradoras patillas en forma de hacha, está asistido por unas gafas de gruesos lentes y montura de gruesa pasta marrón bosta. La desmedida hipermetropía causa un peculiar contraste: sus ojos achinados –su origen es oriental, aunque debido a la elección del actor que lo interpreta, le han conferido apariencia rasgada de manera artificial, maquillaje mediante– se ven aumentados hasta un extremo incongruente. Resultan así imprevistamente más grandes que los de un caucásico o un latino: ahora no se mueven ni parpadean, secretamente conmovidos en la placentera simetría que encuentran allí arriba. Su mano izquierda, recogida a la altura del abdomen, acaricia una pequeña zampoña de acero que cuelga de su cuello por un cuero fino. La mano parece seguir una cadencia interior que de algún modo está conectada al estado de armonía inducida que la visión de la bóveda le produce.

-¡Señor Santo, qué alegría, qué orgullo!

El Señor Santo, alterado por la interrupción, mata el trance y se vuelve con tenue desazón hacia la fuente de aquella destemplada voz. Un par de siniestros monjes descalzos y en hábitos negros con correas de esparto, el cabello extrañamente níveo y la piel translúcida, avanza por el ascético corredor de piedra y calicanto, hacia la antesala sobre la que está dispuesta la bóveda. Sus ojos brillan como los de los lobos en la noche y, al acercarse, contemplamos que, merced a rudimentarias lentillas, aparentan una adaptación biológica a la oscuridad reinante, las pupilas dilatadas al máximo, como si llevaran años recluidos en aquella tirando a tétrica y se diría subterránea construcción.

El primero de ellos, quien ha hablado, es casi idéntico al segundo, y de hecho están encarnados por el mismo intérprete, debido a lo cual nos vemos obligados a ver a uno después del otro, jamás juntos, a no ser que uno de ellos aparezca de espaldas o cada uno quede separado a cada mitad del campo visual, con una molesta línea divisoria de fosforescente delación en el centro de la imagen; sin embargo, mientras el parlante es un individuo de facha brutal, tez sudorosa y ojillos garbanceros, que te sonríen al tiempo que tasan tu precio, el segundo parece más inofensivo, de talante manso, expresión neutra y ausencia de intereses ocultos; incluso suda menos. Buenos actores.

Buen actor, quiero decir.

-Señor Santo, qué honor que haya escogido este humilde templo para su regreso a la sagrada empresa.

El Señor Santo recibe el saludo de sus dos anfitriones sin bajar los ceños y entresacando la mandíbula, signos visibles de la perturbación que le ha causado el intempestivo abordaje.

-Veo que estaba disfrutando con nuestra maravillosa cúpula. No sé si sabe su historia… –le espeta el monje parlanchín.

-Llamada La Media Naranja por los fieles –recita confiado el Señor Santo, con una voz gutural de resonancias intestinales y místicas, volviendo a otear con placer–, una media naranja perfecta que hace mi labor aquí mucho más simbólica y trascendente. Construida en 1625, de estilo mudéjar, su techado fue colocado a presión, con madera de cedro rojo traído adrede de Nicaragua por Fray Miguel de Huerta. Una maravilla… –concluye, con un suspiro de ángel decaído.

Los dos ¿hermanos? frailes se miran, inquietos, y el primero interviene con bienintención correctora.

–Eso fue antes de 1978. El último sismo la partió por completo. La media naranja se resquebrajó y vino abajo, la hemos restaurado como pudimos con madera de teca vendida a precio de coste por una multinacional europea.

La expresión melosa del Señor Santo se corta como la leche. Perdida súbitamente toda curiosidad en La Media Naranja, zanja su afabilidad para con los dos religiosos, carraspeante, a la expectativa.

Por su parte, una pizca sobresaltado, quizá pensando que quizá haya hecho mal o cometido una indiscreción, el fraile que habla toma nervioso la iniciativa, animando con los brazos a que el Señor Santo le siga, seguidos cómicamente por el fraile mudo, que algo aparte también aspaviento con menos arte.

–Pase, pase por aquí, Señor Santo. Permítame recibirle como se merece en mi recoleto despacho.

Sin enlace ni referencia con el anterior escenario, unas puertas de roble o una madera de igual aspecto y fuste se abren de sopetón y ambos religiosos invitan con remilgos a pasar al visitante a un cuarto de piedra desbastada, mejor iluminado, de altas estanterías y ostentoso mobiliario, de entre el cual destaca una suntuosa mesa taraceada en oro y unas sillas de respaldo alto, dignas de un rey. El Señor Santo, con una mirada francamente desaprobatoria, de significado evidente para cualquiera menos para los dos ¿gemelos?, penetra en la cámara y se sienta sobre una de las poltronas, de barroca ornamentación. El monje que dice se dispone asimismo en la butaca que domina el escritorio, mientras su ¿pariente?, acostumbrado a un afásico segundo plano, se arrellana sobre una banqueta común situada en un lateral.

–Abad Pío… Abad Pío… –musita finalmente el Señor Santo a manera de tardío reconocimiento, dirigiendo un pío Pío a cada abad.

–Estamos tan contentos de contar de nuevo con usted –saluda el primer abad Pío. El segundo se limita a afirmar con la cabeza, contento–. Suponemos que el llamado de Dios era imposible de ignorar.

–El llamado de Dios… –evoca el Señor Santo, sonriendo levemente.

-Cuántas parejas se lo agradecerán –aclara el otro.

El Señor Santo asiente, sin hacer comentario. El abad Pío, el primero, se toca la blanquecina frente –bajo cuya espesa capa de talco se intuye un delator tono anaranjado–, como recordando algo de imprescindible relevancia, y se apresura a recorrer con pasitos de perro faldero el espacio que mantenía a recaudo de sus zarpas un recargado y magnífico aparador estilo Luis XVI, ya utilizado diez años antes en la película "Ataque sorpresa" ("Surprise Attack"), único trabajo dirigido por el actor Robert Taylor, quien falleció precisamente de cáncer apoyado en dicho armario, en junio de 1969. El abad Pío, el que se ha levantado y dialoga para más señas, abre con premura dos acristaladas portezuelas del armario y extrae una añeja botella de contenido ambiguamente blanco. Luego, enfila hacia la mesa correteando, como si soportara encima una carga muy inestable de nitroglicerina.

-Qué mejor ocasión para celebrar su vuelta a las órdenes del Señor que con un poquito de nuestra ambrosía. Es quebranta pura. Nosotros mismos recogemos la uva y la pisamos.

El Señor Santos demuestra su interés con una ligera declinación de boca. El abad Pío vuelve al aparador con más prisa si cabe y desempolva de su interior tres vasos chatos de vidrio chusco. Con un ansioso ceremonial, descorcha la botella y llena los tres cubiletes, acercando el primero a su invitado.

-Salud y muchas fuerzas para acometer con éxito la obra del Señor.

Ni el abad Pío ni el abad Pío esperan por cortesía que el agasajado sea el primero en catar la bebida espirituosa, echándose al gaznate sus respectivas porciones con presteza. El Señor Santo olisquea brevemente el licor y descarta el vaso con disgusto. Los otros dos ni siquiera reparan en que aparta el recipiente sobre la mesa, tal como están degustando sus tragos, con los ojos cerrados. El abad Pío enmudece de placer, el abad Pío gruñe de placer.

-Me gustaría saber cuántas parejas acudirán y si tiene alguna información o salvedad de las que ponerme al corriente –va al grano el Señor Santo sin más dilación.

-Ciento veinticinco parejas.

-No son muchas –comenta el Señor Santo, con acento agridulce.

-Créame, en los últimos tiempos aún era peor: por cada cinco mujeres encinta, solo había un responsable. Imposible emparejarlos –el segundo abad Pío asiente al aserto de su ¿clon?–. Por suerte, la campaña política del mayor Veles, con sus exaltados discursos sobre la amenaza infernal pendida sobre aquellos que sigan las estrategias de planificación familiar o practiquen la promiscuidad, ha hecho mella en nuestras sencillas gentes, y retornan todos atemorizados a intentar hacer las cosas bien.

-Ya.

El abad Pío vuelve a servirse pisco, a él y a su réplica silente. Como no es tonto, respeta la abstinencia de su huésped.

-Hemos llegado a echarle mucho de menos, Señor Santo. Los otros maestros laicos no le llegaban al taco del zapato, si me permite la expresión.

-¿En qué sentido? –se interesa, por vez primera, el Señor Santo.

-Bueno… –el abad Pío vacila antes de cometer el pecado de la maledicencia gremial–. No se veían tan dedicados como usted. Tan devotos ni… profesionales. Incluso alguno que otro utilizaba sus dotes de orador, digamos, para seducir a alguna o alguno de los mozos asistentes…

El Señor Santo no dice esta boca es mía, solo la doblega en una mueca de desprecio, no se sabe si hacia su interlocutor o hacia lo escuchado. El abad Pío, que secretamente parecía codiciar la infusión de cierta complicidad que le animase a seguir injuriando, se deprime como un niño, hasta que su mirada recae sobre la botella.

-¡Tomemos otra! ¡Quien toma, no teme!

Y colma los dos vasitos con el prístino aguardiente. Su copia afónica también se aplica a vaciar el contenido en su estómago. La ingesta parece redoblar el entusiasmo de ambos frailes, que ojean su entorno con mayor piedad. El sudor relumbra en la raíz de sus albos cabellos.

-Me gustaría saber dónde podré instalarme –apremia el Señor Santo, deseando ahorrarse una penosa escena de deconstrucción acelerada de la dignidad humana.

-Pero qué prisa hay, maestro –se lamenta el abad Pío, escanciando una nueva ronda.

-Quiero preparar mis lecciones –resuelve austero el Señor Santo.

Por toda respuesta, el abad Pío embucha el renovado licor de su vaso y mira abstraído a su acogido. En el interior de su cuerpo parece implosionar una bomba de alto efecto radiactivo, a juzgar por el colorido de filete tierno que toman sus mofletes, ganándole el terreno a los polvos decolorantes. Se hace el silencio. El Señor Santo se resigna a aguardar alguna reacción, mientras en un extremo el otro abad Pío ríe para sí algo que se debe de haber dicho mentalmente.

De pronto, el abad Pío se desplaza de su silla y, reverente, vierte más líquido en el vaso, con visible e impúdico esfuerzo.

-Antes debo confesarle el júbilo que nos provoca su presencia.

Alzando a duras penas su cuenco rebosante, el abad Pío lucha por fijar la mirada en la oblicua del Señor Santo, quien no ha variado su impasible postura en todo este tiempo.

-Estimadísimo Señor Santo —principia el abad Pío, accionando solemne mientras una vaharada de alcohol espolvorea la atmósfera de la estancia, cual cruel avanzadilla inequívoca de su pintiparada prosopopeya—. Mi hermano y yo queremos hacerle conocedor de nuestro agradecimiento eterno. De nuestro sentimiento de admiración y total… —aquí se interrumpe, buscando una palabra adecuada, o quizá simplemente una palabra— …advenimiento con usted. Nos sentimos muy dichosos de contar de nuevo con su sabiduría. Mi hermano sabe que soy sincero. Él me conoce bien. Yo no le oculto nada a mi hermano, porque mi hermano para mí es como un… amigo. Y queremos decirle los dos bien alto y clarito, aunque él no hable, que vamos a estar con usted en esta maravillosa empresa de conversión, vamos a estar siempre a su lado, no verá en nosotros un ápice de vacilación ni de traición jamás. Seremos escuderos fieles de su sacro cometido. Y así sea, por los siglos de los siglos, amén. ¡Salud!

El abad Pío se despacha el aguardiente con rotundidad, obcecado en matar los sentidos. Algunas lágrimas de pisco repechan en su pechera. Le sigue un inaudito tambaleo, una risilla de su (definitivamente sí) hermano, y sus ojos comienzan a chisporrotear como churruscantes huevos fritos. Intentando recuperar la voluntad trastabillante, inspira y espira varias veces, hasta que una nueva idea se abre paso por la esponja calada de su cerebro y presto y con sonrisa bobalicona se inclina hacia el Señor Santo, ofreciéndole obsequioso la botella y su propio vaso.

-Ahora usted, si nos hace el…

De improviso el Señor Santo se ha incorporado de su asiento y su engañosamente frágil mano rechaza de un violento ademán el vaso que se le ofrece, estrellándolo al suelo; y, casi sin dilación, al vuelo abofetea con la misma mano, dorso y palma, ambas mejillas del abad Pío, dejando un rastro sanguino en los mofletes nevados. La mano se detiene temblorosa, como a su pesar, dando tiempo a que el espectador menos atento pueda percatarse de un grueso aro de plata que adorna el dedo anular y que por fuerza ha de causar escozor contra una cara.

-Basta de engreírse. ¡Compórtese! —el rostro del Señor Santo no expresa emoción alguna cuando habla—. Ahora, si es tan amable de mostrarme mis aposentos.

Lo siguiente que sabemos es que el trío de hombres se interna por un pasillo de piedra, iluminado por imponentes hachones de crepitantes pabilos. A través de una puerta abierta, observamos cómo el abad Pío, quien a tropezones abría el camino, retrocede, desilusionado y confundido.

-No, espere —balbucea. En su piel no hay rastro de tumefacción ahora—. Creo que no es por aquí.

-¿Qué es eso? —pregunta de súbito el Señor Santo, reparando en la puerta abierta más allá de la cual nos hallamos agazapados, espiándoles. Sin porfiar ni exigir respuesta, descuelga una antorcha de la pared y avanza a su vacilante luz hasta hender la oscuridad de la estancia.

Un salón amplio se despliega a su vista. Contra las paredes, sillares empotrados con representaciones esculpidas de frailes mártires en fresno, ébano y pan de oro: algunos atravesados con lanzas; otros encadenados, constreñidos y asfixiados por boas de tallo descomunal; los menos con la cabeza imposiblemente ladeada por una mala decapitación... Todos con una sonrisa beatífica, exhalando un placer interior arduo de justificar.

Pero lo que ha llamado la atención del Señor Santo no es eso: sino un cuadro que ocupa toda la pared de la cara norte, una colorista y abigarrada representación de La Última Cena, con Cristo y los Apóstoles reunidos en torno a una mesa heréticamente redonda, servida por niños oscuros y bien provista con ingredientes procedentes del folklore nacional: rocoto, choclo, ají... El gringo melenudo está retratado frente a un portentoso muslo de cuy, un sabroso roedor local, en su plato. El Señor Santo se acerca embelesado a la pintura, íntimamente complacido ante lo que sus ojillos hipertrofiados descubren.

-¿Zurbarán? ¿Murillo? —indaga con cierta sorpresa.

-Sí, es de finales del XVII... Pero está hecho aquí... Influido por la Escuela de Cuzco y... de ahí que se inmiscuyan tantos elementos ajenos a la Historia estricta...

-Pintado por mestizos... –susurra el Señor Santo.

-No –explica pacientemente Pío–. Diego de la Puente. Un jesuita flamenco que quería hacer más familiares y cercanos los temas sagrados a ojos de los indígenas...

-Paganos... –insiste Santo, extasiado; y los ojos agrandadamente achinados se achinan todavía más, inmensos y concentrados en la malignidad inherente que percibe en la tela.

-No, paganos no –corre a puntualizar el abad Pío, contrariado el cisco de sus sesos, y su hermano el abad Pío prueba a añadir algo, sin éxito–. Buenos cristianos.

El Señor Santo sonríe.

-Les agradeceré que instalen aquí mi escritorio y el resto de pertenencias. Los frailes pueden reunirse en el refectorio.

Sabiendo que su sugerencia será cumplida cual orden estricta porque su actitud no deja margen a la cábala, da media vuelta y sale del aposento, no sin antes dirigir una última mirada hacia el fragmento de imagen que ha descubierto a la luz del hachón y que ahora, mientras él se aleja, también descubrimos nosotros, en la parte más deliberadamente en penumbra de la mesa representada: justo al lado del célebre susurrante y traidor Judas Iscariote –brindando con lo que parece una copita de pisco, quizás el mismo que Santo fuera ofrecido ingerir–, ufano como uno más entre los doce Apóstoles, una decimotercera figura raquítica de rojiza epidermis, cual infante despellejado y en carne viva; un pícaro y bonachón convidado de última hora sonríe felino con sus orejas tirantes y sus colmillos visibles, adoptando un talante agarrotado y contrahecho, casi giboso, y una apariencia muy similar, en realidad idéntica a la que tiene, en la religión cristiana, la figura del Demonio, también conocido en culturas previas y presentes como Satanás.

Y no solo Judas le devuelve la sonrisa.

-LES AGRADECERÉ QUE INSTALEN AQUÍ MI ESCRITORIO Y EL RESTO DE PERTENENCIAS.

CAPÍTULO 3

-Maneja tú.

John, vestido con jersey a rombos de baby alpaca algo frisada, contempla adormilado el cristal de su costado mientras oímos cómo los empleados, jardineros y finalmente vigilantes de seguridad saludan difuminados un musical "Buena suerte, Señorita Nansy" al tiempo que, al paso de ella al volante, abren portones y floreadas verjas para dejar vía libre al automóvil, un aerodinámico último modelo europeo. Los rostros del benigno y aparentemente feliz personal a sueldo se reflejan distorsionados en la ventanilla. El día es soleado y onírico, y los rayos de sol embotan el ambiente en lugar de despejarlo.

En una desapercibida elipsis, el coche se une al tránsito averno del centro urbano. Sobre la esclerótica ciudad, una espesa capa de contaminación tornasola el crepúsculo del amanecer, creando un efecto sábana en la atmósfera, donde toda luz es reflejo.

-Hoy el aire se respira menos puro de lo habitual –comenta Nancy, recostando el brazo sobre el borde inferior del hueco rectangular de su portezuela.

-Sube la luna.

Nancy le mira de reojo.

-¿Cómo estás?

-Ahí.

-Fastidiado, ¿verdad?

John no contesta.

-Sé que has tenido que renunciar a dos buenos comerciales por esto. Pero tú también sabes que no lo haríamos si no fuera por… –intenta excusarse Nancy.

-Lo sé, lo sé –la interrumpe él–. En realidad me siento eufórico. Tengo mucha curiosidad por saber cómo será aquello. Solo que es muy temprano para mí y te has alistado demasiado linda para lo que nos espera.

Ambos se sonríen. Nancy vuelve el palmito hacia el frente y frena con brusquedad y un respingo de terciopelo. Un semáforo acaba de ponerse en rojo y una línea de atribulados transeúntes desfila a centímetros del morro de su coche. Un joven mestizo cruza sin dejar de mirarla con resentimiento. Del lado de John, una atezada policía municipal les increpa a golpe de silbato por su tosco frenazo, desde su alta atalaya. John la examina con curiosidad: asentada tras la cubierta metálica de la caseta, la maciza indita luce un maternal moño y su mirar muestra una inflexible severidad.

-Así que tu padre quiere que también haya hombres en la policía de tráfico.

-Ajá.

-Aún no me imagino por qué. Siempre creí que le gustaban las mujeres en uniforme.

Nancy sonríe con picardía.

-Ellos son sobornables –el semáforo cambia a verde y Nancy arranca. John se despide de la agente de policía con la mano y un dejo nostálgico en las pupilas, como si le estuviera diciendo adiós a todo un estilo de vida. Por toda respuesta, la agente se endosa en los oídos unos auriculares con los que parece combatir el vahído provocado por los miles de tubos de escape diarios, pero que en realidad le sirven para conectar con sus compañeras.

John se endereza en su asiento y husmea a través del parabrisas, algo inquieto.

-¿Es necesario que tomemos la Vía Expresa?

-Afirmativo.

El vehículo de Nancy enfila una calle que va a confluir a una amplia avenida asfaltada de doble sentido, sin acera y bordeada por montículos de césped sobre los cuales se despliegan setos recortados que en altorrelieve forman mensajes, consejos y advertencias estatales: MANEJE CON PRUDENCIA, LÁVESE CON JABÓN ORGÁNICO, CÓMPRELE A LA NACIÓN. En cuestión de segundos, los seis carriles de la calzada se inundan de coches que rugen a centímetros apenas unos de los otros. Un par de autos se encelan tanto al de Nancy, que esta se ve obligada a acelerar más de lo prudente. John descansa sus manos sobre el salpicadero, alarmado.

-Nancy…

-No te preocupes, John. Esto funciona así.

Nancy aprieta el acelerador con seguridad, rebasando a sus seguidores. Varias bocinas lamentan su maniobra. John comprueba por su lado cómo un pequeño coche de dos puertas se mantiene a su altura, conducido por un joven cholo que no deja de tocar el claxon. El muchacho le saca la lengua y extiende los dedos índice y meñique en gesto de burla y desprecio.

-Danos campo, cojudo…* –sisea John.

Al otro costado, un gigantesco camión de transporte de bidones manejado por piloto automático** desemboca en la vía por un carril paralelo, arrollando al coche de dos puertas, que fuera de control sale propulsado hasta impactar contra la pared de hormigón. Nancy se ve obligada a improvisar un volantazo para sortear parte del capó desprendido que surfea los aires, impidiendo con tal acción un choque en masa por los pelos. Visto el accidente desde el exterior, se aprecia que el auto de Nancy va conducido por una doble especialista con peluca, y que a su lado va sentado un muñeco.

John se vuelve a su espalda: el chico que ha colisionado, aplastado entre los retorcidos hierros, no consigue liberarse antes que el cochecito explote en una bonita deflagración naranja, pero un corte previo del empalme de fotogramas delata que el actor ya no se encontraba allí dentro. John esgrime los dedos imitando los ofensivos cuernos, en ademán de revancha.

Todos los vehículos prosiguen indiferentes e inalterados su ruta, al igual que el camión, aunque ya haya perdido la mitad de la carga. Nancy le torna a imprimir velocidad a su auto, como si nada.

*En español en el original. (Nota del Transcriptor)
**Por supuesto, los automóviles no funcionan con piloto automático, ni en nuestros tiempos ni en ese "futuro inmediato" donde se desarrolla esta historia, que cae en esa manía de ofrecer demasiados avances tecnológicos para la época en que está ambientada, lo que demuestra que...

-Ese tico no está hecho para conducir por aquí –alega John.

-No lo está –concede Nancy–. En realidad, son unidades japonesas diseñadas para circular en interior de fábricas. Nuestro país compró una partida de miles que estaban por retirar y los habilitó para transitar las calles. La gente necesita carro y adapta cualquier cosa. Son muy frágiles.

-Son ataúdes con ruedas –suspira John.

Las innecesarias explicaciones de Nancy hacen pensar que los ticos volverán a hacer acto de presencia más tarde. Su coche se arrima al carril del extremo exterior, abandonando por fin la Vía, triunfo que dibuja el alivio en el rostro de John.

-En un par de cuadras llegamos –informa la joven.

-¡Espera, Nancy! ¿Puedes detener el carro un momento?

-¿Qué? Ya no falta...

-Solo será un minuto. Para aquí, por favor.

Nancy desacelera su coche en el área asfaltada frente a un hipermercado.

-En un minuto estoy de vuelta.

John se apea a todo gas del auto.

-¡John, ya tenemos todos los víveres que necesitamos! –le grita Nancy, señalando la trasera del vehículo. Presuntamente sordo a la información, John remonta las escaleras del centro comercial y se precipita a su interior.

Luego corre por el vestíbulo y se introduce en uno de los pasillos del titánico establecimiento, prácticamente vacío a esa hora de la mañana. Parece que busca algo.

Casi resplandeciente bajo los cientos de focos de luz blanca, John atraviesa sin bajar el ritmo un par de pasillos más, hasta ir a dar a una encrucijada con asépticos mostradores y neveras gigantes que almacenan todo tipo de congelados, bebidas y conservas. Respirando agitadamente, descubre un pequeño taburete para el ausente empleado cerca de un puesto de tartitas. John toma asiento allí y abarca con la vista su entorno, en silencio, casi con reverencia. No se oye nada, tan solo el hilo musical desgrana ahogada su inocua melodía. John cierra los ojos, se frota los brazos, como combatiendo el frescor del aire acondicionado, seguramente ajustado a una temperatura demasiado baja, y aspira y espira varias veces la impersonal atmósfera.

...todo es producto de la ficción. (Nota de Jonas Reinhardt)

VISTO EL ACCIDENTE DESDE EL EXTERIOR, SE APRECIA QUE EL AUTO DE NANCY VA CONDUCIDO
POR UNA DOBLE ESPECIALISTA CON PELUCA, Y QUE A SU LADO VA SENTADO UN MUÑECO.

Al cabo de unos segundos, abre los ojos y permanece así, inerte, mirando las ingentes hileras de Inka Colas, bolsas de papas, pasteles de chocolate, botellas de vino, latas de legumbres, platos preparados, etc. etc., que abotargan los expositores. Lo absorbe todo en la gélida nave y con una ternura infinita, las manos apoyadas en sus muslos.

Lo mira todo y sonríe, agradecido.

Nancy se retoca en el espejo del retrovisor mientras aguarda el regreso de su novio. Su estrabismo despierta la extraña sensación de que está observando a alguien acercarse por el costado del copiloto, detrás de nosotros, así que cuando John abre la puerta de golpe y se introduce en el asiento contiguo, da la impresión de que ella ya esperaba su irrupción, boicoteando la sorpresa.

-Vámonos –le dice él, y Nancy se admira ante el aplomo rebosante de paz y armonía que fluye de los ojos de John, pero prende el motor sin decir nada.

El coche se desplaza por lo que semeja un casco urbano primigenio, atiborrado de viviendas de dos plantas, desteñidas por el aire contaminado. Progresivamente, aparecen edificios más y más infames, más y más calamitosos. Cada vez se vislumbran más casonas rodeadas de verjas cerradas, con pintadas de grafiti en sus cuarteadas mejillas, cubos volcados de basura desparramada y cabinas de teléfono hechas añicos. John asiste supuestamente indiferente a un panorama de niños lustrabotas, niñas prostitutas, camellos descuajaringados, alcahuetas tomadas: todos, sucios y buscones, repasan con la mirada famélica en pos de algún cliente y también le incluyen a él en sus implícitas ofertas.

El auto de Nancy comparece por fin frente a un antipático torreón de piedra con varias manos de cal, de apariencia ya zarrapastrosa por las huellas inevitables que imprime la acumulación de negro polvo atmosférico. La construcción, chata y de esquinas romas, parece algo informe en su conjunto, como si albergara mucho más de lo que su complexión pudiera contener o como si el poder interior de lo que oculta hubiese deformado su estructura a base de fuerzas ignotas.

-Oh, no –musita John, sin el menor atisbo de sorpresa–. Luquea.

Ambos divisan una cola interminable que forma frente a las dobles puertas del torreón. La mayoría de parejas pertenece sin duda a la clase baja, hecho evidenciado por sus pullóveres de lana triste, sus vestidos deshilachados, sus camisas a rayas de amplio cuello ennegrecido. Las más, portan consigo hatillos con ropaje de repuesto o viejas maletas de cartón.

-Son todos cholos.

No es cierto. La procedencia indígena de gran parte de los individuos que guardan fila es insoslayable, pero responde en equidad a una mixtura de razas discriminadas: piel morena y brillante, matojos de pelo negro indomable y ojos oscuros como los pozos del Infierno son el común; su origen, discutible: cruces de indios, negros y chinos, principalmente, con algún caucásico perdido o veteado. Pese a ello, muchas muchachas alardean cabelleras de color amarillo pajizo, como Nancy, o castaño claro, avellana, incluso rojo.

-Teníamos que habernos casado en el extranjero cuando pudimos –apunta ella, mientras constata la ausencia de un aparcamiento disponible a la orilla de la calle.

-Teníamos que haber venido con ropa vieja –apuntala él.

Bajo la señalización de "Playa de estacionamiento" se abre un descampado íntegramente usurpado por una pléyade de vehículos de todo tipo y condición, a y sin motor. Ante la falta de alternativas, Nancy embute con dificultad su coche entre otros dos, viéndose obligada a rozar con su guardabarros la parte trasera del auto aparcado delante. Un silbato se pronuncia antes de que pueda siquiera dar por rectificada la operación.

-Oh oh –avizora John–. Por ahí sopla tu insobornable.

Una policía municipal más ancha que alta, de carnosas patas reventonas en pantalones de pana y envuelta en un chaleco chillón se aproxima con el autoritario gesto fruncido. Un rulo negro que le cae sobre la frente pendula a cada silbatazo. Bajo la estricta gorra se adivinan ¡bigudíes en el cabello!

-¡No puede haser eso, pendeja! –grita la susodicha–. ¡Tiene que extraer el carro!

Nancy y John se miran.

-No me digas que voy a tener que seducirla –cuchichea él.

-Déjame a mí. Las lisuras me estimulan.

Nancy sale del vehículo y se acerca a la bronca agente. Desde su asiento, John atisba cómo su pareja aborda a la gorda con una sonrisa falaz, mientras le endilga toda suerte de frases sordas. Intrigado, baja la ventanilla y se esmera en escuchar, pero las palabras de Nancy brotan susurradas y mueren en vuelo corto sin que puedan alcanzar sus oídos. Mientras, la mole impertérrita de la agente, de espaldas a John, no transmite impaciencia ni connivencia. Simplemente permanece en silencio. John remolca las cejas, la expresión amilanada, preparado para lo peor.

Entonces, sin transición perceptible, la en teoría irredenta agente sonríe y se va.

Nancy retorna satisfecha al coche y golpea dos veces la ventanilla del lado de John, animándole a mover el culo. Este sale sin salir de su asombro.

-¿Cómo lo has hecho? —le pregunta a la vez que desocupa un par de bien nutridas mochilas del maletero.

-Le confié mi fórmula para teñir su pelo de manera natural —responde la muy campante.

John escruta el cielo y abre sus manos, no sé por qué.

La pareja estelar, con sendas mochilas de piel vuelta equipadas a la espalda, se dirige con cautela hacia la considerable columna humana y, tras comprobar que las puertas del torreón continúan cerradas, pasan a formar parte de la discontinua línea de espera.

-Mucho aplicante —murmura Nancy, algo arredrada.

-Mucho desocupado —remata John, algo amargado.

Frente a ellos, las parejas indígenas se aglutinan en inmóvil mutismo. Varias atienden con fascinación un escaparate de televisores encendidos: emiten cápsulas de publicidad protagonizadas por esculturales modelos de contextura anglosajona, que ostentan productos de gran lujo. Los indios se relamen. La avanzadilla de un programa humorístico titulado "El chal de la chola", donde un histrión disfrazado de india actúa con humillante torpeza y adopta gestos de inopia en situaciones ridículas, les hace reír hasta el descoyunte. Nancy intercambia mirada de conmiseración y pena con su prometido, quien se fuerza en apartar la vista del bochorno televisado para no traslucir indignación.

Entonces el monitor múltiple exhibe un anuncio que muestra a John entrando en un atestado bar de lujo. A su paso, bellas mujeres rubias se giran, atraídas por su estela y le ronronean, deseosas. John sonríe galante a cámara, una promesa no verbalizada: la imagen se congela y a su lado se materializa la silueta de un frasco de perfume.

En la calle, las parejas de mestizos reconocen a John y se aglomeran a comprobarle, sin disimulo alguno. Unos se pasman abiertamente, otras parpadean hacia él, seducidas. Otros entornan los ojos. John les da la espalda, tomando prestada la cintura de Nancy, oportunamente concentrado en los juegos malabares que un niño ejercita ante el malhumor de los coches retenidos frente a un semáforo.

-Te hacen ojitos con un descaro –susurra ofendida Nancy.

-Esto va a ser una pesadilla –sentencia John.

Las puertas del torreón se abren, arrastrándose con tópico renqueante, y los primeros novios toman la iniciativa de entrar en orden, sin más.

-¿Seguro que no hay otra manera? –insiste él.

Nancy sacude la cabeza.

-No. Necesitamos la aprobación sellada y firmada por el responsable del Acondicionamiento. Mi padre podría saltarse ese requisito, pero sabes que él no aceptaría jamás una vinculación no bendecida.

-Entonces terminemos con esto de una vez.

Los dos recorren la acera a breves pasos, conforme esta se despeja, siguiendo el decidido ritmo de acceso al torreón de las parejas precedentes, hasta que, al fin, llegan a la altura del pórtico. Adentro, solo la negrura les espera.

Se miran y vuelven a sonreír. No aparentan miedo. Cogidos de la mano, trasponen el umbral y la oscuridad les engulle.

Son la última pareja en entrar.

CAPÍTULO 4

Todo negro.

Todo negro hasta que, al cabo de unos segundos, la escena comienza a aclararse, acotando figuradamente el periodo que tardan en acostumbrarse los ojos de John y de Nancy y los nuestros a la oscuridad interior. Cuando el lapso concedido se consuma, la oscuridad escampa. Y esto es lo que se ve:

Un corto tramo con cuatro o cinco parejas agolpadas respetando la vez, ante un descansillo al que se llega por cinco escalones de piedra porosa, donde asimismo resalta un pétreo pupitre tras el que un escriba sentado toma nota con un viejo cálamo, en un infolio de pliegos impresos, de papel acartonado. Detrás de esa breve área ocupada por el copista, nacen dos corredores aún más umbríos, en sentidos opuestos. El escriba es un mero funcionario civil que, de apariencia mermada por alguna tara de origen mental y la lengua asomada para supervisar, busca los nombres inscritos de las parejas entrantes y marca al lado un garabato de conformidad. Luego, indica a cada pareja admitida con ambas manos que cada miembro parta hacia uno de los corredores, y ellos así lo hacen, separándose en ofuscado silencio.

John y Nancy entrecruzan ojos de alarma.

-Esta cola es bien lenteja –denosta John.

Cuando por fin les toca el turno, se adelantan hacia el escriba; que en ningún momento despega la faz del libro, para recibir ni despedir.

-Nombres.

-John Figueroa y Nancy Veles –contesta John.

El escriba persigue la F en su apergaminada lista y encuentra la entrada. Produce la señal escrita, la señal gestual y alienta fatigoso un par de veces.

-Nombres –repite.

John le aguanta el tipo rígido, comenzando a sudar.

-Seguimos siendo nosotros. Creí que recibiríamos la iniciación juntos.

-No sabíamos que tendríamos que separarnos –tercia, en un más generoso plural, Nancy.

El escriba alza el funcionarial rostro con ojos de rendija, la claridad de la entrada a contraluz no le permite individualizar a los que han hablado. ¿Moja? la punta de la pluma con la punta de la reseca lengua, que ya estaba entresacada –y que destila mayor lucidez que su dueño– y, gacha la testa, reincide en extender las manos con la intención de que marchen cada uno a su galería correspondiente.

Como a una llamada verbal, una pareja de viejos indios vestidos con taparrabos de cáñamo surge del indefinido fondo y coge a John y Nancy del brazo. Los ancianos, hombre y mujer de primates y gomosos rasgos, como apretados pegotes de caucho aplastados contra un maniquí de fábrica, obtenidos de un molde común y casi indistinguibles en su género si no fuera por los agotados odres a guisa de senos que identifican a uno como una, desunen a los indisciplinados blancos quienes, pese a agudizar el tono de su queja con impertinente deje de superioridad, optan por un precavido mutismo ante la primitiva fuerza de sus prendedores. Sojuzgados y en el fondo temerosos, John y Nancy permiten que les distancien, mientras se dirigen una mirada, él, de degradante claudicación, ella, de esperanza en el reencuentro.

Cada uno emprende la marcha por su lado, por su corredor adjudicado.

Al primero que seguimos es a John: receloso, observa la fuerte tenaza de que es objeto su muñeca por parte de la arcillosa mano primordial, quien no cede su presa mientras evoluciona por un pasillo que más bien parece túnel, dado que no hay ninguna abertura al exterior que pueda ofrecer referencia de su ubicación. Unas teas ardientes cada veinte pasos estándar (dieciséis si tomamos los pasos del indio como unidad de medida) son las únicas fuentes de luz, aunque más allá un ululante resplandor equívoco sorprende. John crispa el gesto: sobre su poderosa mandíbula destaca una mancha de barro que no sabemos cómo ha llegado allí ni en qué circunstancias se la ha procurado, probablemente se rascó con una mano sucia.

Tras un centenar de metros aproximadamente, el segmento correspondiente a cinco teas, John y su escolta van a parar a un cruce de pasillos. El arco de su desembocadura es ojival y bajo su dintel forman otros dos indios con lanzas prestas de exótica punta de sílex. Estos, inapropiadamente ataviados con sendos ponchos de esparto, sudan de lo lindo debido al efecto de un poderoso horno encendido, excavado en la piedra, a sus espaldas. El horno parece en perpetua pero calmada vigilia roja, bañando de luz sangrienta el visaje de sus guardianes.

El viejo se detiene frente a ellos y les habla en una extraña lengua arcaica, quizás inventada para la ocasión. John no puede apartar los ojos de aquel horno encendido, ni camuflar su excusable aprensión. Los centinelas asienten y ojean al visitante díscolo, como dispuestos a meterlo en cintura.

-Tú quitar ropa –le demanda uno de los custodios a John. Este, el desconcierto dislocando sus facciones, prueba a retroceder:

-Esperad, hermanos, creo que aquí ha habido un malentendido… –disimula mal el actor.

La presión que la garra del viejo ejerce sobre su muñeca no le permite recular más pasos. El viejo le mira sin ningún sentimiento discernible. Los centinelas apuntan sus hojas de sílex a la garganta de John. Este traga saliva y eleva los brazos.

-Está bien, lo que digáis, me parece correcto.

El indio anciano se le planta delante y con mano mañosa rasga, desde el cuello, el jersey de rombos como si fuera un pergamino.

-¡No! –John se duele con mosqueo–. Esa chompita me costó una…

Renuncia a completar la protesta, al ver que el viejo ha lanzado directamente el jersey a la boca del horno. Como un eructo del Infierno, una ola de llamas responde con delectación al consumir el nuevo alimento: lametones dorados relampaguean y reptan los bordes de la pared que abriga el nicho de fuego. Es casi seguro una llamarada exagerada por algún procedimiento artificial o efecto técnico.

Tras un microsegundo de indecisión, John procede a desnudarse él solito.

Una por una, sus deleitosas prendas son arrojadas al horno como despojos o harapos. John vacila en su ropa interior.

-¿El bividí también? –pero en realidad se refiere antes a los calzones que a la camiseta de tirantes.

El viejo se le encara e, inmisericorde, le arrebata la camiseta con un nuevo zarpazo y desgarra con ambas manos el calzoncillo. John se tapa como puede la entrepierna, aunque su trasero lampiño queda expuesto a placer del espectador casual o no.

-Las flamas purifican.

El que así ha hablado, con voz sin inflexión ni calidez, es el propio anciano, quien tras besar su puño empuja a John hacia la prolongación perpendicular del corredor, el cual continúa hacia un destino incierto una vez rebasada la primera esquina. El modelo, sonrojado por la humillación a la que ha sido sometido su vestuario, contempla con rencor el fuego que tan idólatras aprecian los otros. Luego, echando los hombros atrás, se endereza, toma aire y retira con retadora suficiencia las manos de su sexo. Recuperado el talante, camina con aplomo y sin complejo hacia el segundo trecho de pasillo, sin mirar atrás a los guardianes ni a su guía que, bufando irritado, inesperado se vuelve y se va por donde ha venido.

Empero, esta vez John no debe desplazarse mucho más: enseguida alcanza el final del corredor, consistente en una rotonda marmórea, iluminada esta ocasión por medios eléctricos mediante media docena de proyectores incrustados en el techo. Visiblemente cegado, con el único refugio de una resbalosa pared en curva a sus espaldas, John interpone la sombra de un brazo sobre sus ojos, intentando discernir qué hay frente a él, pero otros proyectores que le enfocan directamente a la cara se lo impiden. Sin dilación, un gorgoteo de desembozo preambula un compacto chorro de agua que choca contra su torso y le propulsa hacia atrás con fuerza de ariete. El agua le atiza inmisericorde y John recibe su furia con el cuerpo pegado a la pared sinuosa, el gesto fruncido y la boca abierta cual bestia acorralada. A base de cierta sobreactuación, indica que el hilo líquido maneja sus movimientos, situándole de frente o de espaldas según la voluntad del que maneja la manguera (suponemos que se trata de una manguera, aunque nunca llega a comprobarse visualmente de dónde procede el agua ni quién la dirige)*: la tromba en el hombro es suficiente para hacerle

*En esos años era muy corriente ver en TV escenas de personas torturadas con chorros de agua, debido a la actualidad del método, utilizado por la policía antidisturbios de todo el mundo para despejar las calles de incontrolables en las habituales manifestaciones contestatarias de la época, creo. Las películas popularizaron el manguerazo como procedimiento común de tortura institucional. (NdT)

volverse y recibir el impacto acuoso en todo su espinazo. John grita ante la fuerza con que la vorágine le fustiga. Poco a poco, vemos cómo la trayectoria torrencial va tableteando su espalda en sentido descendente sin perder un ápice de potencia. Un grito inequívoco de John nos hace comprender el íntimo desgarro provocado por el manguerazo a presión.

El reguero se aleja de John, decrece cual sexo masculino recién aliviado y retorna sobre sus pasos, como la orina en reculada de un niño. La luz de los proyectores muere. A trancas y barrancas, sujetándose brazos y tensando el bajo vientre, John prosigue una errabunda ruta sin apartar su hombro de la húmeda pared y, tras hallar un hueco en la misma, se desliza por él, siguiendo otro pasadizo cenagoso para dar con sus huesos, albricias, en una sala cuadrada con el suelo incrustado de adoquines. A la entrada, dos indios tan locuaces como la pareja anterior revisan por turnos las cabezas chorreantes de los varones enrolados, que acatan manoseos sin rechistar, desnudos como John, el cual se incorpora a los últimos que esperan, no sin guardarse de conservar cierta distancia con ellos.

Los indios repasan a mano y sin ninguna sutileza la cabellera de sus visitantes, como si estuvieran hechos a hacerlo de manera regular, a animales o humanos. Uno de ellos parece haber detectado algo entre el pelo enredado del espécimen que tiene sentado frente a él. Coge el pequeño parásito y se lo come, con un chasquido presumiblemente desasosegante.

Con automática aversión y acariciando su herido amor propio, John retira la vista de los despiojeros y la fija a media altura frente a él. Sin aparentar consciencia de las posibles connotaciones de su mirada a ojos ajenos, la clava en las nalgas del hombre que aguarda delante. Son anchas, ovaladas y turgentes, sanguíneas y algo congestionadas, seguramente a resultas de la tortura recién sufrida. John iza los ojos y se encuentra con los del orgulloso propietario de las nalgas: un hombre de piel fuliginosa, de unos treinta y cinco años, cabello negro rizado y patillas definidas, labios sensuales y nariz carnosa. Es un macho de atractivo animal, de una fiereza solo redimida por la sensible languidez del sorprendente azul de sus iris. John, turbado, ahora sí, a buena hora, prueba a rehuir su insolencia ocular con cierto afán de disculpa, pero su atención no puede eludir la magnífica y acendrada complexión del hombre, sus hombros anchos y voluminosos, su vibrante espalda de nadador profesional —el actor que lo encarna, de hecho, fue nadador en tiempos pretéritos–, sus torneadas pantorrillas. Cuando el tipo parece dispuesto a pedirle cuentas por su desfachatez, y sin tiempo a que hayamos podido deducir con certeza o nos hayan sido reveladas sus pretensiones, John le indica con el mentón que un despiojero le reclama.

En efecto. Y casi a la vez, el segundo despiojero queda libre de clientela y reclama también a John. Así, él y el extraño quedan aposentados sobre un escabel de piedra a solo medio metro uno del otro, mientras las rudas manos de los examinadores manipulan con dedos chatos y sin contemplaciones sus tersas pelambres. Los dos hombres desnudos estudian el suelo, inhibidos, las cabezas sacudidas en secos bamboleos, sin delicadeza, rociadas de agua despedida desde el cuero cabelludo. Sus piernas, blanco contra chocolate, las separan apenas unos centímetros y dos hilos de gotas caen paralelos entre los dedos erectos de sus pies. Parecen esforzarse en no acusar la presencia del otro, ignorarse es la consigna. Cuando el más machote está a punto de ceder e inicia ya un volteo hacia John, el examinador de este le propina una palmada exonerante, que él toma correctamente como el visto bueno que le permitirá incorporarse y perderse entre los demás despiojados. Así lo hace. A toda leche.

El hombre de los melancólicos ojos azules le mira marchar.

John se mezcla entre el resto de hombres desnudos, que hacen tiempo de pie, sin más. Algunos apoyan alguna mano en los viscosos muros, otros se frotan la majadera cara con expresión ausente, otros se estregan el adolorido pompis, otros charlan animadamente procurando sacar lo mejor de la situación. La atmósfera en la estancia se espesa y gasifica, granulando la imagen de los presentes. John extiende su mano y la mantiene un instante inmóvil. Luego la examina: una ligera capa líquida y blanquecina cubre la superficie de su palma. La huele y contrae los labios con desagrado. Como recordando algo, tuerce la cerviz y se aleja a conciencia de la entrada, para confundirse un poco más entre la multitud. En el muro opuesto que le recibe, otra abertura lleva a un claustro más pequeño, de paredes de roca lisa, custodiado por dos nuevos esbirros nativos, aunque bien puede ser que fueran los mismos de antes. Desde donde está, inadvertido, John descubre a un grupo de hombres dentro, secándose con toallas y embutiéndose en un singular traje blanco de una pieza: es el mismo peculiar modelo de mono que el que John luce en el Preámbulo, pero recién salido de fábrica, antes de las

SUS PIERNAS, BLANCO CONTRA CHOCOLATE, LAS SEPARAN APENAS UNOS CENTÍMETROS Y
DOS HILOS DE GOTAS CAEN PARALELOS ENTRE LOS DEDOS ERECTOS DE SUS PIES.

peripecias que le van a tocar vivir con él y que deteriorarán la prenda. Varios de estos overoles idénticos entre sí reposan, junto a un par de zapatillas deportivas también blancas, en un antepecho excavado en la piedra. John se acerca curioso.

-Aún no poner enteriso –le advierte uno de los aborígenes y, tras mirar brevemente hacia el techo–. Cuando listo.

John asiente manso, sonrisa conciliadora en ristre, y se rasca la nariz, y enseguida el torso recubierto de una leve pátina de pastoso rocío blancuzco.

No sabemos si ocurre algo más que sea digno de anotación en dicha sala, porque un corte abrupto, contemplado o no en la historia o impuesto a última hora por su productor, nos traslada esta vez a otra sala de despioje y desinfección similar a la descrita (por lo que a la dirección artística concierne, bien podría tratarse de la misma), pero invadida ahora por las hembras. Llegamos en el momento que Nancy llega, mojada y con el rostro aún irradiado de inocencia: desconocemos si su periplo previo ha sido tan dramático y aciago como el de John. Aún no hemos visto revelada ninguna otra parte de su cuerpo, pero por sus hombros descubiertos inferimos que ya se halla desnuda. Definitivamente, su expresión de estupor y franca extrañeza resulta más propia de cierta curiosidad pastoril que derivada de un sentimiento de humillación o promovida por una aberración de sus carnes.

En seguida, para no aburrirnos con la ya predecible espera, la llaman para despiojarla: esta vez los encargados de hacerlo son indias, cubiertos los senos por cazoletas de rígido cartón piedra. Entre pasada y pasada de los dedos sin uñas de su torva examinadora, adivinamos por sus raíces negras el color original de la linda cabellera de Nancy. Ella aprovecha la sentada para mirar en derredor: ve decenas de féminas desnudas y empapadas, casi todas muchachas robustas o gordas, con barrigas volcadas en cascada de pliegues sobre anchas caderas; todas dirigen gestos de pasmo en círculo, no saben preservar la serenidad de Nancy, demostrando que se trata de mujeres simples y sin un gran bagaje vital a sus fofas espaldas; aunque se muestran asaz torpes en la exteriorización de su supuesto aturullamiento (por si fuera poco, a alguna se le escapa más de una ojeada hacia nuestra posición, sacándonos por completo de la suspensión de incredulidad). Casi ninguna ofrece una perspectiva frontal de su cuerpo, maniobrando de algún modo más o menos impostado para anteponer entre su sexo y nosotros una pierna, su trasero o sus compañeras.

Nancy se recrea ociosa en dos de las mujeres, bastante más lozanas y exuberantes que el resto, quienes asustadas también retroceden ante lo bizarro y poco tranquilizador del entorno, cada una en dirección ignorante de la otra, hasta colisionar sus espaldas e, instintivamente, abrazarse como buscando consuelo en el reflejo de la extraña que corre igual suerte. Las dos parecen dichosas de haber encontrado la una en la otra su refugio y fuente de apoyo cuando, al hallarse cara con cara, transmutan su expresión de pavor devenido alivio en odio intenso, como si hubieran abrazado al mismísimo Sátiro de los Infiernos.

-¡Tú! –grita una.

-¡Fursia! ¡Sorra! –grita la otra (con este tipo de actrices se nota que los guionistas han preferido proporcionarles pocas líneas de diálogo).

-¡Te dije que no te asercaras más a él, hija del demonche! ¡Saca tu poto infecto de mi vista!

-¡Yo voy donde me da la gana! ¡La otra ves tuviste suerte, lechera!*

Ambas se separan un par de metros, mientras prosiguen insultándose sin mucha imaginación añadida. Y entonces, como si hubieran aprovechado para acumular carrerilla y ganar impulso, arremeten la una contra la otra, las manos alzadas para descargar cuchilladas mortales con sus crispados dedos de filosas uñas. Agarrándose las greñas, se sacuden y aterrizan tremendas bofetadas que resuenan chasqueantes en la piel rozagante y mojada, de un verismo que metamorfosea lo ficticio en estimulante violencia. Resulta excitante contemplar los abultados cántaros de una traqueteando de un lado a otro, y arriba abajo, mientras su dueña zarandea a la que no del pelo, originándole gran dolor, a juzgar por lo mucho que esta abre la boca y contrae el área desalojada por la inusitada depilación de sus cejas.

Tras dos escaramuzas con mucho vaivén, las contendoras han quedado inmovilizadas, trabadas por su abrazo hostil, pugnando por empujarse mutuamente y atacar un punto débil entre toda aquella inmarcesible carne ensamblada. Debido a un traspié, podemos entrever por un momento la refulgente hendidura vaginal de la chola de menos pecho. El resto de mujeres ha formado un corro en su torno y las jalea, encantadas por el espectáculo que por un rato puede extraerlas de aquella desagradable circunstancia.

*Desconozco la procedencia de esa "otra vez". ¿Se tratará de una secuencia cortada? (NdT)

-¡Dale una patada en la concha!

-¡Samaquéala, que es mala víbora!

-¡Muérdele resio la teresa, bocona!

Nancy, casi indignada de enojo, se apresta —al cabo de un minuto de recreativa reyerta, para que haya tenido margen de desarrollarse ante nuestros ojos complacidos— a brincar de su banquillo con la obvia intención, tal como denota su resoluto rostro, de separar bonifacia a las dos agresoras, punto este en que podemos confirmar que realmente se halla desnuda*.

…La imperturbada despiojadora la ase de la melena y de un fuerte tirón la obliga a sentarse de nuevo. Desde allí, impotente, sigue espiando la lucha.

Las dos bribonas restan entrelazadas de tal manera, tal enredados los aterciopelados brazos y las aceitosas piernas de forma que anulan una a otra su tracción, que no saben cómo deshacer el nudo gordiano de sus miembros. Los pies se pisan y friegan, pintadas las recuadradas y pulidas uñas de la una de bonito esmalte blanco que destaca sus laminillas córneas contra la tostada piel, y las más chiquitinas de la otra (hasta el punto de que prácticamente no tiene membrana pezuñera en los meñiques: solo ocho uñas, pues) de un carmesí brillante que se vuelve más denso y torna el pie más garra debido también a lo negruzco de este. Desesperadas en su trabazón, las testas enjaezadas, las rivales se miden con odio y la una, la más decidida (la de las tetas gordas) echa su boca sobre la de la otra y la mastica con rabia. La otra aúlla de dolor y anticipación de su belleza posiblemente arruinada. La una la mira sangrar satisfecha. De pronto le entra el arrepentimiento y, compadeciendo a su compañera con solidaridad de género, reincide en buscar su boca, esta vez para besarla. Ambas se enzarzan en un perverso ósculo con lametón interno y externo de cavidades, mientras acarician con las palmas los pechos de su adversaria, incluso la más ética una se atreve a sobar entre los rosados dedos un despuntado y carnoso botón.

Inmediatamente, los jacarandosos ánimos del corro se transfiguran en voces de alarma y escándalo. Ahogados los jadeos por los jaleos, varias de las espectadoras, estas ya obesas y feas, caen en tromba, soliviantadas y censoras, sobre la lúbrica pareja y la desacoplan con determinación e inflexibilidad, pese a la vehe-

---

*Sus senos de nata son algo aplastaditos por el centro, rematados por unos pezones gruesos como gomitas de borrar o sabrosas pasas, y de perfil ambos pechos remedan los morros de sendos hurones. Prácticamente no presentan areola, solo una cerecita marrón en cada punta, o quizá sea una falsa apreciación con el atenuante de la fosca fotografía. Las dos tetillas se agitan por la parte de abajo, como los talones sueltos de dos pantuflas, al iniciar Nancy su precipitación hacia el grupo. Sin embargo… (NdT)

...LA UNA, LA MÁS DECIDIDA (LA DE LAS TETAS GORDAS) ECHA SU BOCA SOBRE LA DE LA OTRA
Y LA MASTICA CON RABIA.

mencia de ambas por mantenerse una. Varias frases se superponen, bramadas por la reaccionaria camarilla:

-¡Serdas! ¡Susias!

-¡Eso no se hase!

-¡Sesad de haser sandeses!

Nancy juzga ahora aquella sublevación moral con un tenue aire de distanciamiento, no parece sentirse nada próxima a las mujeres que allí han sido congregadas. Cuando la mano de su examinadora le palmotea el pecoso hombro desnudo, duda un momento antes de reintegrarse.

La abandonamos sin que lo haga, y nos vamos a una extravagante y amplísima sala, un espacio elíptico con ventanales en el techo de roca que permiten su iluminación mediante luz natural. Se trata de un anfiteatro, si es que tengo una noción correcta de cómo es un anfiteatro: en el centro se halla situado un colosal recinto ovalado de arena y, rodeándolo, una gradería de piedra para un cuantioso público; en uno de los extremos, a una altura superior, descolla una tarima enlosada en círculo que haría la función de estrado o escenario.

Por el punto más alejado del ancho de la pista central, a través de una entrada arqueada, irrumpen en el anfiteatro John y sus compañeros de desventura: todos visten ya su enterizo, el traje blanco hueso unipieza; todos fisgan con caras de arrobo e incluso gratitud espiritual la magnificencia del coliseo, que acaso les hace olvidar el proceso de depuración padecido. Por el otro lado de la arena penetran a su vez Nancy y las demás chicas, como amazonas preparadas a luchar o vestales abnegadamente dispuestas a ser devoradas, overol y todo, por leones herejes.

Ambos grupos, entretenidos con aquella majestuosa sala de prodigiosas dimensiones, reparan por fin uno en otro y los varones y hembras emparejados comienzan de nuevo a reaparejarse, como si se reunieran tras un año de separación, con alegría e incluso alguna lágrima insinuada. John y Nancy no son menos, y corren a juntar sus risas, el ánimo repuesto. A su lado, un cholito cuellilargo de desastroso carisma busca y localiza a su novia, pero también se topa, sin buscarla, con su ex novia: son las dos chicas peleadoras.

Abrazando a una, el sujeto hociquea a la otra con nostalgia, la cual le corresponde la nostalgia en los ojos mientras a su vez abraza a un segundo chico no menos desastroso y cuellilargo.

-¿Cómo estás? –pregunta Nancy, ajena a esta atropellada resolución de subtrama.

-El buzo me aprieta un poco, pero por lo demás estoy bien –se abrazan y dan un fogoso beso, tras el cual John se separa contrariado–. Ahora me aprieta un poco más.

Nancy ríe, una más entre otras muchas risas y sonoro desparpajo de parejas felices, pero un perturbador y ominoso silbido en escalas rompe la armonía general.

Las ciento veinticinco parejas se vuelven. Sobre el escenario embaldosado, levantado tres metros treinta por encima del arenoso suelo de la pista, ha hecho teatral acto de aparición el Señor Santo. Su mano derecha aferra la zampoña, que vuelve a soplar con convicción. El sonido corta el aire como el aleteo de un ave predadora. Las parejas se estremecen.

La estruendosa y gutural voz del Señor Santo arroja a su paso un manto de silencio definitivo:

-Basta, por favor. Esto que ven aquí es un castrapuercos –blande la zampoña–. No lo quieran volver a escuchar.

Sigue vestido con su guayabera, y sobre su cónica cabeza descansa un siniestro gorro negro de orejeras que apenas oculta las correosas patillas. Echa a andar con parsimoniosa inflexibilidad y parece engastar la vista en todos a la vez con inicuo propósito cuando, llegándose frente a un aparatoso micrófono de pie con redondo cabezal de hierro, se inclina y pronuncia una nueva frase:

-Todas las parejas tomen asiento en las gradas.

Los hombres y mujeres se encaminan con doméstica obediencia hacia el graderío. Al cabo de una elipsis, las doscientas cincuenta personas ocupan sentadas todo el óvalo de roca y argamasa, miran al escenario y se preguntan, sin comprender, quién es aquel hombre sin hábitos que les devuelve la mirada con tanta impiedad.

El Señor Santo vuelve a inclinarse sobre el micrófono:

-Ahora atiendan –dice su boca.

CAPÍTULO 5

"El amor es maravilloso, ¿sí?*

Dios, nuestro Creador, nos ha regalado no solamente la vida, sino lo más hermoso que un ser vivo puede albergar en su corazón: la capacidad de amar. Por eso debemos estar siempre agradecidos a Dios, ¿sí?

Pues no hay nada comparable al amor. Soñar con una persona, el calor interior que uno siente al cruzarse con ella en la vida, esa ansiedad que convierte todo en nada, las ocupaciones cotidianas en meros matatiempos a la espera de volver a reunirse con el único ser que le da sentido a todo. ¿Sí?

Cuando está enamorado, uno experimenta síntomas propios de la más absurda y asombrosa enfermedad: sudores en las manos, estados febriles, contracción de las cuerdas vocales que le impiden pronunciar palabra, palpitaciones, insomnio, ¿no es cierto?… Solo el amor nos puede curar, ¿sí?

Hasta que no obtenemos la pieza deseada, la otra mitad que completará el rumbo de nuestra trayectoria vital, no daremos el brazo a torcer. Pasaremos por sufrimientos y hecatombes, por desgracias y vilezas, por humillaciones y enfermedades, por todas las vicisitudes con tal de llevar a buen puerto nuestro objetivo, ¿sí?

*El siguiente discurso se rodó íntegramente, pero la versión definitiva lo cercenó en varios minutos, haciéndolo perfectamente ininteligible. En 1975 apareció una versión original completa, en teoría con el montaje restablecido y solo con destino a Europa, que parece haber respetado el Discurso de Santo, y que es el que yo ofrezco en esta transcripción. (NdT)

Somos capaces de todo por amor. El hombre es capaz de elevarse sobre su insignificante figura y convertirse en un titán, en un superhombre capaz de realizar las más grandes proezas y las más grandes villanías con tal de obtener el fruto de su deseo: el enamoramiento no es solo un afrodisíaco para la vida, es el motor del mundo personal, es la fuerza del débil, el agua del sediento, la voluntad del indeciso, la zanahoria ante el borrico que le permite culminar todas las hazañas y gestas que hayan sido registradas en la historia humana y hasta competir en magnitud y supuestos atributos con el mismísimo Dios, ¿sí?

Ustedes han venido aquí en parejas porque están enamorados hasta el tuétano, porque el amor llena sus venas de un poderoso elixir que les hace inmortales, ¿sí?

Déjenme decirles algo: ustedes no tienen ni idea, ¿sí?

Lo que sienten no es amor: lo que sienten es una mierda, ¿sí?

Permítanme que les cuente una historia: un día, un chico normal y una chica normal se enamoraron por vez primera. Ah, la vez primera. O como también se suele denominar, la primera vez. No, no se rían. O sí, rían, rían, rían mientras puedan, ¿sí?

Este chico y esta chica nunca habían sentido algo así. De sopetón, lo normal se convirtió en extraordinario. El aire se llenaba de perfume, el sol brillaba con más fuerza y sentido que nunca, las zonas oscuras de la vida retrocedían y demostraban su completa inutilidad y sinsentido frente al poderoso avance de sus sentimientos. Sus pulsos reaccionaban al unísono cada vez que se encontraban y entrelazaban sus manos. De ambos crecía una energía común capaz de acabar con todos los ejércitos del Imperio Español, con las plagas que azotan el mundo, con la desdicha y pesadumbre del universo entero. Es por esto, por lo mucho que mejoraban cuando estaban juntos, porque juntos se sentían mejores, insuperables personas, y con un potencial capaz de llegar al confín de la vida, que decidieron pasar toda la suya unidos. Una bonita decisión, parecida si no he entendido mal a la que ha movido a ustedes a presentarse aquí, ¿sí?

Bien, pues ahí el buen chico y la buena chica cometieron el error más grande, más gigantesco, más inmenso e insubsanable de sus vidas. Cometieron el error que les convertiría en los seres más miserables y desgraciados para los restos, del planeta Tierra, ¿sí?

¿Y cómo es posible una cosa así? ¿Cómo de una felicidad tan total puede provenir una infelicidad tan ABSOLUTA, SÍ?

Bueno, dos son los motivos. El primer motivo es que por mucho que uno sienta el estómago lleno de mariposas, esa embriaguez y esa dicha que hacen bailar los pies y alcanzar la luna de un zarpazo no tienen nada, pero nada, que ver con el verdadero amor. O, como también se suele llamar, el amor verdadero, ¿sí?

El segundo motivo es que esas mariposas en el estómago, de tanto aletear y aletear en un sitio tan reducido, acaban sintiéndose un poco alarmadas y más tarde incluso angustiadas ante lo limitado del cubículo. Denle a una mariposa feliz un estómago para que revolotee y retoce a su antojo, y verán cómo tarde o temprano, en un período tirando a largo, o mejor dicho a larguísimo, como lo es en el fondo el tiempo que dura la existencia humana, terminará transformando su euforia en inquietud y su inquietud en fatiga y su fatiga en miedo y su miedo en pánico total al comprobar una y otra vez lo cercanas que están las paredes de su espacio de esparcimiento. El pánico dará paso a ciegas intentonas por escapar de aquella cárcel de carne: la mariposa ya no revolotea en el estómago, ahora se lanza de cabeza contra la víscera, y verán cómo esa preciosa sensación de hormigueo desencadenado por una mariposa, de cosquilleo gozoso, da paso a la tensión de los muros de la entraña, al dolor y más tarde al puro nervio vivo. La mariposa se cansará de intentar derrumbar unas tapias que jamás dejarán de estar ahí, y concluirá por volverse loca o, en el mejor de los casos, morirse. Y su cuerpo se pudrirá, como se pudre la ilusión, la euforia y la fe en eso que ustedes han creído que era el amor verdadero. Y ese amor también, o mejor dicho, ese falso amor también, irremisiblemente, se pudrirá, como sus cuerpos, ahora jóvenes y lozanos. Ese amor que les ha traído aquí morirá, ¿sí?

Veo que ya no ríen tanto como antes. Déjenme pues explicarles algo más, algo que puede que les retorne la esperanza o la termine por demoler, ¿sí?

Veamos qué es en el fondo lo que les ha traído aquí. No, no hablo de una mujer enfurecida. El motor ya lo hemos visto: una ilusión disfrazada de amor, pero que a lo sumo se podría definir como enamoramiento, esa primera fase por la que todos pasamos y en la que caemos rendidos, porque estar enamorado es como vivir la vida de otro: y de hecho vivimos la vida de otro, dejamos de ser nosotros mismos, negamos nuestra propia identidad, para pasar a vivir asimilados por un fenómeno externo, que es el enamoramiento. Nos lanzamos de cabeza hacia el ser amado, jurándonos que nunca volveremos a cometer los errores individuales del pasado, que ha habido un borrón y cuenta nueva en el cociente de nuestra personalidad, que el influjo de la otra mitad de la naranja es tal que ha vuelto distinto todo en nosotros, nos ha trastocado la personalidad: en realidad, lo que ocurre es que, durante el proceso que dura ese enamoramiento, no somos nosotros mismos, somos otras personas, como si nos hubiéramos reencarnado en el visitante autosuficiente de un parque de atracciones temático o en un explorador absolutamente deslumbrado por la belleza de sus rutas: como si estuviéramos descubriendo un país nuevo con un paisaje de tales exuberancia y esplendor, que la fascinación por el mismo anulara nuestros propios miedos, nuestros propios temores y dudas, incluso nuestros tics de personalidad. Mientras se prolongue la fascinación por ese paisaje inexplorado, por esos relieves inéditos, por esos inconmensurables valles y esas sublimes lomas por donde es un gusto precipitarse, mientras nuestros sentidos solo vivan para el país anexionado, seremos otro. Incluso nos enamoraremos de nuestro nuevo yo, ¿sí?

Pero todos terminamos por volver a ser nosotros mismos, ¿sí?

Ustedes todavía no son ustedes mismos. Ustedes todavía están absortos, encandilados en la contemplación del paisaje que tienen a su lado, porque de otra manera, jamás hubieran consentido en venir aquí por su propio pie, ¿sí?

¿Qué ocurre entonces cuando el explorador se harta de recorrer una y mil veces el mismo valle, las mismas lomas, las mismas colinas antes vertiginosas y ahora predecibles, de escuchar graznar a los mismos animales antes tan exóticos y novedosos y ahora, a qué mentir, un tantito fastidiosos, de sentir la picazón de los mismos dichosos zancudos en los mismos dichosos lugares de su anatomía, de contemplar la misma puesta de sol desde el mismo lugar de siempre, de respirar el mismo aire puro y de penetrar por la misma senda hollada por uno mismo, y espero que por nadie más, ya miles y miles de veces? Exacto: el hastío se adueña de nosotros, ¿sí?

¿Y qué es lo que ocurre cuando al explorador le invade el hastío por un paisaje? Que busca otro país inexplorado, ¿sí?

Y ahí se acabó todo, ¿sí?

Entonces, ¿qué es lo que nos ha llevado a jurar y requetejurar que nos quedaríamos en ese país, que montaríamos allí primero nuestra tienda de campaña, luego construiríamos una cabañita de madera con nuestras propias manos, y nos instalaríamos y acabaríamos echando raíces en ella? ¿Qué es lo que nos llevó a invertir nuestro sudor en su fértil suelo, a apropiarnos de ese país y a autoconvencernos... de... que... JAMÁS NOS IRÍAMOS DE ÉL? ¿SÍ?

Las personas somos seres muy curiosos. Cuando somos felices, queremos hacer partícipes a todos de nuestra felicidad, incluido a nuestro Dios. Queremos dejar bien claro que nunca hemos sido tan felices como hasta ahora. No solo eso: que nunca lo seremos. Y también, aunque no lo digamos de esa manera, queremos sofocar y apagar el temor, lejano pero latente, de que esa felicidad no sea eterna. Porque ninguna felicidad es eterna, ¿sí?

A eso se le llama votos. Al acto de fe, matrimonio. El matrimonio es un voto, un acto de fe por el cual hacemos partícipes a los demás seres humanos y a nuestro Dios de que la persona que tenemos a nuestro lado ha sido elegida por nosotros para pasar con ella el resto de nuestros días, que la alianza que establecemos con ella será eterna, aquí y en el más allá. Qué bonito, ¿sí?

Entonces, ¿por qué la mayor parte de esas alianzas y esos matrimonios fracasan? ¿Por qué la mayor parte de las parejas que pretenden vivir toda la vida juntas y entrar juntas en la vida eterna terminan deshaciéndose en esta, más bien tirando a finita? ¿Por qué no somos capaces de cumplir esos sagrados votos como hemos jurado que haríamos y como Dios manda que hagamos? ¿Quieren saber por qué? ¿Sí?

Yo se lo diré: porque la mayor parte de las parejas se casan cuando aún están en la primera fase. En la del enamoramiento. En la del mutuo embeleso, ¿sí?

Pero la pompa de jabón termina por explotar. La esfera de cristal acaba por resquebrajarse y por sus grietas se entrevé y se cuela la cruda y cruel realidad o, lo que es peor, otras realidades mejores. El cielo en la tierra termina por evaporarse y volver a su lugar natural, en las alturas. Nosotros pesamos demasiado para nuestras ilusiones, nosotros no volamos, la gravedad nos devuelve a nuestro sitio, ¿sí?

El ser humano es voluntad, idealismo, abstracción y sueños. Pero también es carne y energía, ¿sí?

Y la carne muere y la energía se agota, ¿sí?

El enamoramiento no es amor, y tarde o temprano se esfuma. El impulso que te lleva a buscar la compañía de tu pareja, de tu amado o amada, a llevarle regalos, a agasajarla con tus mejores cualidades, con tu alegría, con tu dadivosidad, con tu cariño, con tu impetuosidad y tu energía, con tu necesidad de protegerla, con el sudor de tu trabajo, con tu entrega completa e incondicional, ese impulso termina decayendo, ¿sí?

Ese impulso termina cayendo. Ese impulso termina. Ese impulso. Ese. Y entonces qué, ¿sí?

La novedad se convierte en habitualidad y un poco más tarde en rutina. En primer lugar, ustedes comprobarán que aquella ansiedad que les arrastraba a anhelar a todas horas la presencia de esa otra persona empieza a vacilar en algunos momentos. Que, de repente, en el fragante fragor del acto amoroso o en la dulzura de su encuentro número diez mil, ciertas células cerebrales, ciertas neuronas comienzan a enviar señales de advertencia con su inesperada traición, abandonan las filas de la devoción hacia la otra persona para expresar su deseo de estar simplemente en recogimiento con su propietario, de disfrutar unos momentos de privacidad y de, sí, eso que tanto odiaban antes, eso llamado soledad. Naturalmente, uno opta por no hacerles caso y es muy fácil acallar esas voces disidentes al principio. Solo al principio: esas células que poco antes habían jurado fidelidad eterna al objeto de amor de su propietario empiezan a contagiarse la pereza y el descontento, hasta converger lo que parecían las pequeñas voces de un capricho en una sola voz desertora: ¡queremos estar a nuestro aire, ¿sí?!

Y de golpe, uno ya no siente tantas ganas de pasar todo el día con la persona amada: uno siente que, mientras mira aquellos ojos sonrientes tan bonitos, podría a lo mejor estar haciendo otra cosa, mirando otros ojos sonrientes igual o más bonitos, incluso aprovechando mejor el tiempo. ¡Aprovechando mejor el tiempo, cuando solo hace unos meses no había manera mejor de aprovechar el tiempo que estando con ella, ¿sí?!

O quizás es que, como he dicho antes, las neuronas comienzan en ese lapso a recuperar sus funciones habituales: ¿y cuáles son las funciones habituales? Alimentarse, trabajar, dormir e interactuar con otros seres humanos. Esas funciones, antes casi anuladas por la llegada y el embrujo de la persona amada, incluso condicionadas por esta para adecuarlas a su propio ritmo, empiezan poco a poco a recuperar su estado primigenio: uno se empieza a distraer y, mientras antes estaba pendiente de todo lo que hacía la otra persona, ahora, sabiendo QUÉ SERÁ probablemente lo que esa persona haga o diga, mantiene solo un par de células en guardia y las demás se dedican como antes al desempeño de sus tareas mundanas. Solo que no pueden desempeñarse del todo satisfactoriamente, porque ahora no es solo una persona la que cuenta, sino dos. Y todo hay que hacerlo entre dos, ¿sí?

Y no todo el mundo está preparado para hacer las cosas teniendo siempre presente o en cuenta a la otra persona. De hecho, casi nadie lo está, ¿sí?

Un día, las frases de la persona amada no nos parecen tan ocurrentes; de hecho, hay personas que dicen frases que nos parecen más ocurrentes; y a lo mejor hasta nos empezaría a gustar la idea de conocer a esas otras personas, ¿sí?

Un día, aquel que destacaba por su especial pereza vuelve a ser perezoso, por mucho que se antojara trabajador durante el tiempo que estuvo enamorado; aquel que destacaba por su tendencia a la autodestrucción, volverá a reincidir en autodestruirse, por mucho que el enamoramiento le hiciera creer que se había redimido y perdonado; un día, aquel que destacaba por ser un promiscuo y un vicioso, volverá a serlo. Todo vuelve, señoritos y señoritas, tarde o temprano, a su estado natural, ¿sí?

¿Y qué ocurre entonces? ¿Qué ocurre cuando ya no estamos enamorados, cuando sentimos que esa persona que vive noche y día a nuestro lado ya no es nuestra alegre y entrañable compañía sino un lastre imposible de cargar el resto de la vida en brazos? ¿Acaso existe mayor prueba posible de que el amor que había entre ambos ya está más que sobradamente agotado y terminado? ¿Sí?

No. El amor no se ha terminado porque en esa etapa ni siquiera había comenzado. No se puede amar cuando se tiene un velo en los ojos y los sentidos alterados, ¿sí?

El verdadero amor comienza a partir de ahí: el amor verdadero nace cuando uno ya conoce perfectamente la apariencia, el olor, el sabor, el tacto, los sonidos y las posibles reacciones de la persona amada, cuando ya apenas hay nada de su personalidad que pueda sorprenderle, cuando sabe cómo es mejor incluso que uno mismo, cuando la vida a su lado se ha convertido en el mismo hábito, en la misma repetición automatizada, sin sorpresa ni aliciente, de los días vividos antes de entrar en contacto con ella, ¿sí?

A partir de ahí, cuando uno cree el enamoramiento entumecido y muerto, comienza la tarea de construir el amor, ¿sí?

Porque es entonces cuando sabemos realmente con quién estamos viviendo. Es entonces cuando sabemos de verdad si esa persona encaja con nosotros, si esa persona es guapa, simpática e inteligente, o en realidad era fea, estúpida y atolondrada, pero consiguió engañarnos el tiempo suficiente: sabemos por fin lo que en realidad es. De hecho, ya solo es, porque todo lo demás, lo aparente y superfluo en ella, se diluye de pasar tanto tiempo a nuestro lado. Es entonces cuando uno puede hacer balance de lo que le espera y decidir si aún merece la pena intentarlo, si en la carrera aún sale a cuenta tener tu pierna atada a la de ella y mantener un ritmo más lento que el propio. Es entonces cuando, los ojos sin velo y los sentidos en su nivel medio, se puede evaluar a la persona que convive contigo, saber si es mejor o peor que las otras que PODÍAN haber convivido contigo, saber si es mejor caminar en soledad o en SU compañía, o en CUALQUIER compañía antes que en la suya. Es entonces cuando sabemos si merece la pena QUERER a esa persona, ¿sí?

Para querer a alguien, hay que esforzarse tanto como para realizar un trabajo diario. Cada día tenemos que levantarnos y encontrar la ilusión primigenia en la pareja, reencontrar esa chispa que solo desprendías cuando estaban juntos, o volver a ver ese brillo en su mirada que te enamoró o ese gesto que juzgabas adorable. Cada día hay que clavarle un nuevo tablón al monumento al amor, o al cadalso como lo ven algunos, cuya construcción han decidido ustedes emprender juntos. Porque el amor es un monumento en continua restauración, ¿sí?

Si no saben, si no están absolutamente convencidos de que esa construcción al amor, a SU amor, está por encima de rutinas, de caprichos y de funcionamientos cotidianos de células materiales, que ese amor ha merecido y sigue mereciendo su diario sacrificio, el de ambos, su AMOR está perdido, ¿sí?

Y entonces ustedes no solo habrán fallado ante ustedes mismos, se habrán decepcionado y llenado de ignominia ante sus humillados ojos, sino que también le habrán fallado a Dios. Y fallarle a Dios es merecer la muerte, porque para eso sabían ustedes que cuando se hace un voto ante Dios, ese voto es sagrado y ese voto hay que cumplirlo. Y pobre de quien no cumpla ese voto. ¿Sí?

Yo no soy una persona dedicada a seguir el llamado del Señor entre las húmedas paredes de un convento. El camino religioso no es aquel para el que el Señor me ha destinado. Lo supe desde mi edad tierna. Por esa razón, yo construí un monumento consagrado a Dios, pero un monumento hecho de amor, de sentimiento y de todo lo poco de bueno que los hombres llevamos dentro. Un monumento erigido con la ayuda de la persona que elegí, como ella me eligió, cimentado con su entrega y sudor igual que con los míos, un monumento de abnegación y dedicación que no era sino la representación de los lazos fuertes, irrompibles, que nos unían. Un monumento, un templo con un solo corazón mayúsculo hecho a gloria de nuestro amor inmortal y a mayor gloria de Dios por habernos permitido vivirlo juntos, ¿sí?

Un día, Dios decidió derruir de un manotazo ese templo, o eso yo creía, y llevarse con él la vida de… de la persona con la que lo había levantado. Ese día, Dios mató no solo a mi esposa, también me mató a mí. Yo había respirado demasiados años a través de ella, y cuando ella dejó de respirar, yo no supe cómo poder seguir respirando solo. Durante mucho tiempo renegué de ese Dios, Dios me perdone: le negué más de tres veces. Deambulando como un autómata sin propósito ni sentido, caí en una aberrante espiral de autodestrucción y olvido, intenté enterrarle en las tierras yermas de mi corazón muerto como castigo a lo que me había hecho, a todo lo que me había arrebatado. Abjuré de Él y le maldije como ningún ser humano antes le haya maldito. Solo con el tiempo lo entendí: sí, Dios me mató, aniquiló todo lo que había sido y querido ser, toda la ilusión y, también, a la única persona que quería en este mundo, pero lo que no hizo fue destruir ese monumento, al contrario: destruyó a mi pareja porque ese monumento, ese hermoso templo, ya hacía tiempo que estaba terminado. Y ese monumento, lo entendí en el momento más hondo de mi caída, casi disuelto en la iniquidad más absoluta, ese templo relucía por encima de mí más puro y con más brillo que nunca. Y entonces entendí el plan de Dios para conmigo: comprendí que Dios mató a mi esposa y con ella a mí, tan solo para resucitarme, para que resurgiera ante él en nuevo modo, porque para señalarme el camino verdadero que debía seguir había de destruir primero todo lo que yo había construido, todo en lo que había creído… excepto nuestro monumento. Y el camino de Dios para mí era este: llevar ese templo resplandeciente al resto de la Humanidad, mostrarlo a los mortales y decirles: ¿Ven? Ustedes también pueden construir uno igual. ¿Lo ven? ¡¿Sí?!

El enamoramiento no construye ningún monumento. El enamoramiento es flor de un día: como mucho, tan solo aporta y sienta las bases y la materia prima de lo que debe ser una preciosura de templo dedicado al amor. Solo pone en presencia uno del otro a los dos instrumentos de ese monumento y de ese amor. La tarea ardua viene después. Sin embargo, por desgracia, casi nadie quiere pasar por ese después. Casi nadie quiere arremangarse y ponerse a faenar en la obra del amor. Todo el mundo quiere vivir en un estado de embriaguez, embeleso y estupidez perpetuos, ¿sí?

Ese después llega y necesita voluntades fuertes y corazones entregados de verdad. Mi misión, la misión que Dios me ha encomendado y a la que debo sacrificar mi vida presente, pues para ello se me ha cercenado mi vida pasada, es examinar las voluntades y las ilusiones de ustedes, repasar sus intenciones y sus sentimientos, mirarlos de cerca y analizar sus fortalezas y debilidades, catarlas, degustarlas, engullirlas y digerirlas y ver qué tales calidades contienen; acariciarlas, manosearlas, pisotearlas y escupirlas hasta separar todas las capas superfluas e ir al corazón de sus naturalezas: certificar todo el material de amor que han traído consigo, algunos en espuertas de aparente gran calado, y asegurarme de que es genuino, de que realmente pueden llegar a conseguir edificar un verdadero y genuino monumento al Amor, con sus gloriosos cimientos bien firmes. Y dar entonces mi visto bueno ante Dios para que Él dé el Suyo a la unión de ustedes, ¿sí?

Quien sea puro de corazón y de intenciones nada ha de temer. Aunque la verdad es que hay muy pocos seres humanos puros de corazón, más bien ninguno, o no serían humanos. Pero si la mayor parte del sentimiento y voluntad de ustedes es de buena ley, yo nada tendré que objetar, y les bendeciré para que sigan con alegría e integridad los pasos que quieren dar ante el Señor, ¿sí?

Ahora bien, si compruebo que ni siquiera en esta primera fase, porque casi todos los humanos cometen el error de consagrar su unión cuando aún están confundidos sus sentidos con la etapa del enamoramiento, ni siquiera en este engañoso primer nivel que uno acepta de forma natural y casi sin decisión racional por medio, son sus intenciones de buena fe o su materia prima de calidad para soportar la presión de una unión eterna; si veo en una mirada la veleidad, en un corazón la corrupción y en unas ingles la lujuria y la perversión; si tengo la certeza de que alguno de ustedes no quiere en realidad construir un monumento al amor

"¿sí?"

sino todo lo contrario, un monumento al deseo lúbrico, a la zafiedad y el libertinaje de los sentidos, un templo de caña y barro, de paja y hez, a la cobardía y al
miedo, a la irresponsabilidad y a la burla y a la herejía… Si verifico que dentro del
corazón de alguno de ustedes se esconde u oculta una meta contraria a las leyes
divinas del amor… Si alguno de ustedes no es lo que dice ser o lo que jura que
será… Dios se apiade de sus almas, porque yo no lo haré. Yo no tendré piedad.
    ¿Sí?".

CAPÍTULO 6

John es el único que no sonríe.

Encogido contra su pétreo respaldo, observa agarrotado la figura lejana y de voz concienzuda, expectante de la reacción que sus últimas palabras hayan podido suscitar en la audiencia.

Y de repente, las parejas sentadas en la gradería, que ya iban jaleando cada "¿Sí?" del orador, incluso adelantándose a su mera sugerencia, como si de una muletilla cómica se tratara, rompen a reír a carcajadas. Los hombres ríen y ríen y las mujeres les secundan con ganas. John, absolutamente horrorizado, consulta a su lado: incluso Nancy absuelve indulgente la risotada global con una media sonrisa alentadora, irresponsable y claudicante.

John abarca al resto del público. Doquiera que se encara, risas y risas, simplones inditos que creen hallarse ante un espectáculo de comedia, juntas sus palmas como en rezo o aplauso, no se sabe, elevan sus risas jaculatorias como si estas no pudieran conservarse a resguardo por más tiempo en sus pechos. Todos ríen.

Espera, no. John avizora alguien que no. Un blanquito magro, acurrucado tres filas por encima de la suya, atiende sin ningún asomo de humor a la astracanada que se desarrolla ante sus ojos. De piel cerúlea y delicada, una cabellera rubia como el sol de otros tiempos, peinada a raya, y ojos claros como el mar de otras eras, el tipo enclenque y bonito contempla el escenario con un desapego cercano a la flema británica. Valora a su pareja, una morenaza de rasgos exóticos que se monda de la algazara. A su otro costado, una mulata también carcajea alegre, los senos bailan coordinados. El hombre se acomoda mejor en el asentadero de piedra, se echa hacia atrás recostando su espalda y desliza sus dos manos por las cinturas de las muchachas. Luego, se sonríe ante el éxito del doblete, aún mirando el horizonte del estrado.

John sigue la trayectoria de la mirada casi retadora del chico pálido, que le va a transportar de regreso al púlpito del Señor Santo, pero algo trastoca su curso directo, el desplazamiento se corta de improviso: otros ojos colisionan con los suyos a mitad de trayecto. Se trata del salvaje de iris azules y nalgas prietas de la sala de desinfección. Único rostro vuelto, le escudriña minucioso, como invocando algo que solo ellos dos saben. John mata el contacto visual sin exteriorizar matiz alguno de reconocimiento o turbación, y reemprende su abordaje ocular hasta la tribuna, para aterrizar sobre seguro, sobre el orador.

El Señor Santo ha esbozado una tibia sonrisa al escuchar las carcajadas del auditorio. Pero nos olemos que es una sonrisa paternalista e incluso conmiserativa. Sus ojos no sonríen. Sus ojos, duros e inhumanos tras los lentes deformantes, entablan un lento y escrupuloso inventario de las hileras de parejas sentadas, como si las estuviera ciertamente analizando, casi se diría que radiografiando para formarse una impresión primera: como si estuviera empezando ya a clasificar las manzanas podridas y las sanas. Mientras realiza esa operación de escaneo, ese barrido moral de su público, acompaña tal regular ladeo de cabeza con una flaca mueca remedadora de sonrisa que pretende complacer, incluso incitar el estado general de euforia, pero que no se corresponde en absoluto con la despiadada índole de su mirada.

John percibe el movimiento implacablemente giratorio de la cabeza del Señor Santo. Y, como presintiendo un desenlace fatal, se crispa inmóvil a la espera de que la cara de aquel se detenga justo en su dirección.

Así es: la testa de Santo interrumpe su despacioso volteo y, fijando su atención tras las sucias gafas de pasta en quien casi juraríamos que se trata de John, se cierne de nuevo sobre el micrófono y habla, otra vez con un tono de voz inalterable, casi festivo, de una crueldad subterránea exquisita:

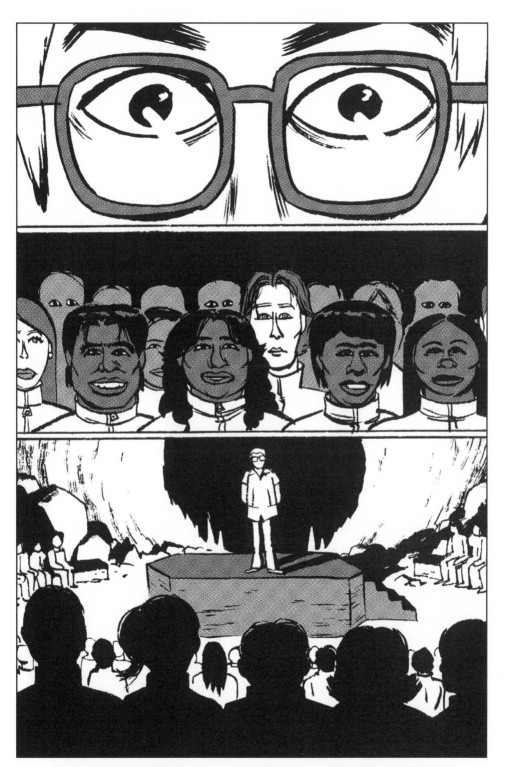

SUS OJOS, DUROS E INHUMANOS TRAS LOS LENTES DEFORMANTES, EMPRENDEN UN LENTO
Y ESCRUPULOSO INVENTARIO DE LAS HILERAS DE PAREJAS SENTADAS... COMO SI
ESTUVIERA EMPEZANDO YA A CLASIFICAR LAS MANZANAS PODRIDAS Y LAS SANAS.

-Así que si hay alguien que quiere pensárselo dos veces antes de proseguir nuestro Acto de Acondicionamiento, yo le aconsejaría sinceramente que se quite hacia esa salida antes de que sea demasiado tarde.

Falsa alarma: los ojos del Señor Santo retoman ahora la tarea de peinar los rostros de sus doscientos cincuenta espectadores. John suspira aportando su aliento al silencio, destensado el pecho con la misma clave de reparo anquilosado con que funciona todo su cuerpo; se vuelve a Nancy, quien le dedica un mohín afectuoso, entre sorprendida por la seriedad mortal del rito e inconsciente por completo de que revista ninguna peligrosidad. John le devuelve por su parte una composición facial de felicidad insensata. No parece que le cueste: es una sonrisa de anuncio.

Un bramido general les distrae, entonces. John busca la justificación en el compañero de rasgos patricios, pero este también está atento a otro punto de la sala. Frente a ellos, en la parte baja del graderío, un hombre muy moreno acaba de ponerse en pie, para aturdimiento de su pareja:

-¡Papito, no tú, mi papito!

La chica, la que inició el duelo de gladiadoras en el vestuario femenino, pretende aferrar a su macho del brazo, pero este se lo retira de un tirón, desentendiendo el afecto, y procede a bajar los escalones que le conducen al semi-ruedo. Allí, se encamina circunspecto y cerril hacia la entrada, aparentemente sin escuchar los abucheos que a media voz le esputan sus compañeros.

-¡Juansito, espera!

Quien ha hablado es la rival de la disputa mujeril, que se ha erguido de pronto, para estupefacción de su adormilada pareja, y comienza a descender hacia el objeto de su pleito. Juan se para en medio de la arena y recibe lacónico la mano de su deseadora: sin más efusiones, ambos marchan de a una hacia la gruta arqueada, volatilizándose en su oscuridad.

En nada, la mujer plantada recorre a su vez las escaleras, ella impelida por el desconcierto y la vergüenza, promotores de sus pasos rápidos y precipitados. Sorprendentemente, el público reacciona con más risas y guasas, señalándola y profiriendo gruñidos de sorna y escarnio. También señalan silbando y se mofan del novio abandonado, quien, ignorante de qué va la cosa, con la telaraña de la siesta empañando su dilucidar, enfila asimismo la salida casi obligado, casi porque no le dejan otra opción, entre empellones menospreciativos de sus iguales, que parecen desdeñar su incapacidad para retener su media naranja o sus ganas de continuar durmiendo.

-¡Regresa cuando tu enamorada no sea una vasiladora! –le grita un estereotipo del varón latino resentido con su propio escaso éxito.

Los ojos de párpados semioclusivos de John expresan su alienación del rededor. Metros más allá, el hombre rubio cruza bracitos y supervisa su entorno con un enarcado de ceja adquirido tras largas sesiones de ensayo, el párpado contrario a media asta y la boca oblicua, conformando una expresión occidentalmente reconocida como de frívolo y manifiesto desprecio. Después, se consagra a descartar un hilo suelto, a la altura del hombro, de la costura de su por lo demás impecable overol.

El Señor Santo respeta todavía unos segundos antes de volver a declamar.

-Los que siguen aquí han venido porque quieren formar un matrimonio, y por tanto una familia, y por tanto un hogar. El concepto de hogar existe desde el mismo comienzo del hombre. Surgió antes que el estado, la escuela o cualquier otra institución. Incluso antes que la Iglesia.

El Señor Santo ríe articulando su risa en dos desagradables golpes guturales de voz. Y como a un pistoletazo de salida, el público también ríe, con empeño.

-Los está llevando donde quiere –protesta John en un susurro a su amada.

-Sí, pero hay que reconocer que es ingenioso –matiza ella.

Un gruñido de John trasluce que él no opina así o que esa apreciación está fuera de lugar: viene a intentar comunicarnos que, en alguien de la catadura del Señor Santo, el mérito de lo perverso trasciende con mucho el de lo perspicaz.

El Señor Santo reanuda en definitiva su cháchara de reconvención:

-Dios ha diseñado el hogar humano de acuerdo a un principio de autoridad. El hombre es el primer responsable de su familia: cuando el pecado afectó a la primera pareja, Dios no buscó a la mujer para pedirle cuentas, buscó al hombre. La tarea de la mujer es ejercer su autoridad sobre los hijos en representación de su esposo…

El Señor Santo suspende su perorata en el aire y, cortejando a la concurrencia, añade con voz divertida:

-¿…Sí?

Una agradecida hilaridad general se propaga desde las gradas. El público está disfrutando.

-La tarea del esposo es proteger a su mujer y garantizar la armonía del hogar. Las mujeres son vulnerables al ataque espiritual, especialmente al engaño, y su protección pasa por refugiarse bajo la autoridad de un hombre.

Varias mujeres de la audiencia, sus respectivos labios superiores culminantes en un respingón que delata un buqué pendenciero, asienten con un principio de devoción, totalmente absortas por las argumentaciones del Señor Santo.

-Dios ha hecho recaer la responsabilidad del sustento familiar sobre el hombre –encarrila el Señor Santo–. Al hombre le han sido dados hombros más fuertes. Él tiene una mayor fuerza natural en la mente que lo habilita para enfrentar la presión de las preocupaciones. El corazón de una mujer se desanima y abate con mayor facilidad, Dios la ha diseñado así. Dios le dijo a la mujer: "Con dolor darás a luz los hijos y tu deseo será para tu marido y él se enseñoreará de ti".

Ahora sus oyentes permanecen en un ceremonioso silencio, digiriendo las palabras inoculadas. Nadie se atreve a preguntar "¿Enseño… qué?".

-…¿Sí? –agrega el orador.

Nuevas risas. El Señor Santo las alimenta con sus brazos y con su propia jocosidad, en una orgía de festejo y fe. Permite que el rebaño se alborote durante un periquete, luego sus manos seccionan el aire, la audiencia enmudece sajada, y él renueva su alegato:

-¿Y el sexo? ¿Qué tiene que decir Dios respecto del sexo?

Casi se oye cómo los ojos y oídos de los presentes se abren y aguzan más ante la sola mención reiterada del término tabú.

-Veo que es un tema que les interesa –ironiza el Señor Santo–. Entonces estarán contentos al saber que Dios no tiene absolutamente nada en contra del sexo… siempre que se practique dentro del sacramento matrimonial.

Varias cabezas vuelven a asentir: su propia intuición ha quedado metamorfoseada ahora en certidumbre, redimida de todo remordimiento con las palabras escuchadas, despojadas de la admonición que todos preveían.

-Dios no considera el sexo como un mal necesario. Dios creó al hombre y a la mujer con capacidad para el placer sexual y su propósito es que lo disfruten con intensidad dentro del matrimonio…

Esta acotación casi arranca aplausos en el conmocionado público. Repica alguno aislado y el contento corretea de nuevo entre las ilusionadas parejas. John zumba al oído de Nancy:

-En algo se tiene que notar que es un profesional civil.

-Chissst —le ataja ella, interesada en el discurso.

-El placer físico y emocional es la característica dominante de la relación sexual —refiere el Señor Santo—. Ni más ni menos. No debemos minimizar su importancia, porque es vital para el buen funcionamiento del matrimonio. Pero tampoco debemos sobrevalorar el sexo ni otorgarle matices trascendentes: la espiritualización del sexo significa un equivocado retorno a los ritos de la fertilidad pagana, en los cuales se atribuye a la carne un significado místico. Créanme: no queremos eso para nuestras familias.

La plebe dice que sí, embobada, no muy convencida de haberlo entendido. El Señor Santo desarrolla su filípica con tono menos grave, como queriendo restar solemnidad a un tema espinoso.

-El sexo no es un acercamiento espiritual, sino físico, necesario. Dios ha dicho: "Y tanto el esposo como la esposa deben cumplir con los deberes propios del matrimonio. Ni la esposa es dueña de su propio cuerpo, puesto que pertenece a su esposo, ni el esposo es dueño de su propio cuerpo, puesto que pertenece a su esposa. Por lo tanto, no se nieguen el uno al otro…". Esto quiere decir, simple y llanamente, que si uno de los cónyuges desea tener relación sexual, el otro debiera responder a ese deseo. No es ningún pecado que la esposa le diga a su esposo: "Aquí estoy: prosigue y úsame"… ¿sí?

Revigorizadas carcajadas en los circunstantes, ante el deje agudo adoptado por la voz del orador para fingir afectación femenina, con claras intenciones populistas. El Señor Santo sonríe encantado consigo mismo, como un mago que ha sacado un conejo de la chistera y ha metido al público en el bolsillo, o quizá como el sargento veterano que no por haber incursionado mil veces sobre un campo de minas deja de suspirar aliviado al rebasarlo con éxito una vez más. Y también como felicitándose por haber previsto que su auditorio iba a reír aunque no hubiera motivo de risa. Sinuoso y taimado, les permite celebrar mientras simula concentrarse en manipular la altura regulable del micrófono en su trípode. Cuando cree que ya les ha consentido trotar por libre lo suficiente, retorna a la carga:

-Si el cabeza de familia ejerce un principio de autoridad, está claro que el principio que rige en la esposa y los hijos es el de obediencia. Un hijo obediente es un hijo feliz. Dios no dijo: "Hijos, obedeced a vuestros padres solo cuando tengan la razón". No, lo que en verdad dijo es: "Obedeced a vuestros padres porque es lo justo. ¡Aun así estén equivocados!".

Un silencio espeso despliega entonces sus pesadas alas sobre la cávea. John percibe la actitud levemente incómoda de las parejas, antes tan risueñas. Ahora sienten algo de embarazo animal ante la acritud y el viso áspero con que está aderezando su exhortación el Señor Santo. Este destila bilis como si nada:

–Un padre debe reconocer cuándo se ha equivocado, pero jamás pedirá perdón delante de su esposa o sus hijos. ¡O nunca más será respetado! Eso sí, tampoco debe contagiar a su prole sus propios defectos, ni alentar las conductas perniciosas. Ya lo dijo Dios: "A cualquiera que haga caer en pecado a uno de estos pequeños que creen en mí, más le valdría que lo hundieran en lo profundo del mar con una gran piedra de molino atada al cuello…".

El Señor Santo ha dejado la frase en suspenso, a la expectativa de un remate. Sus ojos angostos se estrechan, sus párpados aumentados por las antiparras se entrecierran hinchados y obscenos como el beso prometido de una flor carnívora, las parejas intercalan miradas, transmitiéndose mudos sus dudas y titubeos. Entonces, algunos sonríen para sí y, emocionados y embaucados, como anticipando el desenlace de una película de intriga que termina en comedia, como si hubieran adivinado la identidad del asesino de pega antes que nadie, susurran hasta que el conjunto de la gradería, al unísono, prorrumpe jubiloso, completando la frase divina truncada:

–"¿SÍIIII?".

En un tris, el gentío estalla en carcajadas, se golpea tenaz los muslos, se desgañita y vitorea desenfrenada, llora de la risa hasta el delirio, se desgasta en aplausos devotos. El Señor Santo justiprecia la enardecida muchedumbre con íntima vanagloria. Su debut ha sido esplendoroso. Su oratoria ha triunfado. Se inclina para propinar la puntilla.

–Amigos y amigas, qué mejor manera de empezar esta semana especial que pasan ustedes aquí aprendiendo a querer a su futuro cónyuge que ingresando al Confesionario conmigo para confesarse, expurgar sus faltas y empezar de cero. No soy sacerdote, como bien saben ustedes, pero quizá por esa misma razón a mí sí se atrevan a enumerar sus pecados para así comenzar con buen pie la sagrada aventura matrimonial. Tienen toda la semana para visitarme, no lo olviden.

El público prorroga su ovación, ganado para la causa: ganado vencido. Varios hombres y mujeres se incorporan, decididos, convencidos y conversos, y aventuran al estrado desde donde el Señor Santo les ofrece su blanca mano y les indica un batiente al fondo, por el que desaparecen.

Movida por el entusiasmo colectivo y la negligencia dionisiaca, Nancy no puede evitar sonreír a su vez e incluso participa con algún vítor. John considera sus pies, el perfil contrito y los brazos en jarras.

-Los primeros que se han ido se han ido juntos —concluye.

-¿Qué? —atiende solo a medias Nancy, su astigmatismo fijo en el escenario.

-Nada —responde John, sin levantar los ojos.

CAPÍTULO 7

Nos adentramos en un refectorio de altas paredes encaladas, iluminado por unos precarios y mugrientos tubos fluorescentes de medio metro, colgados verticalmente del techo mediante roñosas cuerdas grasosas, que pese a ello permiten una claridad inusual (evidentemente, la desagradable luz de la estancia, con esa blancura siempre a medio hilo, como en agonía, propia de la incandescencia fosforescente, está reforzada con al menos un par o tres de focos ocultos, para dotar de una refulgencia mayor al por otro lado austero comedor de escaso acogimiento).

La actividad alimenticia rebulle en plena algidez: los doscientos cincuenta participantes en el Acondicionamiento, con sus monos blancos, han entrado en bárbara incursión para dar cuenta de la provisión ofrecida y reponer sus fuerzas consumidas exclusivamente en actividad cerebral y mandíbulas batientes. Macizas mesas rectangulares de cedro, con sus taburetes correspondientes, recorren adosadas tres de las cuatro paredes de la holgada sala, a la que se le han añadido para la ocasión varias filas más de mesas y taburetes adicionales en el espacio acotado, reconocibles por su constitución ligera y precaria, para proveer de asiento a todos. En el extremo más cercano a la puerta de acceso, otra mesa recubierta de manteles blancos dispone los alimentos en una suerte de sistema de autoservicio:

John y Nancy se encuentran de pie ante el bufé, haciendo cola junto a una docena más de parejas, bandejas en manos, sirviéndose un bollo y unos rudimentarios cubiertos metálicos, mientras varios monjes de hábitos negros, entre ellos los dos Píos, regentan el improvisado aparador y abastecen de vino y rancho los cuencos y platos de barro cocido.

Cuando les toca el turno a John y Nancy, los dos frente a la mesa de aprovisionamiento, el Pío mudo les deposita con algo parecido a la delectación un cucharón de plasta irreconocible (un mazacote espeso y verdoso a medio camino entre un potaje de lentejas y viscosas boñigas de vaca). John mira con incredulidad perpleja su vitualla, por fin se encoge de hombros y enrumba junto a Nancy a una mesa señalada por el deslenguado Pío.

John no puede evitar dirigir a los comensales ojeadas de cierto, si no desdén y recriminación, sí disgusto y un tanto de superioridad: por doquier se desarrollan cuadros de marcado salvajismo incivilizado, que nos muestran, por ejemplo, a hombres y mujeres bebiendo y comiendo con incontinencia, a veces sin siquiera hacer uso de tenedores sino de los puros dedos, la papilla inclasificable; muchos ingieren de pie, otros despachan su vaso de vino y eructan, algunas parejas juegan a lanzarse proyectiles de gachas, y otros muchos hombres abren hasta la cintura las cremalleras de sus uniformes, debido al calor, dejando al descubierto la sudorosa frente de sus orondas y repulsivas panzas, o recuentan a manos llenas los relucientes callos de sus deformes pies desnudos sobre la mesa*.

John avanza hasta una mesa basta de pesimista acabado, en el centro del refectorio, donde supuestamente se les han reservado asientos a él y a su pareja. Sin embargo, frente a la pieza de cartón troquelado que exhibe su nombre, está aposentada una no menos basta joven de ciclópeas proporciones y expresión huera, la cual come de forma automática, inmersa en su introversión. John se inclina para confirmar que, en efecto, el nombre de la ficha es el suyo:

-Disculpe… Disculpe, señorita, me temo que ese lugar me está reservado a mí.

La mujer no responde ni se inmuta, continúa arrancando pedazos del emplasto con el tenedor y deglutiéndolos metódicamente. John intercambia impresión visual con Nancy, que sonríe pícara.

*Esta escena está sin duda influida por la secuencia que recrea una horda de negros tomando posesión del Parlamento estadounidense y a uno de sus representantes hablando en público sobre el estrado mientras devora con saña un pollo, en El nacimiento de una nación (The birth of a nation) de David W. Griffith. (NdT)

JOHN NO PUEDE EVITAR DIRIGIR A LOS COMENSALES OJEADAS DE CIERTO, SI NO DESDÉN Y RECRIMINACIÓN,
SÍ DISGUSTO Y UN TANTO DE SUPERIORIDAD...

-Señorita… –insiste John, echando un vistazo a la ficha adyacente a la suya–. Lamento pedirle esto, pero mi enamorada y yo nos sentamos aquí, según dice en estas tarjetas, ¿ve? Usted está ocupando mi sitio. Tengo que rogarle que se desplace al suyo, que seguramente es ese otro.

John indica un par de taburetes vacíos al otro lado del mueble.

La anómala alza la vista, por fin: la mirada negra, a medio definir entre lo vacuo y lo vacuno, no da señales de reconocimiento o inteligencia humana, pero se posa largamente en las facciones de John. Sus labios están bordeados por un prolijo vello facial, bozo ahora salpimentado además por partículas verdes desprendidas del desaconsejable avío. Al cabo de un minuto de contemplación bovina, sin chispa alguna que traicione un signo de comprensión en sus ojos, la joven obesa se levanta del taburete y, el plato en las manos, se desliza hasta el taburete situado en el lado opuesto.

-Gracias, gracias –John mira a Nancy, compartiendo un momento de cómplice clasismo, y la invita con cabeceo discreto a tomar asiento.

-Menudo papelón –comenta Nancy, aún risueña, acomodando sobre el tablero de la mesa su poco surtida bandeja (prototípica de un establecimiento de comida rápida) y lista para atacar su informe masa de nutrientes.

-No me digas que esto es normal –despotrica John, templando la voz para que nadie más que ella le pueda oír–. No me digas que se puede mantener una conversación sensata con alguien así.

-¿Te está saliendo el prejuicio elitista?

-No… –se queja él, mientras acomete con su tenedor algún costado del pegote de su plato que no le produzca tanta repugnancia como el conjunto–. Tú sabes que no soy así… prejuicioso. Pero mírala… –se obstina, espiando disimuladamente a la mujer monstruita–. No hay vida más allá de esos ojos. Jamás podríamos conocer y hacer amistad con alguien así. Hay verdades imposibles de negar, incuestionables, por bienintencionada que sea nuestra disposición.

-¿No crees que quizás ello se debe a que jamás nos hemos visto mezclados con alguien así? –confronta Nancy, engullendo sin ningún complejo el abyecto engrudo–. De manera voluntaria o involuntaria, jamás en nuestra vida hemos interactuado con gente de su clase.

-No por mala fe nuestra, eso que quede claro.

-Por las razones que sea. John, pertenecemos a una minoría, solo hace falta ver lo perdidos que andamos aquí.

-Los hay aún más perdidos que nosotros –aduce John, y un gesto de su robusto mentón pone en evidencia una mesa adyacente: ante ella, el joven rubio de la secuencia anterior se mantiene estudiadamente separado de sus compañeros de ágape, las manos sobre sus rodillas, valorando su entorno con repulsión: su plato de gachas permanece intocado, a juzgar por el perfecto orden que guardan todos los utensilios sobre la bandeja, y destila un cuidado infinito en que ninguno de los comensales se acerque a menos de un metro de él.

-Y que lo digas –admite Nancy–. Es un pituco de los pies a la cabeza.

John le sigue observando unos instantes, se diría que se siente algo culpable de albergar empatía hacia aquella excepción racial. Una mulata de rotundos atributos y labios inevitables, coronados por un lunar en el belfo cual último pespunte maestro de un dios inclinado a lo voluptuoso, cruza en ese momento tras el espécimen caucásico, la bandeja vacía en una mano, dispuesta a retornarla. John advierte entonces que la otra mano roza el hombro del apuesto gañán, y se huelga muerta en el nido de su cuello, como ejerciendo por mera presión de su presencia disimulada caricia. Sin darse por aludido ni aparentemente acusar el tacto femenino, el hombre rubio lleva una servilleta a su hocico: la operación adquiere todos los visos de una maniobra de distracción, pues su otra mano, sin ser apercibida por el respetable, aprovecha y roza leve los dedos de la chica. Luego, sondea en dirección a la otra morena que es su pareja, sentada a su lado, que come de su plato sin atender a triquiñuelas ni a nada, con aires de actriz sin muchas indicaciones directorales, y deja ir la mano amante. La exótica mulata prosigue su curso hacia el colector de bandejas recicladas.

En ese punto, un joven de pelo negro brillante, ojos hundidos y protuberante figura, su bandeja bien suministrada, se interpone en el campo de visión de John, interrumpiendo el voyeurismo de este; y, tras pasear el desconcierto de sus ojos por media sala, el mismo joven descubre la nueva ubicación de la gorda rumiante y se sienta al lado de ella. Tras un dulcísimo beso en la mejilla, tomándole la mano con ternura, el muchacho la interroga:

-¿Cómo así cambiaste de sitio, mamita?

La mugiente amodorrada apunta con el dedo y sin ambages a John y Nancy.

Estos sonríen con cívica incomodidad criolla, demostrando su predisposición a comportarse como buenos vecinos. El chico les juzga adusto y, el rostro rígido unos segundos, se atiene a considerar:

-Aquí todos somos iguales. El Señor Santo así lo afirma.

-Por supuesto –concede John–. Es solo que cada comensal tiene adjudicado un sitio, lo pone aquí…

-Ante mi Dios todos somos iguales, señorsito huachafo –porfía el muchacho con rencor y prejuicio, retando altivo la clara superioridad estética de sus oponentes.

John y Nancy asienten con la connivencia de los privilegiados cuando pisan terreno resbaladizo, encogen los hombros como procurando quitarle importancia al tema, a punto de atragantarse. Luego se concentran en el manjar de sus platos, se afanan a comer sin más. El chico les sentencia a una última mirada ofendida, antes de volver a sumergirse en arrumacos y términos acaramelados para con su compañera.

Nancy examina de reojo la última mesa donde, con excelente apetito, almuerzan ya los monjes, un Pío por cabecera, sus mantos talares pintados con las nauseabundas enseñas de yantar esparcido y licor derramado.

-¿Dónde está nuestro fantástico maestro?

John imita el ademán de indagación de Nancy, luego revisa el resto del refectorio.

-Seguramente él sí retiene el buen gusto de no mezclarse con los demás.

-¿Crees que come solo?

-Creo que ese hombre lo hace todo solo –opina, con media sonrisa–. Y eso es lo que lo hace tan peligroso.

-¿Por qué peligroso? –se interesa Nancy, chupándose los labios brillantes de grasa no exentos de glamour–. A mí no me parece especialmente amenazante. Y menos con ese grotesco chullo en la cabeza.

-Nancy, ese hombre está intentando lavar el cerebro de todos los que estamos aquí. Cosa que no me parece muy difícil en la mayoría de los casos.

-John, ya discutimos esto antes. Estamos convencidos de que por muchos sermones que nos echen encima, nada de esta mierda nos va a afectar. Tú y yo tenemos claro que nos queremos, eso es lo importante. Ninguna atadura que nos quieran imponer, ninguna etiqueta ni protocolo que nos quieran endosar, significará más que el amor que nos profesamos. ¿Qué importa una semana de exponernos a un rito en que ni tú ni yo creemos? Nuestro amor es más fuerte que toda esa palabrería, es más fuerte que el amor que ellos ensalzan.

A esto John se dispone a objetar algo, pero la delicada mirada de Nancy refrena su impulso original y lo reconviene: optando por sonreír en cambio y emplazar su mano en la mejilla de ella. Aproximados los rostros, se prodigan en un beso considerablemente afectuoso y sensual.

Un carraspeo ajeno les choca. Al desmantelar su mimo, se percatan de que los otros seis concurrentes a la mesa les contemplan con un sentimiento colindante con el horror. El joven musculoso se dobla hacia delante y les conmina, con la misma expresión ausente e insulsa de su media sandía:

—Por favor, respeten este lugar sagrado. Un poco de desensia, pitucos descreídos. Aún no están casados.

Atribulados, John y Nancy se despegan y reemprenden su almuerzo, asumiendo una prudente distancia que no pueda ser malinterpretada. John coteja las mesas adyacentes, donde varias parejas han presenciado el incidente y manifiestan su desaprobación con sacudidas de cabeza. En la mesa de los religiosos no parecen haber apreciado nada, empero, y Pío le escancia vino a Pío con meritoria diligencia.

En ese paréntesis, un aborigen ebrio, su traje aliñado de lamparones violetas, escala la mesa a dos tiempos, rodillas mediante, y enarbola su vaso con desproporcionada convicción:

—¡Un brindis por los padresitos y por ese Dios que me va a haser un hombre felís!

Se obceca a beber, pero su suela de caucho patina en la grasienta superficie y el hombre se desmorona aparatosamente sobre su peana, echándose involuntariamente todo el vino a la cara. La caterva celebra con risas el papelón, y el borracho responde a dichas risas con ilusión y más carcajadas, como si tal reacción circunstante la hubiese provocado a propósito y fuera al fin su mayor recompensa, protagonizar el gusto ajeno, mientras disimula el dolor de una pierna tironeada.

Todos celebran en la sala. Todos menos John y Nancy, que se descubren intimidados.

-Nunca me habían dicho pituco —atina a apuntar John. Y por la risa que se le escapa a Nancy, parece una frase improvisada.

A continuación, cambiamos de escenario: los abades Pio II y Pío I conducen respectivamente al grupo de hombres y al de mujeres por los subterráneos, hasta separarse cada uno por un derrotero diferente. Pío I llega a la altura de una puerta de roble bloqueada transversalmente por un madero. Tras asegurar en una hendidura de la pared el hachón encendido que aferraba, el religioso destraba sin trauma el tablón, menos pesado de lo que aparenta, y tira de la puerta, dando paso a una cámara semioscura cuyo sobrio interior aparece contradicho de camastros, las paredes cubiertas por gruesos tapices con escenas medievales, polvorientos como felpudos ciclópeos. Con un meneo de cabeza, comunica a las mujeres que entren.

En vez de obedecerle sin más, Nancy se detiene en el umbral de la puerta y mira con curiosidad al monje, señalando el travesaño:

-¿Es necesario que nos encierren?

El abad ríe abiertamente, parece sorprendido por esa ocurrencia:

-Pues claro. No pretenderá que en la Casa del Señor nosotros mismos promovamos el pecado.

-¿Y si todo el grupo le prometemos por lo más sagrado que no saldremos de esta habitación hasta que usted vuelva?

Pío II se limita ahora a reír. A la sazón, no parece abrigar intención de contestar. John se estira de hombros y entra, resignado.

Los demás varones ya se hallan dentro de esa otra celda común, similar a la anterior e iluminada por candelabros con cirios de un solo pabilo. Mientras maldicen los desnudos jergones con bastas, mal distribuidos sobre el suelo de tierra negra, u observan con desamparo los bacines que se verán obligados a compartir, Pío se despide en base a firmes asentimientos de cabeza y una sonrisa babosa que solo desaparece cuando cierra la puerta. El sonido al otro lado indica que no se ha olvidado de aposentar el madero sobre sus soportes metálicos.

John encuentra su nombre escrito a mano en otra cartulina, repantigada sobre un fino colchón deshilachado. Sin mayor expectativa, procede a desvestirse: baja la cremallera del uniforme hasta la cintura; allí, se da cuenta de que no puede quitárselo si no empieza desprendiéndose de sus zapatillas (puede que el mismo actor se haya confundido esta vez, a juzgar por su morisqueta de genuino azoramiento); sentándose sobre la colchoneta, deshace los cordones de sus bambas y las extrae de sus pies, colocándolas pulcramente en el suelo, a su lado. Luego, termina de despojarse del mono por las piernas. Se incorpora y podemos inferir que está desnudo, porque a partir de ahora solo lo vemos de cintura para arriba*.

John exterioriza en la firmeza de su expresión un propósito repentino y ase por el asa la bacinilla que está situada entre cuatro colchones. Lanza una ojeada: varios compañeros desvestidos orinan ya, la mayoría frente a él, de manera casi totalmente impúdica (a la hora de mostrarles, los orinales y/o una pierna adelantada siempre ocultan los penes de los actores –a lo sumo, se concretiza algún trasero–, pero por el rubor de John se deduce/presupone que él sí los ve**). John, tenuemente abochornado, pretende volverse de espaldas a los demás y orinar de tal guisa. Durante un rato lo intenta –oteando como un tonto su propia sombra en cueros proyectada contra la sección de un tapiz, y en particular sobre un Niño Jesús al que eclipsa y frente al cual reza un campesino devoto–, pero al cabo desiste y prefiere dejar el bacín donde lo ha encontrado. Un compadre vecino lo recoge a su vez, también con ánimo de orinar, y al constatar el recipiente vacío, mira a John sin comprender.

Este se tiende sobre el jergón, olvidado de todos, tratando de concentrarse en dormir: su lividez manifiesta cierto desánimo y conformismo fatal ante las circunstancias.

Acostado de costado, los brazos cruzados contra sus bíceps, cierra los ojos, mientras la mecha de las velas se va extinguiendo, solo para abrirlos tras un lapso: en la penumbra sin luz ni salida al aire libre, donde una mínima visibilidad en realidad resultaría imposible, con todos los demás componentes masculinos del Acondicionamiento ya sonoramente lirones, John localiza al mestizo de ojos azules. Está echado varios jergones más allá. El ejemplar de hombre le taladra con la vista.

John discierne algo extraño en la mirada imperturbable de aquel tiparrón. Sus ojos remontan un breve tramo del bello cuerpo, solo para tropezar horrorizados con la mano voladiza del mestizo, que restriega su arrogante miembro viril, de

---

*Por más que he reflexionado al respecto, sobre las posibles claves y connotaciones de su interpretación, no he podido desentrañar a qué se refiere exactamente el narrador con esta salvedad y por qué deduce tan gratuitamente tal disparate. (Nota al margen a mano del Restaurador del Libro)

**¿Rubor? ¡No entiendo nada! ¿Qué tiene que ver el cuerpo con el pudor? (Nota al margen a mano del Restaurador del Libro)

fabuloso tamaño, contra el macizo vientre, aportando un corrimiento maquinal de su piel genital, correspondido por estremecimientos desacompasados de unos testículos protuberantes y calvos, a los que acaricia cada tres o cuatro sacudidas, por no desatenderlos, la otra mano (la imagen sufre alguna perturbación en la calidad de su textura al llegar a esta estampa: parece claro que en un principio no se incluyó en el montaje final esta secuencia tan explícitamente sexual, cuyo contenido íntegro, quizás a insistencia de su posiblemente indignado director, solo unos pocos privilegiados como yo hemos podido acceder a ver, merced a una edición limitada de copias no intervenidas por la censura alemana*). El falo, prominente y nervudo, concluye en esas dos contundentes esferas de carne que parecen a pocas luces rasuradas. La mano grande y fuerte, de dedos luengos y media luna blanca abovedando la raíz de cada uña, repasa el tallo del pene, mientras la otra pellizca con familiaridad los abultados genitales, como apetitosos tubérculos, primero uno, luego otro: los puntea a toquecitos, como testeando su madurez interior, como se sopesa la idoneidad del contenido de un coco.

Visiblemente (o no) turbado, John se da la vuelta, los ojos como platos ante la crudeza de la sesión sorprendida: luego, consciente de su propia desnudez y de su grupa lampiña que apunta en dirección al mestizo, vuelve a modificar su postura, esta vez tumbándose boca abajo, la nuca ofertada al impenitente masturbador, cuyos gemidos comienzan a intuirse en la cerrada y claustrofóbica pieza. John aprieta los párpados y dientes mientras los bufidos aumentan, con una intensidad proporcional a la del manoseo, no sabemos si solo en su cabeza.

La oscuridad le engulle.

Esa misma oscuridad es rota por la luz de una torcida en un liviano candil. El rostro ahora indiferente de John flota en la penumbra, fotografiado en blanco y negro: la cualidad aumentada del retrato hace destacar los diminutos topos negros que lo conforman. Bajo la foto, su nombre completo y datos principales y, a su lado, los de Nancy. La luz del candil, manejado por mano de suave apariencia, revela que la foto pertenece a la hoja de un fichero, y desvela por unos segundos las palabras manuscritas que satisfacen el casillero bajo la fórmula OCUPACIÓN: ACTOR/MODELO.

*Esta es la primera de las muchas imágenes de tipo pornográfico que el narrador asegura haber visto encajadas en la historia: la imposibilidad casi absoluta de que insertos de este tipo se encuentren en una película de aventuras y fantasía, destinada a un circuito de exhibición convencional, al menos en nuestros tiempos y con el lujo de detalles en cuya enumeración se recrea, me hace sospechar que, sencillamente, Rainer Nögler se lo inventó todo. Huelga destacar asimismo su obsesión por detalles de clara connotación homosexual. (Nota de Jonas Reinhardt)

Una risa irónica subraya lo leído por el espectador.

Se trata del Señor Santo quien, ataviado con un camisón blanco de algodón y aún con el chullo negro rematando la coronilla, revisa la ficha sentado a su escritorio, repleto este de libros encuadernados en cartoné, el infolio con la fe de asistencia de las parejas abierto enfrente y una pila al costado con el resto de registros, junto a otros volúmenes de incierta naturaleza. Al lado de la mesa, un breve pupitre soporta el insignificante peso de una escudilla vacía y un vaso mediado de vino, aportando una excusa argumental innecesaria.

El Señor Santo se yergue y, precedido del plateado candil, se traslada por la estancia que escogió como base de operaciones para sus libros y centro de estadía para su persona dirigiéndose, como un fantasma gótico, hacia la pared frontal, la misma donde aún cuelga la heterodoxa versión de La Última Cena de Cristo y sus doce Apóstoles. El Señor Santo arrima la luz y expone de nuevo, al vacilante centelleo de la llama, la figura inconfundible del diablo autoinvitado al festín.

-El infiltrado... –murmura el Señor Santo, y su mano libre retira el capuchón indígena, descubriendo su testa de pelos blancos y aplastados como los de una cría de cernícalo, y sus patillas de filo acerado–. El infiltrado...

El Señor Santo permite deslizar entre dientes el lomo escamoso de una carcajada malévola que, de haber sido escuchada por los oídos de sus doscientos cincuenta espectadores de hoy, a buen seguro no hubiese despertado entre ellos la hilaridad del conjunto de su discurso diurno. Una carcajada capaz de helarle el espinazo al propio Dios y quién sabe si al mismísimo Satán del cuadro, quien de momento sigue sonriendo francamente complacido, de lo más campante junto a Judas y el resto de Apóstoles, los cuales, contra todo pronóstico, también parecen recibirla con agrado.

2ª PARTE
LOS RESINOSOS

CAPÍTULO 1

—Silencio.

La palabra, que se repite en susurros arcanos silabeados por varios siniestros frailes de rostro embozado en lo umbrío de sus capuchas, dispuestos estratégicamente en las partes altas y bajas del hemiciclo, planea las erosionadas gradas, como si se tratara de una invocación de tintes paganos o se apelara a una criatura de erecto pelambre que mugiera en las entrañas de la Tierra. En respuesta, las parejas se mueven nerviosas y prestan atención.

Los pies calzados con sus indispensables zapatillas de lona pisan inescuchados las losetas de la tribuna hasta el micrófono labrado como un corazón de acero.

—Hoy empezamos con una inofensiva prueba, ¿sí?

Quien más quien menos se relaja, desarmada su aprensión por el familiar retintín. El Señor Santo desinfla su gravedad en una sonrisa, aunque de cerca sus ojos no parecen sonreír en absoluto, concentrados en escrutar. Su chullo semeja la versión tropical de las pelucas de los Lores.

Sus manitas blandas, casi sifilíticas, sujetan un paquete de hojas mecanografiadas. Las enarbola significativamente.

—Quiero que contesten algunas preguntas, ¿sí?

John, con abullonadas ojeras bien representadas, compone una cara de fastidio para Nancy, que siempre aparece igual, hecha una beldad, ya sea en una velada de bienvenida o en una despedida de madrugada; con un maquillaje base irreprochable, un colorete al que no favorece el Technicolor, unas cejas perfiladísimas en marrón cerezo y unas pestañas que juramos falsas, ella no corresponde a John y hace visos de atender. Resulta obvio que el recelo de su novio es la excepción, previsible en el héroe. Los demás asistentes aguardan expectantes las palabras del Señor Santo, una expectación de espectáculo, de pan y circo, de que algo divertido va a suceder.

-Quiero que averigüen si están preparados para unirse el resto de sus vidas.

El Señor Santo sonríe más ampliamente. Las parejas también, vaticinando el desenlace previsto de la frase, pero al no llegar, sus sonrisas se hielan. John ni parpadea.

-Esto va en serio –rezonga.

A un alzamiento del dedo, el abad Pío recoge el taco de hojas y las reparte en fajos menudos a los demás religiosos. Los cofrades, cuyos retazos de piel blanquecina y movimientos zombis recuerdan a los leprosos fileteados de las películas bíblicas estadounidenses de hace dos décadas, se aprestan al ralentí de subir y bajar los escalones mientras distribuyen con pereza los pliegos impresos por ambas caras, una copia por persona. El ruedo de sus hábitos roza la piedra como marejadilla en renuncio. Los hombres y mujeres reciben los folletos con expresión cándida, ligeramente bromista y pueril, carne de embauco. También se les proporcionan lápices de punta roma.

Antes de leer, todos desean que el Señor Santo torne a tomar la palabra. No están muy convencidos de empezar porque sí. El Señor Santo, halagado de su poder, se inclina sobre el reluciente cabezal, intimidante cual glande ciborg.

-No tengan miedo. Son respuestas que solo leerán sus enamorados. Quiero que sean sinceros con ustedes mismos. Luego podrán contrastar lo que ustedes han contestado con sus prometidos y prometidas, ¿sí?

La palabra mágica crea un suspiro global de alivio, como si aquel forastero, detrás de su máscara autoritaria, fuera un viejo amigo solo ahora reconocido.

-Estos cholos… no están contentos sin una figura paternal –rumía John. Reojea a Nancy, pero ella parece mostrarse vivificada ante la perspectiva de responder una batería de preguntas: al fin un pasatiempo, una distracción con la que solazarse, en lugar de permanecer como oyente recluida todo el largo plazo de clausura en ese curso intensivo de aleccionamiento moral, resignada a disponer su cuerpo en aquel limitado espacio de cemento y roca durante decenas de horas de oratoria: la heroína, la compañera pasiva del héroe, se está empezando a fatigar. Eso parece indicar su mirada encendida.

John rescata su folleto de uno de los frailes, cernido sobre su fila. Frunce la nariz, repentinamente sobrecogido, como si el religioso despidiera un hedor nauseabundo. El hombre, un anciano con vitola de ex niño prodigio obeso y eunuco, no barbota palabra, pero la sotana cruje como si llevara muchos años revistiendo la piel debajo o la propia se le hubiera desprendido fundiendo su dermis con aquella tela rígida, muda perenne.

John pasa varios pliegos más hacia los asistentes a su vera y se propone hojear el que se ha quedado. Lo que lee, tras ignorar la casilla de encabezamiento donde debería anotar su nombre, es esto:

¿Estamos hechos el uno para la otra?

John sonríe para sí, y de soslayo echa una ojeada al test de Nancy: la formulación de cuestiones es exactamente la misma.

–Tómense el tiempo que requieran –retumba la voz grácil y reverberante del Señor Santo, de ribetes celestiales por mor de la tecnología–. Es solo un juego inofensivo.

John levanta el rostro y observa al orador unos segundos, el semblante parcialmente sombrío. Luego, recupera uno de los pequeños lápices que los monjes han facilitado y, mojando la mina, se enfrasca a leer toda la primera página.

Vemos algunas de las cuestiones*:

¿Soy consciente de que mi vida va a cambiar a partir de ahora?

¿He comprendido que casarme significa renunciar a mi anterior estilo de vida?

¿Estoy decidido/a a unirme con mi novio/a en el sacramento del Matrimonio con una fidelidad irrevocable hasta la muerte y amándolo/a con entrega total de mi vida?

Los ojos de John vuelven a sobrevolar el fragmento "hasta la muerte". Advertimos que bajo cada inquisición, figuran alineadas las mismas casillas repetidas de

*Especifico todas, también las que solo se pueden descifrar en función de pausa o a cámara lenta. (NdT)

posibles respuestas: **SÍ, NO o NO SÉ.** La contundente mandíbula de John sobresale unos milímetros mientras reflexiona. Disimuladamente, mira a Nancy.

Esta cae en la cuenta y le devuelve una sonrisa angelical, mientras tacha sin vacilación alguna las casillas **SÍ** de todas las preguntas.

John se endereza y, con evidente relajo de su expresión, marca también las casillas correspondientes a la respuesta **SÍ.**

A renglón seguido, abre el pliego y consulta la segunda página. Nueva cuestión:

¿Tengo motivos para estar seguro del éxito de mi matrimonio?

Rutilante y confiado, John señala una vez más la casilla **SÍ.** Por su actitud satisfecha y el movimiento resoluto de su mano, sabemos que los síes son señalizados subsiguientemente a todo lo alto del papel. Se dispone a hacer lo mismo con la tercera página y así lo hace. Vuelca el pliego y continúa con la cuarta y última, hasta que, inesperadamente, se interrumpe, el lápiz a media carrera, amedrentado en el momento justo de consumar la operación. Algo que lee le inspira duda. Su musculatura facial se tensa, su dentadura aprieta una trabazón imaginaria, la mandíbula vuelve a estar tirante en su juntura y bajo la piel el hueso se rebela, remedando el gesto favorito de los colonos protestantes de América, gesto de auto represión torturada, paradigmático en hombres de ascendencia germánica pero inédito en los de origen hispano (ahí, de nuevo, el actor ha traicionado su personaje).

Comprobamos la causa de su suspicacia. La pregunta (en realidad doble pregunta) a rellenar, y última, es esta:

¿En qué no coinciden nuestros gustos: qué es lo que me gusta que a él/ella no?

Regresamos a John, y ahora se le ha añadido una capa de humedad a sus facciones: su frente se nos presenta perlada, supuestamente de sudor al trasiego de la indecisión, sus escleróticas algo sanguíneas. Vacila sobre qué contestar: su mirada escamada recorre una fina línea discontinua que abarca el ancho de la página sobre la que hay que situar la respuesta. John acerca el lápiz a su boca sin desertar la vista del papel: mordisquea el capirote plateado, lo mella y abolla, y sigue sin decidirse. De nuevo, aventura un reojo a su compañera: Nancy prosigue crucificando el pliego de síes sin titubeos ni pausa. El sudor es más intenso aún: apreciamos el continente acalambrado y trémulo de John, echando un furtivo vistazo a su alrededor.

Esto es lo que ve:

Una mestiza de exuberante busto que también rellena el test, unos metros más allá, se gira hacia él y le dedica una sonrisa coqueta que hace relucir sus morenos cachetes, rematándola con un guiño más torpe de lo deseado y un chupeteo incitante de lápiz sin muesca; sorprendentemente, su pareja masculina no repara en la procaz proposición ni ceja concentrado de garabatear el cuestionario.

Nervioso, John rebusca otras estampas menos lascivas; ahora, las que le llaman la atención son breves escenas en detalle, de las que, contra su voluntad o no, no despega ojo: una mano femenina estira la tela replegada del overol a la altura de un seno; el vello sobresaliente y alambicado, como el de la maleza pasto de las llamas, por entre los dientes de la cremallera semiabierta de un cholito; una abultada bragueta masculina que una mano afín recoloca para mayor confort; la fresa húmeda de una elástica lengua que lubrifica con fruición la punta de un lápiz; la imagen se detiene al fin en una esbelta cerviz de damisela por la que resbala contoneándose una gota de sudor, con lento, cimbreante y delicioso desmayo… Otra más circunspecta desliza asimismo por la frente de John: correlativamente, vamos de una a otra, como si de un duelo de secreciones se tratase; la gota de John serpentea rauda, estrellándose contra el matorral de su ceja, sólo para reunificarse y caer a plomo del risco que techa la hornacina del ojo, espumando lacrimosa contra el suelo del muslo; la gota de hembra se pierde en el hueco entre los cubiertos omoplatos, insinuando recorridos íntimos en su bajorrelieve dorsal.

Los ojos de John siguen varados en dicho punto oculto: se congelan, se endurecen, casi cristalizan y fisuran, mientras el resto de su faz convulsiona sísmico. Batallando una inequívoca descoyuntura física y mental, consigue afrontar de nuevo el asunto del test, mientras sus pupilas lagrimean inyectadas. Su mano tiesa emprende un contraído devaneo por el espacio a completar, dibujando con trazos rectilíneos la palabra "SEXO", con la rigidez de un polígrafo. Pero antes de acometer el salto mortal de la O, el grafito sufre una presión excesiva de la garra y se parte en dos. Johh, como absorbiendo el impacto de una catarsis, suspira.

-Bien, bien –la voz del Señor Santo parece el fruto de un remanso postcoital–, hora de comparar. Intercambien los cuestionarios con su pareja, por favor, y cotejen las respuestas.

John, cauto y semiausente, aún no del todo repuesto de su ordalía sensual, tiende su pliego doblado a Nancy, quien ajena y despreocupada le ofrece el suyo.

-¿Qué has puesto en la última? –chapurrea John con premeditada desnudez de inflexión y talante indolente, mientras desdobla el folleto de su amada. Ella replica: -¿Mmmm? –al tiempo que su mirada registra, a medias dispersa, las confidencias de su novio.

John ladea el pliego y revisa directamente la última página: bajo el enunciado de la última cuestión planteada, no hay ninguna respuesta. Tan solo el renglón vacío.

-¡Espera! –gruñe John, y arrebata su test de las afiladas manos de Nancy–. Se me ha olvidado contestar una.

John finge volver a repasar las preguntas de principio a fin: como un ratero apostado junto a su víctima indiferente, se asegura de que Nancy está más pendiente de los comentarios audibles pero no inteligibles de las demás parejas que de sus evoluciones correctoras. Intenta rectificar entonces la última anotación, pero el lápiz de punta quebrada se inmiscuye burlador en su campo de visión. Mascullando, despoja la mano de Nancy de su lápiz correspondiente e, inmune a la sorpresa de su compañera, tacha a frenéticos bandazos de mina la palabra ~~"sex"~~ y redacta al lado del parche rayado: "Nada".

-¿Qué habías puesto? –le interroga Nancy, vivaracha, quien solo ha llegado a tiempo de ver el apresurado remate del remiendo.

-Nada. Eso: nada –responde necio John, forzando un aire casual y restaurando el lápiz a Nancy.

-¿Ya empiezas con mentiras? –le tantea zumbona la pelirroja tintada.

-Esto es una chorrada –decide John, pero lo cárdeno de sus ojeras le traiciona–. Había puesto lo de los "niños".

-Pero si ninguno de los dos queremos niños.

-Lo sé. Por eso lo he borrado.

Las otras parejas también comparan resultados y se desternillan por las ocasionales coincidencias o discrepancias. Alguna joven apabulla a su amado con elocuentes invectivas, de resultas de alguna contestación poco acertada para el espíritu susceptible de la novia: incluso llega a manotearle repetidamente, al compás de su bronca, suscitando la algarabía del rededor. Nancy también ríe y John

LOS OJOS DE JOHN SIGUEN VARADOS EN DICHO PUNTO OCULTO: SE CONGELAN, SE ENDURECEN, CASI CRISTALIZAN Y FISURAN, MIENTRAS EL RESTO DE SU FAZ CONVULSIONA SÍSMICO.

la secunda, desnaturalizado. Los dos Píos separan a la folclórica pareja iracunda y la empujan escaleras abajo para expulsarla de la gradería.

La tropa de frailes se esparce de nuevo entre las filas de asentados, asiendo sendas bolsas negras, del tipo común que se utiliza para acumular la basura, con la intención de acopiar los tests, que son arrojados sin miramiento a las glotonas bocas de desdentada y oscura encía.

-Espero que este insustancial entretenimiento les haya servido para conocerse un poco mejor y cerciorarse de que no están cometiendo un error, como parece que ha cometido esta chorreada pareja que nos abandona, ¿sí?

El público mixto ríe, más las féminas; y ante la mención del Señor Santo, apuntan beodos de carcajadas a la chica que tironea los espesos cabellos de su desafortunado galán, quien mortificado hace esfuerzos por esfumarse cuanto antes del anfiteatro, corrido por la situación y los sopapos. Reconfortados, Nancy y John coinciden en mirarse con una distendida sonrisa de reconocimiento.

Inconsciente, John acaricia la portañuela de su braqueta.

El Señor Santo alienta la exultación del rebaño con un rictus que dilata sus comisuras labiales bien abajo, hasta ocupar una descarnada porción semicircular de pómulo a pómulo, como un macilento gajo invertido de algún fruto amargo y grandes pepitas blancas.

Un silbido aberrante remonta la inmensa sala cuando el Señor Santo decide volver a hacer uso de su zampoña. Se complace ante el efecto de alarma colectiva generado por dentera.

-Y ahora, tras este frugal tentempié, fútil pasatiempo para el espíritu, los que gusten acompañarme al Confesionario, son bienvenidos.

CAPÍTULO 2

El Señor Santo está de pie, admirando el vasto cuadro de la cena herética, de espaldas a la puerta de entrada a su improvisado cuarto privado, la cual se abre sin un sonido para dejar pasar a los dos abades Píos.

-Déjenlas sobre la mesa —ordena el Señor Santo sin desviar la mirada enhiesta de la pintura, y sigue musitando para sí, presumimos, algún matiz inobservado en inspecciones anteriores.

Los hermanos acarrean varias bolsas negras de la basura. Parecen mediana-mente provistas de un contenido cuyo volumen produce una hinchazón más o menos regular. Los abades depositan las bolsas sobre el escritorio despejado y vuelcan un par de ellas encima: los tests, ahora arrugados, de la escena previa resbalan sobre la superficie de la mesa.

Solo entonces, al frufrú del papel encogido, el Señor Santo se acerca y, tras tomar asiento en la taraceada silla de la cabecera y asegurarse los espejuelos en los desfiladeros de sus orejas, emprende el repaso de cada uno de los cuestionarios, alisándolo primero con un venir mesurado pero inalterable de la palma derecha. Los Píos retroceden unos metros y aguardan con fruición los veredictos de su ilustre huésped.

-Hmmm… –un gorgorito nasal escapa de la expresión neutra y falazmente impersonal con que el Señor Santo revisa las respuestas de las parejas que tutela. A continuación, arrincona cada pliego leído sobre un mismo montón entreverado. Al octavo, se detiene y, tras releerlo un par de veces, ondea el test en cuestión hacia atrás, como una partitura desechada, apresurándose uno de los Píos a recolectarlo de su mano.

-Expúlsenlo –gruñe el Señor Santo–. Ese se cree que ha venido de parranda.

-¿Qué justificación le damos? –delibera el Pío facundo, mientras hace esfuerzos por encontrar la causa de la inquisitorial decisión, con mímica más morbosa que agraviada.

-"Creo que sí". "Creo que sí". "¡"Creo que sí"! –exclama el Señor Santo con un irreprimible remanente de desaire–. ¿Qué se cree ese monse? ¿Que esto es una declaración universal de buenas intenciones? Envía a tu hermano, así no tiene que darle ninguna explicación. Ahí está el nombre completo –y prosigue en tono capcioso–. Los muy mongos están encantados de que alguien les permita escribir su nombre, a veces es lo único que les hace sentir que existen.

Pío hace un aparte y habla con su hermano Pío en cuchicheos, como con pena. Pío asiente, comprendiendo, recauda a su vez el cuestionario maldito y abandona la cámara con discreción de viuda.

El Señor Santo reanuda la captura de hojas plegadas del interior de las bolsas, escudriñándolas atentamente con distanciamiento de divinidad, rubricando de cuando en cuando alguna lectura con un somero rezongo o algún esbozo de sarcasmo en los morros. Sus ojos aumentados crean la ilusión de ser un dibujo sobre los lentes, debido a su inmovilidad: su boca muerta presenta sin saberlo una blasfema hendidura negra en el acople amorfo de los gusanos rosas de sus labios. La acumulación de pliegos descartados o, mejor escrito, aprobados, va adquiriendo un considerable tamaño a su lado. Justo cuando Pío, que ha permanecido en prudente silencio, parece llegar a la conclusión de que no habrá novedades, volteándose para salir inadvertido del habitáculo, el Señor Santo interrumpe la búsqueda de nuevos tests y, arrugando el entrecejo, recupera el último que había arrojado al montoncito amnistiado, releyéndolo.

-Hermano Pío, ¿sería tan amable de alcanzarme el candil?

El abad Pío desaparece un momento de nuestro campo de visión y retorna con el candil de la estancia, teóricamente rescatado del costado del jergón donde el Señor Santo duerme, y que en algunos momentos podemos advertir al fondo del cuarto. Posa el instrumento de luz sobre el tablero de la mesa, al lado del Señor Santo, quien repentinamente se palpa el torso, como si comprobara que no le falla el corazón o descubriera de golpe su edad madura o regresara de un viaje de transmigración del ánima, solo para extraer del bolsillo inferior de la guayabera un paquete de fósforos. Saca uno, pero no logra encenderlo por más que lo frota contra el lateral de la caja. Pío se desvive a ofrecer otra cerilla de su propia cosecha, procedente de una aparatosa cajetilla de proporciones incongruentes que no sabemos cómo mantenía oculta bajo el hábito. El mixto no le va a la zaga en dimensiones, lo sostiene frente al Señor Santo como si se dispusiera a higienizar con él sus oídos.

-Sé que estos cerillos ya no se estilan, pero los viáticos no nos permiten renovar existencias por presunto pecado de vanidad.

El Señor Santo no aduce esta boca es mía y, tras aceptar el encendido fósforo, casi tea, enciende a su vez la mecha del candil y revierte a sus cavilaciones. Al mismo tiempo, remuga, esta vez inteligiblemente para terceros:

-"Nada" no es una respuesta… La respuesta ya estaba antes…

Cogido por los bordes con ambas manos, acerca a la llama el cuestionario en cuestión, pero no para quemarlo, sino para espiar a su través: al través de un tachón de grafito.

Los ojos impasibles observan la mancha segregada por el lápiz. Como superponiéndose a esta, se pueden captar distintamente unas ranuras marcadas con mayor brío.

El Señor Santo analiza los vericuetos estriados con concentración de erotómano, pero no consigue discernir la palabra que forman. Suspirando, vuelve el cuestionario. Los signos originalmente escritos han hendido someramente el envés de la hoja. Colocándola sobre la mesa, las yemas de sus dedos repasan la cicatriz del papel mientras con la otra mano aferra una pluma del tintero. Los ojos cerrados, acaricia casi imperceptiblemente las muescas de relieve impresas por la presión de la compacta mina. Su pluma comienza a redactar al unísono en el margen de un cuestionario…

Al fin, abre los ojos y echa un vistazo a lo que ha transcrito. Tres letras diáfanas, por más que estén invertidas: *Sex* (invertido)

Las contempla como si hubiera desenterrado la semilla de la maldad. Raudo, se apresta a identificar el encabezamiento del test, pero una vaharada de frustración hace chasquear su lengua.

-¿Ocurre algo, Señor Santo? —resuena la voz del abad Pío a sus espaldas.

-Este no inscribió su nombre. No se fiaba… —refunfuña el Señor Santo.

-¿Significa eso algo en particular? —reincide Pío, aproximándose servicial a la vera de su albergado.

-Sí. Un hombre con autoestima. El infiltrado…

-¿Cómo? —Pío no da indicios de pillar una.

-"Nada"… —contesta el Señor Santo, citando sardónico la respuesta legible al lado de la tachadura en el test, tras lo cual su mano lo arruga en un arranque de indisimulada inquina.

Un golpe de nudillos en la puerta le saca de su ensimismamiento.

-¿Sí? —concede sin apenas mover la cabeza, tan solo los ojos se ladean taimados con elegancia ladina, con esa maldad viperina de párpados mediados con que tradicionalmente dibujamos en nuestra mente a los pares del Cardenal Richelieu.

El abad Pío que había salido penetra de nuevo en la sala: detrás, unas zapatillas deportivas y los bajos de un pantalón blanco corroboran que le sigue uno de los hombres que se han enrolado al Acondicionamiento. El abad Pío verboso, al ver al visitante, se gira hacia el Señor Santo con un rictus de inquietud, pero las palabras tampoco surgen esta vez de su garganta, como si ahora compartiera con su hermano, además de su físico y su lazo de sangre, su incapacidad oral.

-¿Sí? —repite el Señor Santo. Al ver que en esta ocasión tampoco obtiene respuesta, se da vuelta impaciente para verificar de quién se trata—. Hermano Pío, ¿qué hace este hombre aquí?

Una corpulenta figura enfundada en el uniforme blanco, de abultada entrepierna, favorable impresión a la que parece contribuir el corto tiro de las perneras, progresa hacia la mesa: se trata del mestizo de ojos azules y tez cetrina que ya conocemos. Entre las lianas de sus negros cabellos, sus gemas remecen tintadas de cierta alarma, pero aun así el miedo no logra empañar la belleza de su fulgor. El Señor Santo se incorpora y recula un par de pasos, parece que no tanto ante la posible amenaza que pueda suponer aquel hombre, como debido a su incuestionable hermosura, una hermosura avasalladora que, si hacemos caso a su actitud temerosa, el Señor Santo parece estimar de calidades casi… malignas.

-¿Sí? –logra tan solo balbucir.

-No me bote, Señor Santo –suplica el mestizo, adelantándose nuevamente–. Se lo pido por nuestro Diosito.

-No menciones a Dios y no lo reduzcas con diminutivos de pueblerino. Si te vamos a botar será por razones más que sustanciosas. Tus rurales respuestas al cuestionario resultan insultantes para quienquiera que fuera a ser tu esposa. Tu test se ha ido al tacho, y me tinca que tú te vas a ir también, por silvestre –el Señor Santo indica con un ademán de papada al Pío recién llegado que desaloje al indígena de su vista; para su sorpresa, aquel no manifiesta intención de obedecer; como subyugado a su vez ante la presencia del lindo indio, cual aparición mariana, dirige una mirada de alerta al Señor Santo, que este toma por indisciplina, y acto seguido a su hermano, que sí explora la geografía de su rostro, como leyendo en él su mensaje cifrado.

El hermano decidor se llega entonces al Señor Santo y aposta a un palmo de su oído, para enunciarle una frase que, a juzgar por la ausencia de reacción en los otros dos hombres presentes, solo oímos el Señor Santo y nosotros.

-Mi hermano cree que nos sería beneficioso escuchar al fulano.

El Señor Santo considera al fraile aún unos segundos, como cerciorándose de que aquel comportamiento responde a impulsos sinceros y no a los medidos pasos de una conspiración. En ese momento aparenta resignarse, permitiéndose una ojeada de improcedente superioridad hacia el inesperado intruso a manera de concesión de la palabra, pero algo en el cholo llama más su atención y, en dos zancadas, se planta frente a él, estudiando indisimuladamente su velludo torso.

-¿Qué es esto, morocho? –pregunta obcecado.

-¿Q-qué? –responde asustado el morenito Adonis, sin saber muy bien a qué parte de su cuerpo atiene el Señor Santo la apreciativa mirada.

-Esto –insiste el Señor Santo, acusando en su desenvuelta displicencia el hastío que le despierta hablar con indígenas.

Su mano aterriza sobre el pecho del bello ejemplar humano, como si le apremiara chequear lo fragantemente mullido de su pelambrera, pero en vez de consumar tal acción, se limita a recoger entre dos dedos una cadenita de oro que acecha camuflada entre la frondosa espesura del tórax. La exhibe casi acusador ante los asombrados ojos de su propietario.

-¡Oh, esto! –reconoce, aliviado, el tipo–. Mi Santito, el Santito de los mulatos y cholos.

El Señor Santo examina con escrutinio insolente la medallita que cuelga de la bruñida cadena, sosteniéndola entre sus dedos: sobre dicha medalla, incrustada en relieve, aparece la figura policroma de un monje en sotana blanca y capa negra de dominico, el rostro endrino, atesorando humilde una escoba, a cuyos pies reposa un plato del que se alimentan apacibles un perro, un gato y un ratón.

-El Santo Negro… –sisea el Señor Santo.

-Negro no, mulato –corrige el cholo–. Solo mulato*.

Entonces, asintiendo para sí y ya sin dedicar ninguna observación alevosa a su interlocutor, el Señor Santo desentiende la cadena y le hace entender con la mano que continúe hablando. El hombrón, animado, concibe acercarse más al Señor Santo, pero de nuevo la mano le hace un gesto, ahora conminatorio.

-Explícate nomás –disuade el Señor Santo, impaciente.

-Esas frases que hay en mi cuestionario... tienen rasón de ser.

El Señor Santo enarca la ceja izquierda y solo un destello en los ojos, saboteado por el de un foco cenital reflejado en el cristal de las antiparras, delata su interés.

-¿Qué es lo que ha hecho tu enamorada? –inquiere, en tono ambiguo.

-Ella no tiene culpa tampoco, por eso no la repudié… Usted no sabe quién ingresó con nosotros. Es un auténtico demonio…

El Señor Santo sonríe sibilino a los dos Píos, como cateando aquiescencia intelectual, un eco de sus propias sospechas, pero los dos abades no saben a qué debemos tal efusividad expresiva. Quizá sea una improvisación mal asimilada. Luego, vuelve a centrarse en el visitante.

-Háblame de él. Y despeja tu cerquillo, que no te veo la mirada.

El mestizo hunde la cabeza, agradecido, retirando de un manotazo las trenzas del flequillo que a duras penas opacan sus llameantes zafiros.

*Por una vez, la mención es aquí fiable: la iconografía de la medalla revela que se trata de San Martín de Porras, dominico mulato que existió en Sudamérica entre los siglos XVI y XVII, y fue célebre por su humildad y su bondad, las cuales le llevarían a contestar a un superior cuando este le ordenó que dejara de atender a los pobres: "Contra caridad no hay obediencia". Al parecer, es muy popular entre la clase baja latinoamericana más cruzada. (Nota de Jonas Reinhardt)

-USTED NO SABE QUIÉN INGRESÓ CON NOSOTROS. ES UN AUTÉNTICO DEMONIO...

-No ubico quién es su acompañante femenina, pero le aseguro que no la nesesita. Podría haber aplicado aquí solo y rápido hallaría la que quisiera pasar el Acondisionamiento con él.

-¿Quién es? –le avasalla enfurruñado el Señor Santo, en un intento de atajar su verborrea destinada a congraciarse.

-No conosco su nombre. Pero es muy fásil de distinguir. Alto y blanco, de rasgos exóticos… exóticos para los de mi clase –ahora su humillación de testa incide unos centímetros, falsamente reverente. Los surcos de la cremallera se estiran y parecen a punto de desprenderse ante la esbelta amplitud del pecho mal ceñido–. Una mirada seductora… imagino que seductora para las hembras… De otro modo no se explica.

-¿No se explica el qué?

El indio levanta la vista y nos hiere con sus aguamarinas.

-En estos dos días ya le vi en compañía de tres mujeres. Ni siquiera las seduse a escondidas. Mi enamorada hubiera sido la cuarta, si yo no la hubiera puesto en vereda. Por eso mis respuestas al cuestionario, padresito… por eso eran tan sircunstansiales. No confiaba mucho en ella… pero es buena muchacha…

El mestizo rehumilla la testuz. El Señor Santo aprovecha el sentirse fuera del alcance de aquellos ojos centinelas para escrutarle de pies a cabeza con escrupulosidad indagadora, haciendo escala no por perturbado menos valorativo a media altura de su despampanante complexión.

-Pareces sincero… –bufa–. ¿Cómo te llamas?

Como si envolviera su absolución, la pregunta ilusiona al mestizo, que se yergue sonriente. Quizá de ahí hasta obtenga un trabajo, parece pensar:

-Fransisco Lopes, para servirle a usted y a Dios… Pero mis amigos me llaman Cholo Lopes –de pronto, la mano del indio caracolea junto a su boca de blancos marfiles, en una amanerada escenificación de abanicado digital del aire, como recalcando irreprimible su belleza facial; de inmediato, se da cuenta del mal efecto causado y readopta un modo de viril reposo–. Ahora no tengo chamba, pero si usted me ayuda…

-Muy bien, Cholito, pero no me seas angurriento... –concluye el Señor Santo, andando hasta él y conduciéndole sin sutilezas hacia la puerta–. Tengo un plan que proponerte…

-Lo que quiera, padresito.

-No me digas así. Sabes que no soy un padre –pero su afable sonrisa desmiente la severidad de su amonestación–. Sé que lo has pasado mal. Tú y yo estamos en la misma situación. No podemos permitir que un áspid como ese pituco blanco mancille y emponzoñe con su amartelamiento la virtud de quien te pertenece y me pertenece a mí, pues ustedes todos son mi rebaño.

-Sí, tiene más rasón que un santo… Señor Santo –afirma entusiasta el tal Lopes, eufórico de complicidad–. ¿Qué quiere que haga? Si está en mis manos…

-Precisamente en tus manos.

La boca del Señor Santo sonríe, sus ojos se encallecen increpantes, fijados en los del Cholo Lopes. El mismo efecto se desata en este: su boca sonríe, pero sus pupilas garzas se contraen asustadas al entender…

-Accede a que tus manos hagan el trabajo y no volverás a tener problemas aquí… –persiste el Señor Santo–. Ningún otro problema que pudieras tener…

-Pero, padresito… –protesta incrédulo el Cholo Lopes–. El quinto Mandamiento…

-¿Qué? ¿Eres fumón? ¿Estás volado? –le abusa el padresito–. ¿Qué se te ha perdido a ti para osar mencionar ningún Mandamiento? Yo no pienso incumplirlo…

Esta vez el cholo no puede impedir que la consternación se le transparente, pero no por ello ceja en asentir autoconvenciéndose, avenido al tiempo que tolera su mansa conducción hacia la puerta abierta. El Señor Santo le despide en el umbral y, antes de cerrarla, le dice a modo de conseja:

-Esta es una verdad universal que atañe a tu alma, que me transmitieron muchos "padresitos", como tú los llamas, desde tiempos ancestrales. Escucha: en la sala de aseo abundan los resbalones.

La puerta cercena por fin su mutua contemplación. El Señor Santo resopla, exhausto, pero inmediatamente reemplaza su semblante cansado con una expresión de rutilante jovialidad.

-Problema resuelto. De hecho, dos problemas por el precio de uno –resume, y culmina con una palmada su impresión. Los dos abades se le acercan teatralmente, cada uno por un lado–. Hermano Pío, ¿piensa usted lo que yo…? –el Señor Santo ojea alternativamente a cada uno de los monjes.

-A ese pájaro se le llena la canoa más que a un prostituto –confirma el fray Pío charlista; su hermano coincide con el irrefutable dictamen, si interpretamos correctamente el seco asentimiento con que lo secunda–. No posa los dos remos en el agua…

-No hace falta que sea tan gráfico, hermano Pío. Yo también me he apercibido nada más entró. Pero eso no es lo importante. No es más que un disfraz del pecado para distraernos de la auténtica amenaza: un macho alfa… un prodigio de la Naturaleza…

El Señor Santo lee el vacío mientras cavila preocupado, una mano rozando la patilla de un carrillo, recorriendo el filo del vello facial. Su mirada recae aposta sobre uno de los santos torturados en el relieve de los sillares: ligado a un poste, su hábito rasgado hasta exponer un sensual torso y los muslos rechonchos, frente a él se erige hincado en el suelo, por la base, un tridente corto de madera con una bola de sebo incandescente, representada con pan de oro, atravesada por las astas y pegada a sus partes pudendas*.

-Impresionante miembro el del tal Lopes, eso sí. Otro prodigio a su manera. Por suerte, sus estragos no nos incumben –Y, radiante, el Señor Santo guiña un ojo a los hermanos–. ¿Y si lo celebramos con una copita de pisco?

Uno de los dos fray Píos no encuentra palabras para expresar la felicidad que se refleja en su carita. Al desplazarse, le sustituye el rostro beato del santo esculpido, sus ciegos ojos de madera vueltos elevándose al cielo, en un piadoso éxtasis de suplicio o gozo.

*Por más que he investigado, no he logrado hallar ninguna referencia en escritos cristianos sobre santo, beato o mártir torturado mediante la combustión prolongada de sus genitales, lo que abunda en mi interpretación de que todo ese trasfondo pseudo-religioso no pasa de ser una absurda patraña inventada por el detenido. (Nota de Jonas Reinhardt)

CAPÍTULO 3

La jeta del beato es gradualmente sustituida, mediante superposición de celu-
loide, por la de John: por la hechiza oscuridad reinante, deducimos que sigue en
la alcoba de los "enamorados", en plena noche, durmiendo apaciblemente sobre el
jergón. Su ojos están cerrados y su boca abierta, el rostro distendido merced a una
ensoñación en la que simula perderse con regocijo moroso, mientras como apoyo
extradiegético da principio una melodía de medio tiempo tarareada por una voz
femenina, con violines y oboes de base, sin duda influenciada por las oníricas
suites de Ennio Morricone y Bruno Nicolai, que tanto éxito han obtenido esta
última década en filmes similares de coproducción europea. El dulzón y sugerente
motivo de sensual cadencia nos acompaña mientras sobre la cabeza de John se abre
un agujero negro, pronto rellenado por las fantasías con que figuradamente está
soñando: cual globo icónico de cómic, el bocadillo se ilustra con nuevas imágenes
del protagonista, desnudo excepto por un taparrabo de metal forjado con colgan-
tes dorados y una cadenita pendiente del cuello acabada en un dije, tendido cuan
largo es entre varias de las mujeres que, sentadas en corro, reconocemos como
asistentes al Acondicionamiento y que hemos podido identificar en las escenas
precedentes del despiojamiento y en el propio anfiteatro. John se retuerce entre

las hembras en actitud concupiscente, los brazos rodeando los cuerpos oscilantes, mientras ellas ríen relajadas y le acarician el rostro y los miembros. Sincopado con el ritmo de la pieza musical, el bocadillo se ilumina y se apaga, mostrando a las mujeres en un estado cada vez más avanzado de desnudez: primero las cremalleras aparecen bajadas hasta el ombligo, después se enseña un hombro de cada una, más tarde el segundo hombro, luego la casi totalidad de los senos y alguna espalda descubierta... La expresividad del John soñador indica que cada segundo paladeado se halla más cerca de responder físicamente al influjo del sueño silente.

Antes de que algún pezón entre en juego en coincidencia con el crescendo de la intérprete vocal y el orgasmo del durmiente, sentimos un disonante crujido de maderamen externo al sueño y el globo quimérico se clausura de sopetón. Una luz de progresivo alcance mancha el rostro de John, y este despierta con amargura. Sus ojos frondosos de deseo se entreabren, la consciencia introduce un matiz molesto ante la injerencia de aquel cegador destello. En contraplano, vemos que no logra ver con claridad la fuente de luz, salvo que ha sido revelada por la apertura de la entrada a la sala. Una sombra humana desenfocada se desliza entonces al pasillo exterior y se vuelve a cerrar la puerta, restando meramente entornada a juzgar por la franja amarilla que aún se inmiscuye por un lateral.

John sacude la cabeza para sacudirse la modorra, espía a su alrededor, donde en teoría todos sus compañeros de ventura duermen, incluso roncan, a pierna suelta, y centra su atención de nuevo en la puerta arrimada. Luego, se revuelve con cierta incomodidad y echa un vistazo desaprensivo al orinal que yace visible a sus pies. Sin mucha mayor reflexión, John sale de la cama en calzoncillos tipo slips –su segunda muda en un solo día– y, poniendo cuidado de no hacer ruido ni perturbar el sueño en torno suyo, se dirige descalzo hacia la única salida y entrada.

Emplazando una palma sobre la hoja para ejercer una presión de contrapunto que controle cualquier rechinamiento inesperado, John sujeta el pomo broncíneo de resonancias fantástico/medievales con la otra mano y empuja con todo el cuerpo: la franja de luz sobre la fisonomía de John se ensancha, prueba de que la puerta está abierta. Sin mirar atrás, John se escurre por la breve abertura y cierra detrás de sí cuidando que el borde de la hoja penetre en la jamba lo suficiente para aparentar una oclusión total: los goznes no industrian quejido alguno, quién sabe si por su buen engrasado o por la inexistencia de sonido directo en la toma.

Al otro lado, en el pasillo, John se vuelve: el madero que de ordinario atraviesa el portalón se encuentra apoyado en la pared. Alguien lo ha retirado, haciendo posible la salida indiscriminada de los ocupantes de la sala. John se friega las manos, dándonos a entender que la fría humedad debe ser un elemento a tener en cuenta.

Más allá, dentro de ocasionales nichos excavados en la pared cual capillitas enanas, a intervalos irregulares, sendos blandones ofrecen la cimbreante luz socorrida que nos deja ver sin dificultad, produciendo sombras movedizas semejantes a aleteos fantasmales. John marcha por el corredor con cautela, oteando cada encrucijada de pasillos antes de continuar, pero sin vacilación alguna en cuanto a la dirección tomada.

Así, sin topar con ningún obstáculo, ni centinela o forma humana, el extruso arriba al fin frente a una oquedad rectangular de la pared, cuyo fondo brilla revestido con los clásicos azulejos blancos de rociada pátina. John se asoma a su interior y, en efecto, descubrimos que se trata de un cuarto de baño colectivo masculino: un claustro rectangular de composición típica de nuestros tiempos, con un lavabo sin espejo al lado de la entrada, y tres paredes forradas con urinarios altos de mármol, un pertinente sumidero al pie de cada uno. La cuarta pared, frontal, termina antes de tiempo, permitiendo la prolongación a su través de un pasadizo de suelo embaldosado hacia la otra mitad de la instalación, presumiblemente donde se sitúan los compartimentos dispuestos para las letrinas y/o las duchas comunales.

John camina con pies desnudos hacia el urinario más inmediato de la pared frontal, plantándolos en las fajas paralelas de hormigón estucado de manera que se mantengan apartados del suelo de mármol anejo, imagino por cuestiones de higiene, para proceder a continuación a orinar, dándonos la espalda. El chasquido del chorrito contra el mármol chiva su micción. John suspira con deleite, se trata sin duda de un desahogo de aguas menores largo rato apetecido, y para mostrar su contento, sus labios fruncidos atacan incluso un amago de silbido que solo se queda en eso, un pequeño conato de dos chiflos secos mal concatenados por la pésima pericia, dos soplidos que apenas vibran en el preinquietante silencio. John se moja los labios, a mi juicio lubricándolos para abordar una melodía adecuada –quién sabe si la misma que hemos gozado durante su ensoñación–, todo esto mientras no ceja en su misión urinaria, y justo cuando toma aire para embarcarse en un pito que presuponemos potente, el tabaleo de un chisguete más rotundo que el suyo prorrumpe ahogando cualquier otro sonido: se trata del agua propulsada de una ducha, proveniente de la otra mitad del cuarto de aseo.

John permanece inmóvil, la voluntad de relax congelada, el cuerpo tirante y alerta. El miedo cuaja en sus ojos mientras se esfuerza por adivinar qué ha motivado aquel ruido de ducha accionada. Entrecortado y socarrón, le llega ahora el despojo de una risa femenina. Intrigado, John embucha su pene (lo intuimos por el elocuente movimiento de sus brazos, ya que las manos y su sexo quedan fuera del alcance de nuestra vista; al tiempo que deseamos que haya podido consumar su necesidad fisiológica) y, algo imprudente como todos los avizores de la historia del cine (pero la tradición cuenta con la connivencia del público mirón, que les asume uno de los suyos), se acerca hacia el extremo de esa misma pared, aguzando el oído si hacemos caso a cómo lo pega a la susodicha. Justo cuando le viene de nuevo un eco de la cascabelera risa, jubilosa y despreocupada, se aventura él a mirar al otro lado del muro azulejado. Y esto es lo que ve:

Otra vez arranca el leitmotiv musical que hemos escuchado minutos antes durante su fantasía erótica, en versión percusiva, y no es para menos: frente a los ojos de John, bajo el flagelante chorro de una de las duchas metálicas instaladas a cuatro dedos del techo, la mulata del lunar en el belfo se agita desnuda y mojada, cruel sonrisa, cual psicópata sexual, como esas mujeres, una de esas que disfrutan reconociendo el persuasivo poder de su atracción. El cabello recio y tupido, sus caderas son deliciosamente anchas, como un acogedor hangar, los músculos abductores protuberantes, y su vello púbico, negro y retorcido como las elucubraciones lúbricas de John. La mulata vuelve a soltar una carcajada zorril y restallante, los globos de su pecho se sacuden, repletos y macerados por el tiempo y las manos, mientras parpadea invitadora a alguien oculto a la vista de John por el mismo muro tras el cual atisba. Y en ese momento la figura apartada acorta distancia hacia ella: se trata del joven caucásico, el pituco rubio que parece llevarlas a todas de cabeza, o al menos a las que importan. No divisamos su rostro, pues está de espaldas, pero su pelo claro, lacio y ordenado como el de un actor sin método le delata indudablemente. También delata al actor la disparidad de su color de piel, blanca en todo su cuerpo a excepción del trasero: sus nalgas lechosas denuncian la utilización de un bañador en sus baños de sol, y se revelan sin duda inadecuadas para pertenecer a un supuesto seductor, pues por coherencia con su personaje, debería ser nudista por constancia y usos.

El joven se une a la prieta y la abarca con sus frágiles bracitos, ella decae los suyos, regordetes y fuertes, alrededor de la cintura de él: cintura, por cierto, más estrecha que la de la mujer. A poco que nos fijemos, salta a la vista que es ella quien lleva la iniciativa y demuestra tener más experiencia en este tipo de encuentros furtivos: el bagaje privado de la actriz parece superar con mucho el del actor, en este caso flagrante error de reparto. Casi me olvidaba: John no desvía los ojos de la pareja.

En cualquier caso, el tipo no besa con desconocimiento de causa, y así se lo ejemplifica a su amante ocasional. Ella reitera, a su vez, su discernimiento práctico del terreno hollado, oprimiendo contra el suyo las angostas ingles tiernas del donjuán, y los mancebos no resisten mucho tiempo adosados como lapas sin que las manos de la cruzada se desparramen negras y envolventes, como las de un brujo en torno a su bola mágica, sobre las cachas níveas del mujeriego. Los índices morenos recorren alborozados el surco de las posaderas. Ella esputa, oh sí, esputa una vez más risotada cruel, digna de una dominadora.

—Tu poto me provoca —ruge despótica como su sexo, usando un dedo de arado.

John, sin un solo titubeo, un solo ojo escudriñante a la vista, introduce las manos en su slip con intención inequívoca, iniciando un lento vaivén que coincide con el de las caderas de sus observados. Estos no cesan de besarse y relamerse, demasiado apretados para poder hacer el amor, quizá, pero en todo caso sus cuerpos pegoteados ocasionan apabullada excitación.

John parece pronto al desenlace onanista, pero una voz lejana le hace virar a su espalda, alarmado. Fuera del cuarto, procedentes del corredor, se distinguen pasos aproximándose y murmullos de acento provinciano. Unas sombras grotescas se ciernen inminentes sobre el techo del sanitario. Aterrado, John desiste en su labor escapista y se adentra de vuelta en la zona de los urinarios, corriendo arriba abajo, buscando una manera de desapercibir su injerencia antes que se materialice la entrada de aquellos inesperados visitantes. Aprensivo, se esconde tras el tabique del mingitorio más alejado, el dorso y el perfil adheridos al gualdado jaspe empotrado.

Cuatro figuras encorvadas, de patibularia estampa, irrumpen silenciosas en el cuarto de baño, cruzando por delante de John sin reparar en él, más bien atentas a los gemidos copulativos que se encadenan del otro lado. Se trata del bello Cholo Lopes y tres varones más, de apariencia poco edificante y trazas indígenas en lo que de peor reúnen las trazas de un atavismo grosero y bárbaro: cuerpos chaparros y homogéneos, sin apenas diferenciación en la pandeada corpulencia de sus troncos, abombados y faltos de gracia, de los que parten miembros breves y pezuñescos, los pies con garras combadas y las manos con dedos asalchichados, circunscritos en torno a armas blancas de hoja corta y ancha como ellos; los semblantes bestiales, de ojos hundidos y frentes prominentes, el horcajo de sus mandíbulas también horriblemente preponderante, les confiere una expresión macaca que solo aligera en dos casos la ausencia absoluta de vello facial. El pelo grasosiento y correoso no ayuda en nada a hacer su compañía más tranquilizadora. Ni tan solo el Cholo Lopes mengua la sensación de brutalidad, mudando su natural equilibrado y atrayente por una mueca sanguinaria y atroz, capaz de helar y verter la sangre a cualquiera.

Ajenos a la presencia de John, los cuatro resinosos se congregan con precisas zancadas en el rincón donde el pituco y su pareja de medianoche continúan haciendo el amor o, como mínimo, practicando el sexo. Ambos siguen entregados con incandescente entusiasmo al roce de sus pieles y, a fe mía, que la sonrisa de la mulata es de dicha fidedigna. Las siluetas de los cuatro intrigantes se abaten sobre los amantes, y es ella la primera en descubrir a los entremetidos. Antes de que pueda hacer efectivo el consabido chillido de espantado rigor, uno de los indios coloca mañoso la hoja de su machete bajo la cara de la copuladora nata, con tal convicción que fuerza la modificación del alarido por un discreto "ugh".

Al oírlo, John abandona de puntillas su guarida de mármol veteado y torna a asomarse impertinente para saciar su ansia de registro visual de lo que acontece. Los cuatro indígenas sitian a la pareja, sin consentir que se separe, y el Cholo Lopes contrapone su máscara sanguínea a los dos rostros asustados, ahora ambos subrayados por el filo de machetes.

–Están en pecado mortal, cochinos –sisea con la sevicia literal del alumno aplicado–. Les ampayé.

El joven conquistador palidece aún más si cabe; la mujer desorbita los ojos, pero parece conformarse a su infortunio. Lopes le escupe al oído:

–Tiren. Tú sabes cómo, ruca. Enseña a este pisado.

Sin otra opción de guión, el pituco y la mulata reemprenden pávidos su cantilena de amor, los cuerpos bamboleantes y sinuosos, las cabezas inmóviles sobre las hojas cortantes, tal que si hubieran de contener la respiración por encima de un hondo y frío estanque. Él no puede evitar transpirar horrorizado, con toda probabilidad la erección le está fallando, pero la faz concentrada de ella deja entrever que se desvela en mantener viva su virilidad. La mulata amenazada cimbrea sus ingles con aspiración más libidinosa que nunca, incluso acomete un lametón de labios suyos y más tarde ajenos, que suscitan obscenas carcajadas de los tres facinerosos que secundan a Lopes. Este no aparta mirada de su hembra y sonríe, sabedor tal vez de las infinitas capacidades amatorias de esta: lo macho le gana. La sorprendida expresión del pituco pone ya en evidencia su renovada disponibilidad, y poco a poco empieza también a exteriorizar un goce interior no menos intenso por inadecuado a la circunstancia.

John, parapetado tras el linde del muro, no pierde detalle y, veedor, ¡su mano vuelve a bucear el slip!

El clímax apareador se presiente próximo. Todos sonríen orangutanes, el desprecio con que Lopes escudriña el visaje sudoroso y viciado de su mujer infiel no impide su fusión con un mohín de orgullo tribal. Ella elude la vista de su copulado y confía la suya en Lopes, desafiante: con un jadeo casi victorioso, a su continente aflora la inconfundible esencia de un prolongado orgasmo, y lo exhibe ante su hombre traicionado con insoportable arrogancia. La chulería de Lopes le sabotea y el amor propio herido azuza la sangre para que deserte de sus rasgos: una careta impertérrita la reemplaza, careta de muerte que inclina en gesto corto dirigido a uno de sus hombres.

Justo cuando la pareja se corre, justo cuando el propio John abre la boca en lógica correlación de cúspide sexual, uno de los indios acciona el brazo con parquedad y un chorretón de sangre explota contra la cara orgasmada de la mulata.

-Moriste por vividor —remata el Cholo.

El calavera cae cadáver, su cuerpo degollado es un guiñapo en el suelo, la sangre sigue fluyendo por entre los pies de los vivos. La mestiza boquea anhelando encontrar un equilibrio imposible entre el placer y el horror. Lopes junta su rostro al de ella y lame su mejilla bermeja. La cata teatral y aprueba como un diablo feliz.

-No puedo haser lo mismo contigo, porque todos sabrían quién lo hiso. Pero supongo que ya has inteligensiado que siempre habrá alguien suelto para castigarte si abres esa bocona de buscona. Dios está de mi lado y me ha dado bula para esto, porque sabe que es de justisia, así que no me ojees así o te doy vuelta.

A otro ademán suyo, el machete es alejado de la sotabarba de su enamorada. Como si hubieran cortado los hilos de una marioneta, la mujer se desploma incontenible y trémula entre el charquito escarlata. Se arrebuja acurrucada contra la pared y solloza todo el pánico acumulado. Lopes sonríe el desmantelamiento de su amada.

-¿Nos permite tirar, patronsito? —le entra uno de los simios.

Lopes le mira y le propina un puñetazo en la cabeza por la parte del jeme. Con temple y resoluto, les manda sin palabras que saquen el fiambre de allí. Antes de que sus hombres hagan efectiva la orden, su sonrisa de despecho reposa un rato en la mulata, que espasma con temblor incontrolado, la cara escondida en el cuenco de las palmas. Un claro de arrepentimiento asoma una milésima de segundo entre el paño de odio enconado de Lopes.

-Maldito sexo. Maldito —se lamentan las grietas entre la máscara, antes de que el rostro vuelva a recobrar su inexpresiva elocuencia. Luego se encara a los otros, que aún retozan frente a la chica—. Apúrense.

Inesperadamente, el Cholo Lopes da media vuelta, guiando sus pasos a la primera mitad de la sala, y de ahí al primer urinario, el mismo que utilizó John. Restituido el aire desenfadado, desenfunda su sexo, dispuesto a iniciar una inoportuna meada. Entonces se contiene, extrañado. Estudia el sumidero, manchado con orina aún burbujeante. Sin reparo, se acuclilla y olisquea el desagüe y sus contornos. El ceño marcado apunta su desconcierto. Suspicaz, gira el rostro hacia el resto de los urinarios.

Él no le ve, pero John sigue agazapado en el último urinario de la misma hilera. Estrujado contra la pieza lateral del mingitorio, aguanta el aliento con el rostro constreñido de pavor. Sus plantas chapotean dentro del recubrimiento de mármol, tratando de hacer pie seguro sobre el resbaladizo sumidero aliñado de pis. Los pies mojados patinan y John a punto está de caer de culo. Restablecido el dominio de su cuerpo, comprime la espalda contra la maciza orejera y retiene la respiración, los ojos vueltos en dirección a su posible verdugo, sin verlo.

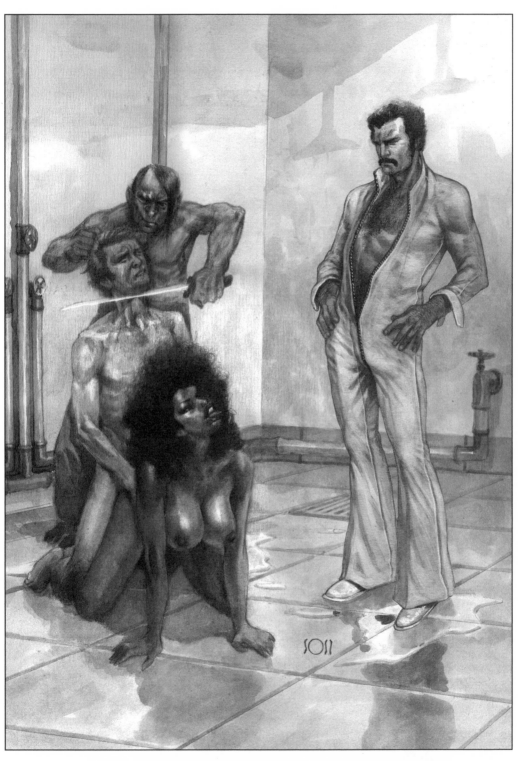

EL CLÍMAX APAREADOR SE PRESIENTE PRÓXIMO. TODOS SONRÍEN ORANGUTANES...

Desde donde está, el Cholo Lopes tampoco ve a nadie. Pero una aguda intuición le hace avanzar paso a paso, rebasando uno a uno cada urinario. Sus ojos se clavan en el tabique del último, tras del cual sabemos que se refugia John. Una corazonada le dice que allí hay un intruso. Las manos cernidas en puños, prosigue andando hacia el fondo y, cuando se perfila a solo dos pasos del hombre escondido, se para.

Con el objeto de probar sus sospechas, pasea los ojos por el suelo, persiguiendo una proyección de sombra humana y, cuando cree atinarla, su boca ejecuta un rictus de satisfacción. Flexiona las piernas, preparadas a propulsarle de un elástico salto al lado de John, desde donde poder descargar un golpe mortal al fisgón.

Entonces, sus facciones se contraen: de nuevo en el suelo, entre sus pies, algo se mueve sobre las baldosas blancas. Pero no es la sombra del oculto. Es sangre: obviamente, la sangre del pituco degollado, que ahora, en la sombra, parece negra. Maldiciendo, Lopes retrocede y recorre la extensión que le separa de la otra mitad del muro, careándose con sus hombres, que transportan con torpeza intolerable el goteante cadáver.

-¡Malditos infelises! ¿Es que no saben haser nada como Santo Satán ordena?

Sin fiarse de una nueva oportunidad, John toma aire y sale corriendo de la sala de baño como un demonio, como alma que éste llevara o como poseso por él. Internándose en el pasillo con celeridad, sus piernas evolucionan mientras resuella como una presa del pánico. A punto de equivocarse de desvío, rectifica sobre sus pasos y retoma la ruta cierta hacia el portalón del recinto donde dormitan todos los demás, hombres de su misma condición allí dentro. El travesaño aún está apoyado contra la pared.

John abre la puerta tirando de ambas manos, casi se descoyunta y franquea el umbral, volviendo a cerrarla de inmediato. Dentro, la oscuridad y los ronquidos. Sin pensarlo dos veces, trota histérico, desquiciado, por el pasadizo central. De pronto, vemos cómo se inmoviliza en la mitad de la estancia y observa sus pies mojados, así como las impresiones que estos han dejado a su paso en la tierra rastrillada.

Al borde del trastorno, de un salto desmadejado brinca sobre uno de los catres, sin importarle a quién pisa, y comienza un loco periplo a desorbitados trancos de jergón en jergón. Le acosan protestas de durmientes molestos, cuerpos obligados a encajar un pie que injiere en las entrañas de los sueños. Pero ninguno abre los ojos. Desbocado, John logra alcanzar su lecho, arrojándose al camastro con presteza, sin aguardar absoluciones del vecindario ni miradas camaradas de costillar resentido.

En el mismo instante en que hunde sus pies y sus piernas en el seno de la frazada, el portalón de la sala se abre impío, permitiendo la entrada al Cholo Lopes y sus secuaces. Sabedores de que alguien les ha precedido por unos pocos segundos, los cuatro, hachón y machete en manos, caminan a lo largo del pasillo central, inspeccionando uno a uno los colchones, en pesquisa de alguno desocupado o recientemente invadido. De repente, el Cholo Lopes aminora su carrera, otra vez la vista baja: bien recortadas contra el granuloso suelo, destacan las huellas recién plantadas por los orinados pies de John.

Con bufido perentorio convoca a sus allegados y señala a contrafilo de machete las pisadas. Sonriente como perro, se alinea el primero para seguirlas a la luz de la antorcha.

De tal guisa llegan al último de los pasos húmedos, lacrados contra la tierra. Lopes escruta el bien definido rastro y luego desplaza la tea hacia su lado derecho, hacia el camastro más cercano. Acostado encima, la cabeza sobre un extremo de la almohada, descansa orondo y risueño un indito, de aspecto inofensivo y sueño apacible. El resplandor afrutado denuncia una costra roñosa apegada a sus pezuñas, sin claridad suficiente para desmentir la frescura de la cochambre. Con una caída fatalista de sus párpados, el Cholo Lopes confirma lo que quiere: los tres esbirros rodean al ufano dormido y le sujetan de brazos y piernas. El hombre abre los ojos somnoliento, ni siquiera asustado, solo para ver sin comprender cómo la almohada se pliega sobre sí misma y una mitad le cae sobre la cara: Lopes la aplasta con ambas manazas, sofocando toda protesta y hociqueo en busca de bocanada.

Al cabo de unos segundos, las sacudidas del hombrecito ceden. El Cholo Lopes suspira y se incorpora, al igual que los demás, que toman el aire que el otro no puede. Cuando parecen listos para dar por cumplido el asalto, Lopes escucha un gemido.

Felino, arrima la luz de su hachón a la cama vecina, desde donde otro indígena indigente le contempla aterido de terror: ambos intercambian miradas, el machete picado de óxido y sangre bien vehemente en la diestra de Lopes, y el involuntario testigo cierra los ojos macilentos y se arropa, interpretando a la perfección el papel de feo durmiente.

El Cholo Lopes y sus hombres se van por fin de la alcoba, con seguridad a deshacerse del rubio muerto. Un convulso John, echado de costado, la frazada desplegada casi por encima de su cabeza, y acometido por incontrolables escalofríos, no abre los ojos ni siquiera cuando la puerta se cierra tras los matadores y la imperturbada luz de la tea también muere.

CAPÍTULO 4

-"El Señor ama a los que le temen igual que un padre ama a sus hijos". Salmos 103, 13. ¿Sí?

Esta vez nadie ríe su coletilla. Las palabras del Señor Santo, pronunciadas con inesperada aspereza, pillan por sorpresa a la mayoría de las parejas, aún a medio acomodarse en las gradas del anfiteatro. Entre ellas se encuentran Nancy y John, la primera exudando la misma comodidad existencial de siempre, el segundo pálido como un muerto, aunque apostamos a que solo el espectador es consciente de ello.

-Siéntense –insta el Señor Santo frente a su micrófono plateado–. Lamentablemente, tengo dos infortunios de los que informarles.

Todos han dispuesto sus posaderas sobre la roca excavada y aguardan en silencio, desasosegados solo hasta la esperanza de un nuevo retruécano liberador por parte de su líder. La curvilínea mujer morena que acompañaba oficialmente al playboy pituco otea la periferia en torno a su desbordante humanidad, sin entender por qué no está a su lado. Lo mismo le ocurre a una obesa muchacha que aparenta veinte años más de los que a buen seguro atesora, a juzgar por la edad ideal del personaje: angustiada, comprueba el espacio desocupado a su derecha y más tarde rehúsa cruzar sus ojos con los de los demás, avergonzada de que su prometido no se halle allí.

-Magaly Asunción Méndez Contreras.

Al oír su nombre saliendo de boca del Señor Santo, la muchacha deja escapar un gemido de preocupación, al tiempo que su mirada acuosa refleja el fatalismo propio de la mentalidad latina.

-Con mucho dolor de mi corazón –saluda el Señor Santo tras localizarla sin el menor esfuerzo y establecer contacto visual con ella–, debo informarte que tu enamorado, Lucho Montilla Méndez, ha fallecido esta mañana… –El exagerado grito de desesperación que lanza Magaly apenas permite oír el resto de la esquela– …debido a una insuficiencia cardíaca totalmente inesperada. Murió mientras dormía y puedo asegurarte que no sufrió. Dios le tenga en su Gloria… –y apenas sin pausa empalma un nuevo anuncio–. Jennifer Martínez Holden…

La novia estipulada del rubio seductor expone sus turbios ojos con mayor autocontrol, ya resignada a escuchar una nueva similar a la recién proclamada.

-Me llena de aflicción comunicarte que tu enamorado, William Abrahams Asensio, ha desaparecido esta mañana. Las averiguaciones que han hecho nuestros abades arrojan un solo resultado probable: sin duda, William ha preferido abandonar el Acondicionamiento.

Solo un tic en la comisura del labio y el latir imprudente, en la sien, de una vena díscola traicionan el aura de dignidad y bravura en la derrota con que la mujer acoge la noticia. Sin duda se esperaba algo así: no parece una mujer tonta, más bien bien consciente del talante disipado de su ahora ex amador.

En cambio, en el aire restallan varios sollozos que no pertenecen a ella: la mujer plantada pesquisa entre las gradas y contabiliza tres lustrosas desconocidas que lloran la incomparecencia de William como si fuera la de sus propias parejas, que por cierto solo atinan a sonreír los muy bobos sin comprender.

-Todos los aquí presentes nos sentimos abrumados por el dolor y el sufrimiento de estas dos… ausencias, ¿sí? –prosigue conciliador el Señor Santo, ahora hablando para todo su púlpito–. Pero, queridas hermanas, no se crean solas y abandonadas –separa los brazos y los pliegues de su guayabera le confieren la apariencia de un híbrido entre humano y equinodermo–. Todos estamos con ustedes y les ofrecemos nuestro amor e indulgencia, y hasta les transigimos que continúen asistiendo a esta congregación el resto de la semana, para que no sientan en sus carnes el ponzoñoso aguijón del rechazo y…

Un barullo brusco le interrumpe: la mencionada Jennifer acaba de ponerse en pie y, con el garbo y la vista fija al frente de quien a partir de entonces se sabe futura diana de todos los sonsonetes y las maledicencias, discurre graderío abajo, sus pasos poderosamente resonantes e insoportablemente heréticos como los martillazos que clavaron al Elegido, por la escalera hacia el ruedo de guijas y de allí hacia la salida. Magaly, por su parte, consulta confundida las caras vecinas, como si de ella se esperanzara la misma reacción, pero las mujeres a su lado y espalda colocan sus manos sobre los hombros y brazos de ella, reconfortándola o quizá asegurándose de que no vaya a seguir aquel mal, desafiante ejemplo.

El Señor Santo escolta la marcha de Jennifer con una expresión de encono abrumador, pero enseguida consigue controlarlo, transformándolo merced a los humores humectantes del lacrimal en piadosa compasión. Luego, apretando los dientes hasta hacerlos rechinar, vuelve a perorar a su público:

—El mejor homenaje que podemos rendir a estas dos mujeres es seguir con el curso normal del Acondicionamiento, ¿sí? Hoy vamos a consagrarlo a un tema que sin duda les atañe, incluso desde antes de que hayan tomado la decisión de unirse por el sagrado lazo.

Mientras declama, los Píos han abordado el atrio del anfiteatro, descorriendo con fingida habilidad los cortinajes del fondo para descubrir una gigantesca pantalla de televisor empotrado en la pared, de dimensiones mastodónticas; a continuación, ambos sitúan un pupitre frente al televisor y un reproductor de vídeo encima: a ojo de buen cubero, un prototipo Betamax de la compañía Sony, de madera y aluminio engarzados, con estuche de carga por la parte superior y contador externo*. Unos excesivos cables conectan el VCR con el enorme monitor.

Los achinados ojos del Señor Santo, convertidos en los de un búho por las lentes de aumento, recorren su audiencia, buscando ejercer un efectista efecto de poso a sus inminentes palabras:

—Según el Catecismo Mundial, "la abstinencia temporal y la autoobservación a fin de escoger los días de infertilidad de la mujer para llevar a cabo la actividad sexual son métodos conformes a los criterios objetivos de la moral. Por el con-

---

* Lo rudimentario del prototipo responde a que en la fecha de producción del filme aún no se había comercializado en masa. (NdT)

trario, es disconforme toda acción que –mientras o antes del acto marital– esté encaminada a impedir la reproducción". De eso va este vídeo catequético, querido rebaño. De eso que tantas desgracias y muertes causan ustedes por su incapacidad de continencia y respeto al prójimo. Observen con gusto esta orientación pastoral y, si no es ya demasiado tarde, aprendan de nuestra pantalla "chica", ¿sí?

El rebaño ríe, ante la ironía dimensional con que el Señor Santo ha descrito aquel pantallón.

Nancy, relajada y de humor asequible, prueba a mirar cómplice a John: pero John no se apercibe de ella, sino que mantiene la atención sobre el escenario, quizá sin verlo, tenso y con un sensible temblor de hoyuelo. Algo le perturba, Nancy lo percibe y un velo de aflicción entela sus ojos.

Pío I pone en funcionamiento el Betamax y, tras tropezar con su hermano en una innecesaria y grotesca concesión a la humorada, detalle que probablemente envejezca fatal y que nada sustancial nos aporta en términos dramáticos, ambos se escabullen de la tarima para no estorbar la visión de las ya regodeadas parejas. El televisor se ilumina y, precedida de un pitido ensordecedor y la breve intromisión de una carta de ajuste, da inicio una grabación de vídeo en sistema NTSC, inserta en postproducción si hacemos caso a los márgenes luminosos del recuadro de la pantalla.

En primer lugar, aparecen los siguientes rótulos sobre fondo negro:

Un sintetizador aborda una vaporosa y empalagosa melodía romántica, reminiscencia del "Je t'aime mas non plus" de Serge Gainsbourg, mientras desfilan enmarcadas en recuadros que recorren la pantalla selectas estampas del paisaje urbano local, con idealizadora intención bucólica, desmentida por los deprimentes edificios de sombríos colores pasteles espolvoreados con la ceniza de la polución y la fealdad de la población, actores incidentales. Por fin, tras una monótona gama de secuencias editadas mediante elementales recursos videográficos que posibilitan su fuga diseminadas en cuadritos, por pliegos de la imagen o autocompresión, penetra en escena, con vocación de hilo conductor, una pareja de mestizos, suspirando a cámara mientras se cogen de la mano y pasean su cariño hasta quedarse quietos frente a un cartel en medio de un jardín de geranios: en el cartel se puede leer el rótulo con motivos florales EL PARQUE DEL AMOR.

La joven, de estatura concisa y rechoncha, viste un vestido blanco virginal en dos piezas con ciertas ínfulas de modernidad: el top se ciñe al tórax realzando su apreciable busto y, aunque la escasa altura y el unto acumulado le impiden lucir cintura, la exhibición de su abultado ombligo despierta entre los espectadores masculinos más de un piropo excitado:

-Buenasa la grasosienta… –grazna algún inconsciente.

La chica reafirma su opción por el blanco con una cinta de ese color en el pelo y unas botas camperas con flecos.

Por su parte, él viste con donaire unos pantalones tejanos con los bajos anchos y una camisa igualmente blanca, prendas completadas con un cinturón de piel de becerra que constriñe sus mantecas y una cazadora de ante cacao que remolca sobre un hombro con aire sentimentaloide y ceño de triple hendidura.

-Qué posero… –exclama una cretina entre el público, y Pío I impone chistando el silencio general.

La pareja suspirante prolonga su sentida caminata por diferentes tramos del parque, apoyándose alternativamente en árboles de recio tronco y ramas explayadas, herrumbrosas barandillas sobre un río cenagoso de corrientes castañas, o una fuente de la que fluye un agua no muy transparente y con la que el tipo salpica juguetón a su novia.

Un efecto de postproducción añadido a la fotografía satura el blanco de las ropas hasta hacerlo rebalsar las prendas, aureolando las figuras de los dos con un resplandor casi místico: ella sonríe, y sus dientes también se descubren envueltos en aura, como lo estarían los de él de no ser del mismo color que el río. Ambos corretean por un jardín, difuminados y felices, e intercambian miradas de corderos degollados, nostálgicos de una realidad por venir con tendencia estética orientalizante.

Es entonces cuando los dos arriban de la mano a la altura de un tobogán amarillo sobre el que también se apoyan, recuperando el resuello. Sin embargo, al reparar explícitamente en la plancha combada de la atracción infantil, la tristeza se apodera de sus ánimos. Parecen recordar algo y, significativamente alicaídos, elevan sus rostros al cielo.

Insertos de ambos en primer plano nos dan fe de su desolación con excesivo pormenor: la carencia de medios no favorece la conveniente ocultación de un pustuloso acné que repuja la cara de ella; por otro lado, él contempla el horizonte con posado soñador, el pelo de voluminoso tupé engominado sin piedad, y se endosa con sumo cuidado y cierta provinciana ostentación unas gafas de montura dorada y lentes de ahumado marrón, conjeturamos que para disimular su amargura.

De nuevo un fondo negro, y unas letras doradas caen al tuntún sobre el mismo, reordenándose para formar esta frase:

¿DE VERDAD DESEAN TRAER EL INFIERNO A LA TIERRA?

Volvemos a la estampa del jardín idílico con el cartel donde reza escrito EL PARQUE DEL AMOR, y entra en cuadro una atractiva mujer que frisa los treinta, negra de complexión muy delgada, rostro despejado, larga melena lisa y larguiruchos brazos y piernas, dentro de unos jeans blancos y un jersey fucsia de cuello alto con aspiraciones de moda casual. Usurpa su voz la de una actriz de doblaje profesional. Sobre la parte inferior de la pantalla se inscribe el siguiente crédito: **Dra. Vasques**.

-El ser humano siempre ha aspirado a la felisidad. Desde el prinsipio del mundo, la manera natural de apelar a dicha felisidad es el matrimonio y la familia. Sin embargo, por desinformasión, egoísmo o pura maldad, muchas personas todavía ven en la paternidad una fuente de desgrasias para la pareja en lugar de lo que realmente es: una bendisión de Dios.

Se suceden imágenes de archivo, rodadas en 16 mm. y Súper 8, de madres acogiendo a sus bebés recién nacidos en camas de hospital, secundados por las sonrisas bobaliconas de los presuntos padres, que se dejan aferrar el índice por las glutinosas manos de las criaturas, les dirigen muecas, huronean sus facciones

-EL SER HUMANO SIEMPRE HA ASPIRADO A LA FELISIDAD. DESDE EL PRINSIPIO DEL MUNDO,
LA MANERA NATURAL DE APELAR A DICHA FELISIDAD ES EL MATRIMONIO Y LA FAMILIA.

en busca de reconocimiento, etc., todo ello intercalado con miradas enternecidas entre los progenitores. La asumida falsa voz de la dra. Vasques desgrana su retórica en off:

"El aborto provocado, es desir, la muerte de un niño o niña en el vientre de su madre, continúa siendo una lacra abominable muy ejersida en la mayoría de países, sobre todo en aquellos donde esta inhumana práctica se ha legalizado. Los defensores del aborto han procurado encubrir su aberrante naturalesa criminal mediante terminología confusa o evasiva, disfrasando la nosión de asesinato con jerga como "interrupsión voluntaria del embaraso" o bajo consseptos como "derecho a desidir" o "derecho a la salud reproductiva". Ninguno de estos artifisios del lenguaje, sin embargo, pueden ocultar el hecho de que el aborto es un infantisidio".

La imagen de varias familias componiendo orgullosas una nueva y feliz trinidad ve su fotografía ensombrecida poco a poco, al tiempo que un ominoso y tremendista acorde de sintetizador sube de volumen hasta monopolizar un perturbador primer plano. John lo recibe todo con ojos asustados, aún no rehecho de su traumática experiencia nocturna.

"Todos los diferentes tipos de aborto no solo suponen un atentado contra el regalo divino, sino que además ponen en peligro la vida de la propia madre. ¿De veras quieren tener que pasar por esto?".

La misma actriz mestiza reaparece, muy perjudicada por la abstinencia de maquillaje, tendida bajo sábanas sobre una desvencijada cama, dentro de una semiiluminada habitación con saturación de bandejas, instrumental quirúrgico clandestino y otros componentes metálicos que conceden un grado retorcido y proscrito a la escena. Se enumeran entonces los diferentes tipos de aborto*, ilustrados con secuencias propagandístico-divulgativas de afán proselitista, jerarquizadas de menor a mayor crudeza expositiva:

Bajo el lema **_ABORTO POR SUCCIÓN: HASTA DOCE SEMANAS_**, se nos muestra a un médico introduciendo un tubo metalizado en una vagina hirsuta y, más tarde, una mano adulta enseñando en su palma enguantada los liliputienses pedazos disgregados de un feto muerto, algunos aún reconocibles, como piernas o manos en miniatura. La voz describe despiadada: "La sucsión es

---

Naturalmente, existen muchas más variantes de abortos provocados, pero la pobreza documental aquí expuesta coincide con la simpleza apabullante de que suele hacer gala este tipo de filmes… Eso si el filme en cuestión existe; en caso contrario, tal simpleza solo es achacable a la mente maniquea del autor. (Nota de Jonas Reinhardt)

veintiocho veses más fuerte que la de una aspiradora casera, y el abortista suele verse obligado a retirar el cráneo del bebé con unas pinsas, pues normalmente no cabe en el aparato de sucsión. En los países desarrollados lo ven una práctica normal".

Un rumor desaprobatorio sobrevuela la sala, mientras el rostro sufriente y pronto al arrepentimiento de la mujer abortista acapara toda la pantalla del televisor. Le sigue ahora otro método, denominado **POR ENVENENAMIENTO SALINO: DESDE DIECISÉIS SEMANAS**. El mismo médico pincha una aguja en el abdomen de la embarazada; la narradora hilvana otro jalón de su discurso: "El abortista extrae el líquido amniótico de la plasenta y en su lugar inyecta una solución salina consentrada. Horas más tarde, la mamá dará a lus a su bebé moviéndose". Ahora, el cuchicheo afrentado se entremezcla con encomiendas monoteístas, aún mayoritariamente femeninas.

De nuevo un epígrafe, esta vez con el texto: **POR DILATACIÓN Y CURE-TAJE: SEGUNDO Y TERCER TRIMESTRE**. Una cucharilla de borde fila-mentoso sierra con precisión el cuellito de un feto, la sangre se diluye en el líqui-do amniótico hasta que la balompídeca cabeza cae hacia atrás como un plomo, propiciando un salto a resorte en los sensibilizados espectadores.

John abre los ojos como ante un aparecido, casi hipnotizado frente a lo que se divulga en aquel crudo documento visual. La voz de la dra. resuena implacable: "El abortista corta el bebé en pedasos y luego saca los trositos y se deshase de estos sin contemplasiones. Es su manera de quitarse de ensima una vida que para ellos solo es un problema". El médico de marras se abalanza entonces contra la vagina ensangrentada, con sañuda mueca de asesino en serie, blandiendo un reluciente fórceps con aptitud de arma blanca, casi obsceno y futurista en su excéntrica for-ma combada. Las hojas del fórceps pasan de largo ante la cámara, brillantes a la luz amarilla del quirófano, subiendo y bajando como un machete para finalmen-te volver al plano empapadas en sangre falsa, más roja que la real.

John se agarra el pecho, contraído por unas arcadas involuntarias.

-Cariño, ¿qué te ocurre? –susurra Nancy, inclinándose hacia él.

John extiende su mano en dirección a ella, para aplacar la inquietud de su novia, y consigue controlarse con su otra mano ejerciendo de bozal: tras varias toses que aportan un aflujo de sangre bajo la piel de su cara y el enrojecimiento de sus ojos, John se repone y, carraspeando y tragando mucosidad, logra recobrar la condición convencional de un espectador neutro.

La neutralidad no es precisamente el sentimiento preponderante en la sala. Entre gritos de "asesinos", "puercos" y "degenerados" –gritos que ningún Pío se molesta en reprimir o sancionar, para complacencia del Señor Santo–, la revuelta y corajinada platea abuchea al psicópata con batín de cirujano haciendo entrega orgulloso y solemne de un balde azul que contiene los miembros descuartizados de un feto: la madre acepta el macabro regalo con indiferencia primero, pero al curiosear dentro del cubo su fachada de civilización se descompone con todo el llanto, remordimiento y terror de un alma condenada y negra: su perfil se repite hasta el infinito, cual pesadilla de nunca acabar. La imagen va a negro, pero la sobreimpresión reiterada del rostro trastornado de la ex gestante impone su durabilidad en la retina.

Tras uno o dos segundos con la pantalla a oscuras, una nueva secuencia se desarrolla en ella, de nuevo en sistema de grabación en vídeo: un aparatoso despertador activa su estridente alarma, una mano femenina presiona el dispositivo superior del cacharro para ahogarlo y su dueña, la misma rechoncha del prólogo del espacio educacional, se despereza en su luminoso dormitorio. En nada desocupa la cama y todos aprecian que sigue embarazada bajo el decoroso camisón raso. Loca de felicidad al corroborar su estado de buena esperanza frente a un espejo del armario, desanda hacia el lecho y abraza a su pareja, que remolonea también sonriente. Enlazan las manos, donde lucen sendas alianzas doradas.

La dra. Vasques vuelve a centrar la atención en el siguiente plano, caminando seria por el Parque del Amor y hablando con autoridad:

-Parejas de todo el mundo: no conviertan la buena esperansa en una mala desisión. No conviertan una bendisión del sielo en un problema. No sean sonsos. No sentensien la vida de su hijo en la Tierra y la suya al Infierno.

Se reanuda la pieza musical romántica, más lenta y babosa si cabe, y ahora nos reencontramos con la pareja estelar del documento al pie del mismo tobogán, sonriéndose mutuamente. A una orden verbal o física fuera de cuadro, ambos se giran al unísono hacia la cabecera –que no vemos– del deslizadero metálico: y es ese el momento escogido para que caiga de las alturas –en una burda metáfora del "don" divino– un niño de unos cuatro años, sorprendentemente rubio y diáfano

174

de piel y pupilas. El infante se agarra a las manos de la pareja: el padre le aferra y lanza en volandas, el crío se mata de la risa, siempre el adulto lo recoge y los tres juntan las caras, paradigma de la vida familiar perfecta: la imagen se congela. La música sube a primer término y unos créditos inventados ascienden insertos en la pantalla.

Nancy ya está más pendiente de John que del reportaje.

-¿Qué te ha pasado?

-No es nada –la baila él, mientras aclara su garganta y mira de soslayo hacia un extremo del graderío, desde donde el Cholo Lopes le observa, casualidad o no, con un miramiento afable y exento de agresividad. A su lado, la prometida, un ojo a la virulé como único testimonio del rifirrafe de la noche anterior, capta la equívoca mirada del Cholo y la sigue recelosa, hasta enfrentar el perfil amedrentado de John. Este recompone un barniz de indiferencia, bajo el que late un temor de lo más razonable. El irritante chiflo de la zampoña del Señor Santo le saca de su fingimiento, preámbulo de un anuncio ominoso:

-Con el objeto de que no volvamos a llevarnos una desagradable sorpresa como la de hoy, he pensado que lo mejor será que todos ustedes pasen a confesarse en los próximos días. Si alguno desea escapar, yo sabré adivinarlo.

La concurrencia se desahoga en una risa exultante de poder confiar su conciencia a manos más preparadas. Un último rescoldo de pavura debilita los de otra manera apuestos rasgos de John.

El consecuente fundido a negro parece más propio de un episodio televisivo, por lo dilatado y musical.

CAPÍTULO 5

–¡Qué desaguisado acaba de provocar ese cholo infeliz de todos los demonios! ¡Explíquenme!

El Señor Santo, la expresión furibunda y la hipermetropía lacerante, ha abierto la puerta de su cámara y, apenas traspuesto el umbral, de inmediato se ha vuelto a sus dos acompañantes, los fraternales Píos, para desembucharles una fraterna de lo más desconsiderada. Los dos hermanos accionan y gesticulan, pero otra vez parece que ambos adolecen de la misma ineptitud fonética. Ni un sonido ahogado brota de sus gargantas, obturadas por el compromiso del aprieto, el rigor del brete y se diría que un espesor de saliva reconcomida.

–¡Le conminé a que resolviera el problema, no a que causara otros! ¿Con cuántos muertos vamos a tener que cargar hoy día por culpa de ese atorrante morocho, ese silvestre rural? ¡Vamos, déjense de tantos disfuerzos y díganme algo!

La pantomima de los Píos aumenta sus niveles de expresividad sobreactuada, pero los dos pares de ojos ya no se dirigen al Señor Santo, sino que correlativos prefieren perderse más allá, por encima del estrecho tronco lego. El Señor Santo abre mucho los suyos, adivinando que ha abierto la boca más de la cuenta, y afronta el fondo de la sala, donde una espiral de humo desvela que no se encuentran solos.

Acomodado en la pesada silla frente al pupitre del Señor Santo, un visitante de oscura tez fuma con solaz, las piernas cruzadas en actitud desenvuelta pese al riguroso uniforme que las atavía.

El Señor Santo avanza bisojo, demacrado, hacia su visita, las manos tendidas en actitud abrumada, la disculpa pronta a los labios, cual inesperado Pío III.

-No sabe lo que lamento que haya tenido que oír esto, Mayor.

El ocupante de la silla se incorpora, despabila los pies en un rotundo taconazo y endereza con disimulo los músculos de su minúscula complexión. En efecto, como hemos podido sospechar por el ceremonioso trato, se trata del mayor Veles, encajado en un uniforme militar verde oscuro hecho a medida, una hilera de insignias prendidas en la pechera que compiten con el brillo de su intachable sonrisa: sus dientes vuelven a aparecer alineados con disciplina castrense, solo rota por ese hilo ambarino que perfila la raíz de cada pieza, cual finísima retícula de piel interior de naranja adherida a la encía.

-No se alteren por mí. Al fin y al cabo, todos tenemos nuestros muertitos que dezapareser —comenta mordaz con la mayor de las naturalidades.

-Mayor, le prometo que no sabía de su visita… Excuse esta injerencia de otros asuntos menores…

-Insisto: sus muertitos no me incumben, Señor Santo. Además, sé que sus objetivos son, en última inztansia, puros y honestos. Nada me hace dudar que sea usted un hombre entregado con abnegación a su causa. Mi visita se debe a otras motivasiónez menos enojosas —el Mayor calibra con sorna a Pío II–. No le entretendré demasiado.

El Señor Santo recupera la austera dignidad del porte y su mirada disecciona, por primera vez con silenciosa objetividad, la figura del pequeño intruso que se repecha sobre la mesa, chafardeando con curiosidad legítima la variedad de tratados, fichas, clasificaciones, estatuillas de ébano y otras exquisitas menudencias —especialmente un reducido estuche de fosca madera lacada que el Mayor llega a acariciar con el índice– que ornamentan el tablero del mueble. El Señor Santo adopta un modo suspicaz que no por ello nubla el tono sumiso:

-Mayor, si no le importa, preferiría que saliéramos un minuto. Fuera de aquí estaremos más cómodos.

El mayor Veles no repudia jamás su falsa sonrisa:

-Faltaría más, señor Santito, usted guía, no quiero abrir una puerta equivocada y que me caiga un frío encima.

El Señor Santo sonríe, sin ningunas ganas.

Por corte directo, nos reencontramos al Señor Santo y al mayor Veles paseando pausadamente a lo largo de la galería de un claustro eclesiástico. Se trata de la típica escena que recala en todas las películas donde hay clérigo involucrado: el hermoso equilibrio visual de la localización, íntima pero exterior, la hace idónea para una secuencia de transición dramática, donde únicamente se plantee o solucione un conflicto verbal o se fragüe un complot.

En esta ocasión, nos hallamos en un claustro con cuatro arcadas de medio punto, sostenido por pilastras y, a lo que se puede conjeturar, por dobles machones en las esquinas. La faja de la parte inferior de las paredes está cubierta con un friso de zócalos, y las columnas presentan adornos de veneras y cenefas con motivos geométricos: rombos y alfices. A lo largo del muro interior, se abren portones que uno se imagina guían a celdas individuales donde habitan los monjes recluidos. Encima, una sección inclinada luce frescos murales en técnica mixta, al temple y al óleo, inspirados con lo que parecen escenas de vidas de santos (probablemente reproducciones de originales pertenecientes a la escuela manierista del primer tercio del siglo XVII dC), sobre capa de yeso enlucido: en cualquier caso, el ojo de la narración no le presta más que una atención ocasional con fines ambientales. Por el contrario, el techo reluce revestido por un artesonado de madera tallada con una mediana estrella como tema reiterado hasta el infinito. El mayor Veles contempla embebido el mosaico de estrellas.

Atrás, el jardín está vertebrado por cinco fuentes de metal, podría especularse que de bronce, repartidas por las intersecciones de cada lado y en el centro. Tal como circulan los dos personajes, se puede advertir al fondo, en la esquina más alejada de la galería perpendicular a ellos, un pequeño andamio donde unos obreros aparentan llevar a cabo una labor de restauración y de la que surgirá un repiqueteo martilleante, contrapunto del murmullo cantarín de las fuentes, más o menos constante durante el resto de la conversación.

-Impresionante, ¿verdad? –declara el Señor Santo al percatarse de que el Mayor no puede bajar los ojos del techo–. Privilegio de haber sido un virreino.

-Es… casi enfermizo. Estos españoles estaban locos.

-Españoles, no. Mudéjares. Cada pueblo deja su esencia –y con un reposado ademán, le indica los azulejos de la columnata, que elaboran escenas de martirologio a todo color. En el primer conjunto dibujado que se enfoca, nos centramos en un joven descubierto, ligado a una columna por cuerdas de variado jaez, el tronco humano perforado por flechas lanzadas de múltiples direcciones: sorprendentemente, la mirada al cielo del mártir es de éxtasis; en otra escena pintada sobre el puzzle de la cerámica, se representa a una joven desnuda, sus zonas genitales convenientemente ocultas bajo la cabellera de desmesurada longitud, también atada por su cintura a un poste sobre una hoguera encendida, una espada flamígera en una mano y la otra extendida hacia delante, en sosegado gesto: la joven no da indicios del menor asomo de dolor o sufrimiento, antes al contrario, sus ojos gozan con placer casi maligno, mientras las llamas lamen excitadas su cuerpo sin que parezcan inspirar resquemor alguno; un tercer dibujo lo protagoniza una muchacha con el sayo ensangrentado a la altura del pecho, exhibiendo en una mano unas tijeras abiertas cuyas puntas están coronadas por sendos senos cortados, los suyos propios: la muchacha no deja de sonreír; en la cuarta columna que se filma en detalle, la roja figura de un hombre mira al espectador mientras sostiene en los brazos lo que semeja un abrigo y no es otra cosa que la piel arrancada de él mismo*.

El Mayor, claramente afectado por las sádicas composiciones, busca una firma en la base de los azulejos, pero solo encuentra la siguiente signatura en pigmento azul: "1620, La Cartuja". Mientras, el Señor Santo, ante la visión del rostro grave del mártir despellejado, asiente con embeleso al tiempo que suspira arrebatado:

-Ah, la terribilità...

-Qué macabro... –exabrupta a su vez el Mayor, disgustado. El Señor Santo, al reparar en la franca repulsa leída en los ojos del militar, se acerca por detrás y le susurra con algo muy parecido al regodeo:

-Ríase de nuestros "muertitos", Mayor.

El Mayor sacude la testa, como para deshacerse de fantasmas más tétricos que aquellos de los que su historial le proveyera.

-Son... espantosos. Si fuera menos sensible y menos temeroso de Dios, debería mandar copiar a mis hombres alguna de estas técnicas. ¿Esta es su religión del amor?

*Se trata, respectivamente, de San Sebastián, Santa Inés, Santa Águeda y San Bartolomé. (Nota de Jonas Reinhardt)

-ESTOS ESPAÑOLES ESTABAN LOCOS.

-Amor y arte, Mayor. Eso que usted ve ahí, "La Cartuja", nombra la más refinada y célebre fábrica de cerámica española que existiera nunca, sita en Sevilla. Desde allí llegaron estos azulejos, después de atravesar un océano de incontables peligros. Su valor es incalculable.

-Estos españoles estaban locos —reitera Veles cual letanía.

-Como le digo, cada pueblo deja su esencia. El gusto de los españoles por la sangre y el sufrimiento quedó reflejado en su arte, simplemente. Pero bueno, ese gusto no es completamente ajeno a nuestro pueblo, ¿no cree? Incluso más de uno diría que lo heredamos de pleno.

El mayor Veles no responde, se quita el quepis de la cabeza para atusar su conciencia y estira el cuello de la guerrera para airear su corazón podrido. El señor Santo percibe la incomodidad que aquella iconografía despierta en su interlocutor y el tipo de cieno que debe estar revolviendo, y su expresión trasluce un talante más comprensivo.

-¿Cómo se presentan las elecciones?

-Pues ahí veremos —las facciones del Mayor parecen iluminarse con la relación de sus crímenes cotidianos—. Removiendo cielo y tierra, si me permite la blasfemia, para exprimir los votos nesezárioz. ¿No tendrá usted más de un muertito? Porque ahora requiero de muchos, cuantos pueda. Todos los sementérioz de la nación van a votar por mí.

Ambos sonríen, como ante un chiste inofensivo.

-No dudo de que será usted mi próximo Presidente.

El Mayor encaja la lisonja del Señor Santo con una mueca azogada.

-Bueno, de eso trata mi visita. Usted sabe que a la hora de candidatearse a Jefe de Estado, toda precaución es poca. Cada elegible escarba en la vida del otro como si le fuera la suya en ello. Cualquier episodio del pasado es evaluado hasta la extenuación y, a qué engañarnos, yo tengo mucho pasado.

-Estoy convencido de que sus muertos también responden a razones justas —manifiesta el Señor Santo con simpatía.

-Eso creo —replica el Mayor, y la fijeza sin parpadeo de sus ojos oscuros revela la sinceridad de sus palabras—. Eso creo.

-A qué demorarse: usted dirá —agrega el Señor Santo, sabiendo que no hacen falta más rodeos ni vueltas de claustro. Sin embargo, el Mayor parece a gusto paseando entre circunloquios:

-¿Y su Acondicionamiento? ¿Están las parejas a la altura de sus enceñánsaz?

El Señor Santo le estudia brevemente, luego asiente con una sonrisa apacible.

-John y Nancy destacan por su discreción, si es lo que desea averiguar.

El Mayor debería decir "touché", pero, lo más, enarca una ceja por toda concesión.

-¿Así que lo sabe?

-¿Que su hija y su futuro yerno están bajo mi tutelaje? —el Señor Santo suelta una seca carcajada nada espontánea—. Disculpe, Mayor, no sé qué imagen puedo proyectar en los demás, pero ni siquiera yo, con todo mi ascetismo y mi voluntario encierro de la vida social, me hallo tan aislado como para permitirme el lujo de ignorar una noticia así. Todo el mundo lo sabe.

-A eso es a lo que me refería. Naturalmente, será entónsez conzsiente de lo mucho que arriesgo con esa próxima boda.

-¿Qué es lo que teme, exactamente? Sus historiales son impecables —el Señor Santo se detiene para examinar el hierático perfil de su conterráneo, que también se detiene.

-Mi yerno es modelo y actor en siérnez. Usted sabe el tipo de vida lisensioza que se estila en ese ambiente: infidelidad, adulterio, sexo indiscriminado… En pocas palabras: fornicio desatado. Y quién sabe qué otros pecados.

-¿Quiere que yo averigüe si su yerno tiene las manos manchadas?

-No hace falta que lo averigüe, lo sé con certeza. Ningún hombre atraído por ese estilo de vida resistiría incólume a sus tentasiónez más evidentes. Lo que quiero es una lista completa de cuándo, dónde y cómo ha caído, de todas sus debilidades. El catálogo de sus pecados. Todas las cosas que puedan luego utilisarce como arma arrojadiza contra mí. Y el inventario de personas, mujeres y, por supuesto, hombres si los hubiere, con los que John haya podido tener alguna involucración de tipo visiozo o delictivo y que estén en dizpocisión de emplear esa clase de conocimiento para extorsionarme. Comprendo que para usted es más fácil averiguar ese tipo de zusiedádez.

El Señor Santo asiente y sigue caminando. El Mayor le sigue, atenuando un grado la dureza de sus ojos.

-Me hago al cargo. Quiere decir, entonces —el Señor Santo medita cuidadosamente la elección de sus palabras—, que no se trata de interés personal ni desconfianza hacia su yerno.

-No hay nada en él que me pueda sorprender —confirma el Mayor—, conozco su calaña. Digamos que se trata de una maniobra de precaución forsoza, para saber a qué atenerme cuando mis adversarios intenten echarme guano, con perdón, a la cara. Naturalmente, yo puedo devolverle el favor, una vez llegue al cargo a que aspiro. Entiendo que las obras de reztaurasión de este convento requieren grandes inversiones.

-Sobre eso debería hablar con el abad Pío.

-El abad Pío es un imbécil —ambos hombres vuelven a mirarse a los ojos—. Con perdón otra vez. Confío en usted, Señor Santo. Usted sabe hasta dónde podemos torsérnoz los hombres de ideales rectos.

El Señor Santo arquea la boca, cortés y halagado. En ese momento, ambos abocan frente al pequeño andamio de la esquina, donde un operario en camisa larga manchada de sudor y polvo manipula un escoplo de cantería sobre una de las anchas piedras de la pared, revelando bajo la capa de cascajo y residuos apelmazados una figura animal.

El Señor Santo se para a admirarla.

-El mal se filtra hasta en las regiones de bondad absoluta –señala con el dedo la bestia en bajo relieve–. Observe, Mayor. ¿Qué le dije de los pueblos? La talla de piedras la hicieron los indígenas. Algún indito dejó también su marca. Su sello personal.

-¿Qué es eso? –el Mayor se aproxima más al bloque de roca, forzando al máximo la longitud del cuello–. Parece un…

-Un puma.

El puma, toscamente definido en el frontal del bloque y con una sola línea interior –la de un ojo apretado y redondo–, está representado en actitud de paseo y su perfil solo es reconocible por el tamaño de la cabeza y cierto aire felino en sus patas.

-Pero el puma… –el Mayor nos encara, y la luz alarmada muy adentro de sus pupilas delata la subsistencia de su empozada alma indígena.

-Exacto. El símbolo del demonio según las creencias chamánicas. Ese indito no nos quería ningún bien, se lo aseguro. En cuanto lo descubramos del todo, lo sustraeremos de la piedra.

El Señor Santo se solaza ante el asombro y la candidez casi infantiles del Mayor, que ha perdido su aire marcial y ceñudo de hombre blanco, restableciendo la credulidad supersticiosa afín a su alma de indio, no enteramente, ni siquiera medianamente, estrangulada en el uniforme occidental.

-El otorongo… –murmura para sí, cual conjurando los fetiches de su raza primigenia, asentada en su andar patizambo.

El Señor Santo, con sonrisa paternalista, se acerca a otro restaurador, quien bajo un arco trebolado limpia minucioso una decoración de motivos octogonales en yeso, sobre cuya zona inferior resalta inscrita una caligrafía de trazos arábigos.

-Y por si fuera poco, los mudéjares de los que le hablaba antes. Esos maestros conversos enviaron sus obras desde España, y muchas vienen también firmadas. Hemos tenido que traer a un experto islamista para que nos analice las inscripciones.

El Mayor se apropincua, interesado, a pie de obra.

-Juan –llama el Señor Santo al técnico–. ¿Qué dice ahí?

El restaurador, que hasta ese punto permanecía de espaldas, nos muestra su semblante barbudo. Cincuentón enteco de rasgos iberos, responde lacónico y sin especial empeño, como si la deducción fuera baladí explicarla:

-"Allah es grande".

El Señor Santo se ruboriza y el Mayor chasca la lengua, vengado:

-Carajo, Señor Santo, tenía razón. "Cada pueblo deja su ezensia".

Y continúa andando, mientras el retintín de su sorna reaparecida aún zahiere los sentidos de un fastidiado Señor Santo, que arrebolado le persigue a regañadientes.

-¡Cojudos infieles! –y, consciente de su juramento, resucita su altivez de hielo, alcanzando a su futuro Presidente de la nación–. Ahórrese sus donaciones, Mayor. Le complaceré de puro gusto.

Ambos nivelan sonrisas al cabo, como si fueran viejos amigos con un mismo amor de juventud…

CAPÍTULO 6

—Ahora sonrían.

A un lado del trípode coronado por la ultramoderna cámara de fotos cuya coraza de pulido aluminio abarca metro por metro de superficie, y cuyo redondo flash es periférico al objetivo, el abad Pío ha sido el instigador verbal de la sonrisa colectiva, mientras al otro lado su hermano Pío esboza una propia que más bien parece motivada por la sardonia, a guisa de pretendida y poco probable pauta a seguir para las ciento veintiuna parejas que retienen la respiración frente a ellos.

La mayoría de hombres y mujeres, situados de pie en el centro del coso, los brazos enlazando las cinturas, sonríe de buen gusto, quizá apuntando a que sus personajes, de ínfima estofa y peor sustrato social, no suelen ser objeto de un agasajo tal como el de hacerles protagonistas de una convocatoria fotográfica que los inmortalice. Delante de todos ellos se yergue, con adustez deliberada, el Señor Santo, su vistosa guayabera y sus chinelas un contraste frente a su blanca manada, posando con una cierta rigidez que denota su buena fe en la misión que acomete entre aquellas paredes. Ante la insistencia de Pío I, una comisura labial decide tironear hacia arriba y las patillas curvan su filo.

Justo detrás de él, observando su nuca nívea con aleve desabrimiento, permanece John, secundado como es de prever por Nancy, calculadamente despistada y engañadiza en su contacto con aquel submundo de camaraderías religiosas. John va desplazando su cuerpo advertidamente en dirección al de su compañera, de manera que la sombra de la cabeza del Señor Santo invade toda su cara.

-¡John, no seas niño! –le reprocha Nancy, propinándole un cariñoso codazo para que no hurte el rostro tras el cuerpo del líder.

-Esto es humillante… –mascula John escurridizo, marcando el mascullado con énfasis en el fruncimiento de los labios mientras escabulle la exposición de su belleza a la cámara, justo en el momento en que el gigantesco flash se expande en un deslumbramiento masivo que congela los cuatrocientos noventa y dos ojos móviles.

Apenas consumado el disparo del objetivo, unas luces de colores se encienden en la parte superior del armatoste metalizado, como si estuviera procesando la instantánea, y el Señor Santo se torna impertérrito, cual si fuera la única persona a la que el fogonazo no ha afectado, de tal punto que queda a solo unos pocos centímetros de John quien, al temer su destemplanza evidenciada, muda la expresión de pasmo a una sonrisa semejante a la de Pío II.

-Ahora nos sentamos, ¿sí? –ordena a la multitud el Señor Santo, y por un brevísimo santiamén, su mirada se prende con la de John, pero solo este aparenta acusarlo con un sobresalto, mientras su oponente la prosigue errabunda hacia el resto de presentes para, sin exteriorizar sentimiento alguno ni afecto de más, encaminarse solitario hacia el escenario de sus discursos.

Las parejas, felices, se reintegran a las gradas y confinan en los lugares ya predeterminados por la costumbre. A Nancy no se le escapa la tirantez de John y, mientras se aproximan a sus huecos correspondientes, oprime la mano de este con cierta ansiedad.

-¿Qué ocurre, John? ¿De qué tienes miedo?

-¿Eh? –John parece no haberla escuchado–. Nada. Estoy bien.

-Estás raro desde ayer. ¿Qué es lo que pasa?

-Nada, te digo.

Nancy se da por vencida, pero no destierra la inquietud de su entrecejo. El Señor Santo salva la breve escalinata hasta el atrio y en cuanto fondea a la altura del micrófono, recapitula inmisericorde:

-Hemos pasado el ecuador de nuestra estadía aquí –su voz rezuma un orgullo que no se molesta en rebañar–. Enhorabuena a todos los que continúan, pues ello significa que tienen muchísimas probabilidades de llegar al altar en plena comunión y entendimiento espirituales con su pareja. De ahí que hagamos esta foto que se les entregará al finalizar su asistencia y, por tanto, su Acondicionamiento, y que podrán mostrar orgullosos a sus padres, amigos y parientes como prueba de su validez para la ceremonia perseguida, ¿sí?

La gente gesticula feliz, incluso alguno se arranca en un aplauso que, por no hallar eco en otras manos, tímido o arrepentido, no supervive más allá de las tres o cuatro palmadas. El Señor Santo no se concede apenas un silencio de transición y ataca su próximo objetivo.

-Vamos a realizar un nuevo test, una nueva encuesta que, les vuelvo a aclarar, solo leerán ustedes y sus respectivas parejas. Den en el busilis de la cuestión: son simples preguntas para compartir que les ayudarán a conocerse mejor y a conocer mejor a la persona que tienen a su lado, ¿sí?

Sin indicación preliminar, los dos Píos y varios monjes más se dispersan por el anfiteatro para repartir unos nuevos tacos de hojas. John y Nancy reciben las suyas disciplinadamente, junto a los lápices, que también se distribuyen por todas las filas, recogidos con la esperanza infantil previa al juego.

John moja su lápiz, más cariacontecido que cuando contestó el primer cuestionario y, echando un reojo a Nancy, concentrada en sus propias preguntas con un divertido aire de mofa flotando en las pupilas, se apronta a leer y responder las cuestiones escritas.

Un nuevo barrido –durante el que escuchamos la contrariada objeción de John en off: "Esto no es un test"– nos muestra algunas de las inquisiciones concretas, al tiempo que John las contesta:

¿Qué diferencia encuentro entre escuchar y oír a mi pareja?

John manuscribe:

Escuchar es comprender.

Terriblemente satisfecho de su respuesta, que por su expresión está convencido es la que su pareja o el propio Santo –dado el improbable caso de que llegara a sus manos– querrían leer, se atreve con las demás autointerpelaciones del listado:

¿Puedo dominar la ira cuando discuto con mi pareja?

John redacta:

Sí.

Luego se refrena, dubitativo, y añade algo. Vemos lo que es:

¡Sí!

Siguiente cuestión:

"¿Qué creo que es lo que más ayuda a una buena comunicación con mi pareja?"

John escribe:

Decir las cosas con cariño.

Ahora John se permite incluso una prolongada sonrisa. Ya solo falta una consulta para terminar el cuestionario, y es:

¿Qué es lo que menos me gusta de mi pareja?

John contempla la pregunta impresa y adopta cierto desprecio en el rictus, mientras deniega con la cabeza, como burlándose da la ingenuidad del enunciado. Con cierta petulancia y gestualidad grandilocuente (por unos segundos, su exagerada interpretación facial de lo escrito adquiere incluso las formas de una imitación voluntaria de Danny Kaye), lapicea:

Nada.

Y subraya la palabra.

Justo entonces sobrevuela la voz persuasiva del Señor Santo:

-Si ya han terminado, intercambien el test con su pareja, ¿sí?

Aunque la mayoría de parejas aún persiste flagrantemente inmersa en el proceso de descodificación de las preguntas, John se vuelve hacia Nancy y los dos se sonríen al ofrecerse mutuamente sus cuestionarios concluidos. John parece orgulloso de sí mismo y Nancy parece orgullosa de John. Ambos se sumergen en la lectura del respectivo folio intercambiado.

Por su tendencia a las carantoñas, Nancy se diría complacida ante lo que lee. Asumimos ahora el punto de vista de John, que repasa las contestaciones de su compañera, escritas con grafía estudiadamente redondeada.

¿Qué diferencia encuentro entre escuchar y oír a mi pareja?

Ninguna. Siempre oigo y escucho.

¿Puedo dominar la ira cuando discuto con mi pareja?

Yo más que él.

¿Qué creo que es lo que más ayuda a una buena comunicación con mi pareja?

La sinceridad.

John lee con propensión adoradora y una pizca condescendiente las trivialidades formuladas por su amada, pero al llegar a la última aportación de Nancy, su buena predisposición se agria y conmociona con un matiz cercano al de la incredulidad. Leemos qué ha detonado su alteración:

¿Qué es lo que menos me gusta de mi pareja?

Y, a continuación, la respuesta de Nancy:

Creo que me oculta algo.

John resopla un par de veces, patidifuso, mientras sus ojos atónitos no pueden despegarse de la inicua hoja que le quema en las manos.

-Qué bonito –musita Nancy, dejando de leer, con un suspiro contento, el cuestionario de John, y su frase es relevada casualmente por otra del Señor Santo:

-Ahora pueden conversar cinco minutos sobre lo que han leído uno del otro, ¿sí?

John no puede contenerse y ametralla con rabiuda inquina las siguientes palabras, dirigidas a su prometida:

-No puedo creer que te tomes en serio esto.

-¿Qué? –le contesta Nancy con inocencia cierta.

-¿Has leído mis respuestas? –insiste John.

-Sí. Son muy lindas, me han gustado.

-Son lindas porque no me he tomado las preguntas en serio, y se supone que tú tampoco deberías hacerlo.

-¿A qué te refieres? –persevera Nancy, aún ignorante de las razones para el, a su juicio, infundado cabreo de John–. Me he tomado las preguntas como lo que son, como preguntas.

-¿No te das cuenta? Son preguntas de un extraño. ¡¿Cómo puedes decirle a un extraño que tú dominas la ira mejor que yo?! –Al darse cuenta de que la ira le está dominando, reduce sensiblemente la estridencia de su protesta–. ¿No te das cuenta de que es precisamente lo que están buscando? ¿Que te sinceres para poder saber tus pensamientos íntimos, para poder controlarte?

-Creo que estás exagerando tu enojo, John.

-¿EXAGERANDO? –una nueva explosión de furia se manifiesta en los encendidos mofletes de John, quien manotea hasta enarbolar el cuestionario de Nancy a la altura de la frase que busca–. "Creo que me oculta algo". ¿Cómo puedes escribir esto aquí? ¿AQUÍ?

-Porque creo que es verdad, John –confiesa Nancy con seriedad de sesión terapéutica–. Creo que me ocultas algo.

-¡No te oculto nada! –niega John, descartando cualquier posibilidad de lo contrario con sus brazos–. Y además, eso no es lo importante ahora. ¿Es que no lo entiendes? –ahora su voz se hace casi secreteo–. Lo importante es que no podemos darle armas a ese tipo para que luego las utilice contra nosotros. No debemos entrar en su juego. Su rasero para definir la pareja ideal no nos incumbe.

-¿Es que su rasero es demasiado alto para ti?

-¡Por el amor de Dios, ni tú ni yo creemos en su rasero!

-Si no creemos en él, no jures por algo en lo que tampoco crees.

John se interrumpe, desconcertado ante la airada salida de Nancy y, tomando aire, reanuda su diatriba más calmo, en un tono razonable, literal, infantilizado.

-De acuerdo, Nancy. Entonces por nuestro amor, ¿de acuerdo? Por nuestro amor te digo: no dejemos que el baremo por el que ese hombre y todos los de su calaña –por "calaña" entiende el resto de asistentes al Acondicionamiento, por cómo su mano engloba vagamente en torno suyo– miden, valoran y puntúan nuestro amor nos contagie, porque nosotros no lo valoramos por el mismo criterio. ¡Mira! –arrebata su cuestionario de manos de Nancy y se lo muestra como si ella no lo hubiera leído antes–. Yo esto lo he completado con las respuestas que sé que a él le gustaría leer de mí.

-Pero si él no las va a leer –refuta Nancy.

-¡Eso da igual! Pero por si acaso…

-Pues resulta que también son las que a mí me gustaría leer –le rebate Nancy–. Así que entonces, a lo mejor, el Señor Santo y yo tenemos un "baremo" parecido.

John enmudece, sus carrillos hacen acopio de fuerzas antes de volver a reaccionar. Por fin, cuadra los hombros y contraataca:

-Nancy, no permitas que esto –agita ambos papeles en las manos– nos afecte. No puedo creerme que estemos discutiendo a causa de esta gran mentira. Nosotros estamos al margen de este montaje. Tú lo sabes. Vinimos aquí para complacer a tu padre, no porque creamos en nada de esta gran pantomima.

-Eso no significa que no pueda escribir lo que pienso de verdad. No tienes derecho a enrostrármelo.

Un colmo de zozobra refulge en la cara de John, quien observa a Nancy con miedo en aumento.

-Nancy —incide con paciencia—, no juzgues nuestro amor con el criterio de ellos. Nuestro amor es mejor que todo esto.

De pronto, John parece quedar tremendamente exhausto por el esfuerzo. Jadeante, ojeroso, casi derrotado, contempla a Nancy, quien mira hacia delante, como una niña terca, sin comprender ni atender a las razones de su prometido.

-Pues entonces no me ocultes cosas —remacha Nancy, masticando cada palabra.

-¡MALDITA SEA! —se incorpora gritando John, con incontenible cólera, mientras a su alrededor decenas de escandalizadas faces cholas se mueven en su dirección, entre ellas la de Lopes. John se sienta abochornado, tratando de minimizar una situación al límite de la temperancia, que le pone en el centro de la atención general. El murmullo ambiental que hasta ahora acompañaba la discusión se ha cortado de cuajo y la mayoría de parejas le tiene en su punto de mira: poco a poco el murmullo se reaviva, pero ahora su acicate y tema debe de ser nuestro protagonista, por cómo los demás le espían mientras cuchichean.

John se acurruca contra el respaldo granítico del escaño, mientras vigila arredrado el ambiguo interés que le demuestra a lo lejos el Cholo Lopes.

-Mierda, justo lo que no quería —rezonga John.

Nancy, disgustada, rastrea la razón del padecimiento de John y descubre al fin la luz envolvente, no exenta de mala inclinación, que despiden los ojos atentos y aviesos del cholo.

-¿Por qué te mira así ese hombre? No sé por qué, me tinca que tiene algo que ver con tu nerviosismo de hoy. Con eso que me escondes.

-Nancy… —tras una breve reflexión, John se gira a ella y se sincera a su bizquera con la confianza de antaño—. Escucha, hay algo, sí, que no te puedo contar, o estarías en peligro. Ese tipo sospecha que yo he presenciado una maldad que él ha cometido, y tengo que ser discreto o puede hacer que nos vaya muy, muy pésimo.

Nancy analiza la tez cobriza del Cholo Lopes, contumaz como la de una esfinge de párpados voluptuosos. Las subsiguientes palabras de ella suenan despreocupadas:

-Pues a mí me parece que ese tipo simplemente se siente atraído por ti.

Pero John no la escucha, porque casi concatenada restalla en el anfiteatro la insobornable voz del Señor Santo, paralizando la expresión de aquel:

-¡John Figueroa!

John se endereza a medias del susto, como si Dios le hubiese señalado con su dedo, y con tembleque irreprimible se expone cauto de cara al escenario, desde donde el Señor Santo también le señala, sin lugar a confusión alguna. Irremisiblemente amilanado, John asiente, como certificando que, en efecto, es él quien responde a tal nombre, mientras su mano busca la de Nancy, que a su vez la acoge con maternal abnegación.

-John Figueroa –repite el Señor Santo, mirándole a los ojos como si no los separaran cincuenta metros, sino ninguno–. Hará el favor de pasar al Confesionario en cuanto termine su pequeña, blasfemante disputa, ¿sí?

John articula sin apenas despegar los labios un inaudible sí, que también parece desmentir la negación estremecida de su cabeza. Nancy aprieta la mano de John entre las suyas.

-Sí –repite John, en falsete.

-¡MALDITA SEA! -SE INCORPORA GRITANDO JOHN, CON INCONTENIBLE CÓLERA, MIENTRAS A SU ALREDEDOR DECENAS DE ESCANDALIZADAS FACES CHOLAS SE MUEVEN EN SU DIRECCIÓN...

CAPÍTULO 7

Todo está oscuro.

-…

-Empiece cuando lo desee.

-Gracias por no tutearme…

-Es usted una persona de notoriedad.

-…pero no entiendo el significado de esto.

-¿El significado de qué?

-(4)* De… esto… (2) De este simulacro de confesión, de esta mascarada. No tiene sentido. Quizá al resto de congregados pueda sugestionarlos con su aplomo y su autoridad. Pero usted no es sacerdote.

-Ni usted es creyente.

-(5) ¡Ja! Eso usted no lo sabe, Señor Santo.

-El abad Pío me ha cedido amablemente este lugar, pues su caso me atrae en especial. Usted sabe más cosas que el resto.

-(3) ¿Qué quiere decir?

-Vamos, es usted un personaje notorio, como le he dicho. He seguido buena parte de su trayectoria, señor Figueroa, aunque no se lo crea. Me interesa mucho

---

*Entre paréntesis se expresa la cantidad de segundos que dura el silencio de cada personaje antes de arrancarse a hablar o la extensión de sus pausas más prolongadas entre frase y frase. (NdT)

la vida de la gente como usted… digamos bohemia. Me interesa porque usted y sus colegas de profesión están en disposición de vivir de espaldas a todo lo que rige la vida de las demás personas. Puede ponerse una venda en los ojos y hacer caso omiso a aquello que se desarrolle en su presencia. Hacer como si no existiese, como si no le atañera, aunque sea algo de extrema gravedad. Incluso puede llegar a participar de ello. ¿No es así?

-… (7)

-¿Me ha oído?

-(1/2) No sé qué es lo que pretende.

-Solo que confiese, eso es todo.

-Que confiese… ¿el qué?

-Eso sólo usted puede saberlo…

-(5) Si se refiere al incidente de esta mañana… le pido disculpas… Nancy y yo estábamos un poco… agitados… algo irascibles.

-¿Qué fue lo que lo ocasionó?

-No fue lo que usted piensa.

-¿Lo que yo pienso?

-Quiero decir… nada que tenga que ver con el Acondicionamiento… con las cosas que conciernen al Acondicionamiento…

-¿Entonces con qué cosas tuvo que ver?

-Con… nada… (4) Quiero decir, no es nada…

-¿Por qué no me habla de su relación con Nancy, John? ¿Es usted siempre sincero con ella? ¿Le cuenta todo en todas las ocasiones?

-… (6)

-Estoy escuchando, John.

-Yo… (2) Ella y yo somos muy sinceros el uno con el otro… Pero hay cosas que jamás le explicaría.

-¿Como qué?

-No sé… cosas… Usted sabe…

-No, no sé. ¿Qué cosas, señor Figueroa?

-(3) Si no las sabe, ¿por qué está tan interesado en saberlas, Señor Santo?

-Es mi labor.

-No es usted un confesor.

-Pero, de alguna manera, este es mi rebaño, y debo estar al tanto de todo lo que lo amenaza o reviste algún peligro para él.

-… (3'7)

-Escuche, señor Figueroa, usted es actor. Usted es… ¿cómo lo diría?

-¿Una oveja negra?

-No… Yo no le definiría así. Al contrario. Usted es un espécimen de lo más interesante. Un ser privilegiado, en cierto modo. Seguro ha vivido muchas vidas en una sola. Pero mentiría si no le dijera que una persona como usted está más expuesta que las demás personas a todo tipo de pecados y conductas erróneas y extraviadas. Usted representa la tentación. Usted ha visto cosas que los demás no han visto. Por ello debo tener cuidado. Una persona como usted dentro de mi rebaño puede resultar una bendición, no hay nada como inocular un poco de picaresca en un grupo de naturaleza pasmada, cual es nuestro caso, para despertarlo y hacerlo consciente de los peligros de dicha picaresca… O todo lo contrario: puede resultar fatal. Pero, como digo, hasta el demonio resulta útil si se le emplea como salero. Pues no existe mejor vacuna que tener al demonio de nuestro lado para dar ejemplo al resto.

-Yo no soy el demonio.

-No… por supuesto que no.

-Mire, no sé de qué está hablando.

-Quiero que me cuente todo lo que oculta para saber si su demonio es un demonio chico y por lo tanto susceptible de corrección y ejemplaridad, o un demonio grande al que debo apartar para que no contamine al resto del grupo.

-(2) Sea lo que yo sea, le aseguro que mi intención no es contaminar al resto del grupo. Solo quiero acabar con esto cuanto antes y marcharme de aquí.

-¿Su enamorada opina igual?

-Ella… (2) No. Ella… le encuentra sentido a todo esto. De alguna manera absurda, se lo encuentra. Ella… ella no sabe nada.

-¿Nada de qué?

-De lo que ocurre aquí.

-(5) ¿A qué se refiere, señor Figueroa?

-¿Eh?

-¿Qué quiere decir? ¿"Lo que ocurre aquí"?

-(1) Nada… nada.

-No me subestime, señor Figueroa…

-No lo hago.

-(-1)…no me haga perder la paciencia.

-¡¡¡Le he dicho que no sé nada!!!

-¿Qué es lo que ocurre aquí?

-(4) Escuche, ¿quiere una confesión? De acuerdo, voy a confesarme.

-No me mienta, señor Figueroa.

-No lo haré. A ver… Señor Santo, confieso que he pecado. Creo que pecar tarde me hizo pecar más. Fui siempre un chico introvertido y no descubrí la masturbación hasta los dieciséis años, aunque no se lo crea. Vivía rodeado de gente virtuosa, qué le vamos a hacer. Pero a partir del día que el onanismo se me reveló, ya nunca abandoné esa práctica. Me masturbaba día y noche, mañana y tarde. No podía dejar de hacerlo. Era un acto compulsivo. Incluso me gustaba más que la idea de copular. Después, claro, empecé a tener amantes. Sí, he tenido muchas, lo ha adivinado. Mujeres de una noche y hasta de una hora. Nunca más de una semana, en todo caso. Por supuesto, desde que soy actor la cosecha se multiplicó. La gente de mi "clase" suele incubar todo tipo de perversiones y yo no soy una excepción. Antes llevaba la cuenta de las que materialicé. He perdido noción ya del número de mujeres con las que he tirado, pero en todo caso no son menos de dos mil, y algunas al mismo tiempo. He practicado con mucha asiduidad la sodomía en mujeres y también todo tipo de sexo oral. He participado en varias orgías, cómo no, ya sabe, la gente de mi estilo, los "bohemios", para qué le voy a contar. Pero, ¿le digo una cosa curiosa? Jamás he participado de forma activa en esas orgías. Extrañamente, la presencia de otros hombres me cohibía. En todas me he limitado a mirar. Mirar y masturbarme. Consolarme siempre me ha provocado más placer, ni siquiera la boca de una hembra en el rabo me procura tanto consuelo como mi mano…

-No hace falta que entre en detalles escabrosos ni que use términos malsonantes.

-¿Pero no es eso lo que busca? ¿Detalles y términos? Le daré más. Es curioso, ¿no cree? Por muchas perras con las que haya jodido, por muchas conchas que haya cachado…

-Hable con más respeto.

-…jamás he hallado tanto placer como pajeándome. Me pajearía hasta morir, hasta sacar todo la leche de mi cuerpo y luego mi sangre. Estaría haciéndolo hasta el fin del mundo…

-Ya basta.

-¿Por qué? ¿Cree que soy un mal ejemplo, Señor Santo? ¿Cree que mis pecados son suficientemente graves para sacarme a su púlpito y exhibirme como un mal modelo de comportamiento, como un ejemplo a no seguir? ¿O cree que aún tengo que esforzarme más para llegar a ser un monstruo, un demonio de veras, al que sus acólitos puedan temer e incluso… envidiar? ¿Cree que aún no soy lo suficientemente malvado para estar a la altura de su bondad?

-¿Alguna vez lo ha hecho con hombres?

-… (9)

-¿Por qué no contesta?

-(2) ¿Sabe una cosa?

-Conteste.

-Amo a Nancy.

-Eso no es una respuesta.

-Sí lo es. Pese a todo lo que le he contado, amo a Nancy y ella es lo más importante para mí. Lo único. Ella me ha hecho… ¿cómo dicen ustedes? (1) Ah, sí, redimirme… Ella me ha redimido. ¿No le parece un gran patrón a seguir para todos sus fieles? ¿Qué vida hay más ejemplar que la mía? Yo amo a Nancy y por ella he dejado mi vida libertina atrás. Pero no aplicando el rasero de sus mentalidades pacatas y enfermizas, de la inmundicia que usted y la escoria como usted tienen en el cerebro y que les hace buscar el mal con pérfido placer malsano. He dejado mi vida de vicio porque yo lo he querido y porque ella se lo merece. Porque ella me quiere para ella sola, y yo necesito que ella me quiera. ¿Lo entiende? Yo necesito que ella me quiera. ¿Le parece una confesión digna de sus retorcidos sesos, maldito inquisidor de los demonios?

-… (10)

-¿Por qué no me contesta usted ahora? ¿Acaso le avergüenza presenciar algo tan bonito, tan bello como lo que tenemos Nancy y yo? No está acostumbrado, ¿verdad? Pues le aseguro una cosa: ni usted ni nadie va a acabar con ello. No podrá acabar con nuestro amor. Ni parapetado tras esta parodia de santurronería conseguirá hacer mella en lo que sentimos. Ni con todas sus palabras de falsa pureza, ni con sus hipócritas sermones de disfraz secular. No acabará con nosotros, porque nosotros sabemos lo que es el amor y sabremos resistir.

-… (10)

-Se ha quedado sin palabras, ¿eh?

-De veras crees que sabes lo que es el amor, ¿sí?

-¡No me tutee ni se atreva a tratarme como a uno de sus resinosos!

-Eres racista, John, ¿sí?

-Le he dicho que no me tutee.

-Eres racista, John. Te crees diferente porque tu piel es un poco más clara que la de ellos, ¿sí? Porque tu pelo no parece grasiento como el de esos "resinosos", ¿sí? Y porque tú has estudiado en una escuela privada y sabes leer, incluso te interesa leer, y a ellos no, ¿sí? No saben leer y aun así son felices. Eso te molesta, ¿sí, John? Te molesta que rían y aplaudan mis sermones, que les trate como a mis iguales, ¿sí? Que les parezcan bien las cosas que les enseño, ¿sí?

-Usted no les trata como a sus iguales, los trata con un paternalismo aborrecible, con una condescendencia abominable. Pero conmigo no le va a servir su demagogia populista. No va a conseguir nada por ahí.

-¿No, John? ¿NO? ¿O SÍ?

-… (5)

-¿Entonces, qué opinarías si te digo esto? No te atrevas a darme lecciones de moralidad ni de sacrificio, porque tú no tienes ni idea de lo que es el amor, John, ¿sí?

-… (5)

-Ni idea, hijo de puta.

-… (20)

-…Hijo de puta.

-¿Me puedo ir ya?

-Antes necesito que me contestes una última pregunta.

-… (5)

-¿A qué te referías con lo de que tu enamorada no sabía nada de lo que ocurre aquí?

-… (5)

-Respóndeme.

202

-NI IDEA, HIJO DE PUTA.

-No puede obligarme.

-No, pero entonces le preguntaré a Nancy. Quizás ella lo sepa. Y si no lo sabe, la haré sospechar de ti…

-No la involucre…

-Ya está involucrada, John. En la salud y en la enfermedad, ¿recuerdas? Ya está involucrada.

-Nancy y yo no somos como ellos, usted no puede venir a decirnos lo que hacer. No puede ordenarnos que hagamos algo y esperar que le obedezcamos como esos… perros falderos.

-Como esos resinosos, ¿sí?

-Piense lo que quiera.

-¿Qué es lo que ocurre aquí, John?

-Usted lo sabe.

-Yo lo sé, pero la pregunta es: ¿cuánto sabes tú, John?

-… (8)

-¿Cuánto?

-¡Todo! Todo, maldito verdugo.

-¿Los viste?

-Sí. Los vi y los escuché hablar de usted. De Santo Satán.

-Imbéciles.

-Así son ellos. Seguro que lo ha oído: "Uno no se puede fiar de esos malditos resinosos". Lo ha oído, ¿verdad? Seguro que lo ha dicho también. Dígalo… ¡Vamos, repítalo!

-… (10)

-¿Se ha quedado mudo de repente?

-De repente sabes que ahora tengo que matarte, ¿sí?

-¡Ja ja ja! No me haga reír. ¿Está loco? ¿Tanta reclusión le ha acabado afectando la mitra? Soy el futuro yerno del mayor Veles, el inminente Presidente de esta nación. Ni siquiera usted puede tocarme.

-Oh, sí, sí que puedo.

-No puede.

-John, no lo creerás de veras, ¿sí? ¿De veras piensas que el mayor Veles está dispuesto a dejarse embrollar en un escándalo de sexo y asesinato por culpa de su promiscuo yerno indecente que no sabe tener la pija quieta?

-… (3)

-¿De veras crees que el Mayor es tan estúpido como para arriesgar su plan político, la ambición de toda su vida por un mequetrefe pituco, malcriado y consentido que se cree la última gaseosa del desierto y cuya vida de libertinaje y depravación haría que su suegro concluya pagando con la renuncia a la Presidencia?

-… (3)

-¿De veras confías en que el Mayor no encubrirá e incluso aplaudirá cualquier desgracia que te ocurra y que oculte a la luz el saco de excrementos que es tu vida y que tarde o temprano terminaría por malograr su carrera?

-… (3)

-Si es así, no tienes ni idea de cómo razona mi querido viejo amigo el mayor Evo Veles.

-…Está fanfarroneando conmigo. No me puede amenazar. Si mi vida estuviera de verdad en juego, ¿qué me impediría matarle ahora mismo y huir?

-No, no tienes arrestos para matar, John, ¿sí? Ni siquiera en eso eres un pecador como Dios manda. Solo eres un bocón.

-Usted tampoco puede matar. Se lo impide su religión.

-Yo no mato, John. Solamente dejo que las cosas sucedan, ¿sí? Que las cosas siempre sucedan de manera favorable a mi Dios. Y el Mayor está de mi lado.

-(2) No puedo creer que usted…

-Sal de aquí, John. Sal de aquí ahora mismo y corre, pues estás en atrenzo.

-…Usted no sería capaz…

-…Corre por tu vida…

-…Ni siquiera usted se atrevería…

-…Antes de que sea…

-… Maldito beato…

-…Demasiado tarde…

-¡No!

-…¿Sí? (30) Así me gusta, John. Y ni modo te lleves a Nancy contigo, o ella también morirá.

Todo está oscuro.

3ª PARTE
LOS CERROS

CAPÍTULO 1

Motas de polvo que corren por un embaldosado gris y descuidado.

La mota se hace tamo. Gira delicado bajo el cuerpo de una mesa. Huye ante un pie balancín, que pendulea dentro de un mocasín granate, sobresaliente de una pernera teja. Su dueño está sentado sobre la mesa.

-Sí... sí... sí... sí...

Subimos con su segunda afirmación hasta que se nos permite descubrir una placa triangular al lado de la mole humana, donde hay inscritos un nombre y un título broncíneos:

AVELINO HUAMÁN
GASTROENTERÓLOGO

A la cuarta afirmación remontamos una bata blanca sobre el traje y nos damos de frente con una ancha mano –con alianza de oro– sujetando el auricular negro, el rostro tapado por ese primer término. La cabeza se adivina considerable.

-Sí... creo que has hecho bien.

El hombre en traje teja y bata blanca aprovecha que escucha y salta atinado de la mesa y cae pesadamente sobre ambos mocasines. Se encuentra en medio de un despacho con paredes pintadas de blanco y cierta austeridad mobiliaria impropia de su cargo, quizá debido a una pobre dirección artística. Continúa atendiendo por el auricular, y se entretiene yendo a un lado y luego al otro de la mesa, completando todo el radio de movilidad que el cable del aparato le consiente. Pese al tono rutinario de su voz y su expresión, no trasluce fastidio. Al caminar, nos damos cuenta de que es una de esas personas cuyo centro de gravedad no reside en el pecho, sino dentro del vientre. Su vientre es macizo, emergente, su caminar engorilado. Sus ojos, dos ojeras guasonas, en todo momento parece que ríe o ensueña ido, pero es una guasa que genera confianza y empatía. No es un hombre guapo, y empero resulta atractivo debido a su virilidad poco educada, mal constreñida en el terno. Es una virilidad urgente, arrolladora, de jefe de tribu hecho a la usanza del abuso: aparenta cincuenta años y, sin embargo, se diría el medio siglo suyo espontáneo y eterno, un estado perfecto, se nos antoja que haya tenido siempre esa edad. Ahora se nota que interrumpe:

-Ya te referí que para mí que hiciste bien, Eufemia. La mamá es lo primero. Yo recogeré a Ernestito y lo tendré conmigo todo el fin de semana, no sufras. Cuidaré de él pero no le engreiré… Lo importante es que tu vieja esté contenta ahora y prosiga estable. Avísame nomás si hay algún cambio o quieres una segunda opinión de algún colega. Yo también te quiero.

Como en casi todas las películas estadounidenses, en esta el interlocutor que vemos también cuelga sin despedirse, quizá para ahorrarnos diálogos superfluos, pese a lo expansivo de su discurso previo. Pero en esta ocasión, antes de reposar el auricular sobre su horquilla, el hombretón al que ya deberíamos haber identificado sin miedo al equívoco como Avelino Huamán apoya el orondo capirote bajo la boca, en el alféizar de la barbilla, y se mantiene así unos segundos, reflexivo. Los dientes anchos muerden la breve cornisa de su labio inferior. Luego sonríe, despidiendo los ojos un brillo audaz.

El tamo se desplaza ahora sobre las mismas baldosas, pero en otra sala, mientras de algún transistor prorrumpe un estribillo populachero: "Cuidado, cuidado, tiene a su cholo… Si te ve con ella, te rompe el alma… Tiene su marido, ¡esa chola es falsa!". Remoloncilla, la pelusita finta un zapato de charol rojo con tacón alto y sin puntera, calzado por un pie de admirables uñas diamantinas, con el mismo matiz de rojo, que talonea sin riendas. Presentimos que quien chismorrea con gracejo de descarada es su dueña (se intercalan risas femeninas de pelaje cómplice):

-…Y ahí estaba yo, queridas, con mis tacos de dose, toda rufla frente al churro, el muy chato me llegaba a la nues de Adán. ¿Qué más queríais que hisiera? Se lo puse más fásil imposible y el menso no fue capás de alcansarme un beso.

Preferimos la risa de sus compañeras para brincar desde el zapato y nos aupamos a la altura de la propietaria. Se trata de una chica de unos veintidós años a lo sumo, esbelta y algo mofletuda, con ojotes somnolientos de deseo y naricita afectuosa. Su boca es lo más pilluelo de la irresistible cara, y sus pezones respingones lo más perspicaz de su cuerpo, que la risa sacude al secundar las risas permisivas de sus tres amigas. Todas son jóvenes, todas opulentas de carnes. Las cuatro sentadas a una mesa depauperada de formica blanca, en el centro de una oficina de trabajo, rodeadas de varios mostradores de consulta frente a puertas de despacho, con sus batas holgadas y sus maneras humildes y jocosas de secretarias, haciendo ver que comen de sendas tarteras metálicas un arroz con frijoles y sucedáneos. Alguna juega con una tira de formica desapegada.

-Pero Empe, ¿y no te diste el gustaso de bajar tú un palmo, pues? —tercia la más veterana.

-¡No! ¿Estás demen? ¡Se me tenía que ganar! —todas asienten, conformes con la línea dura de tal política machista—. Tremenda boba si no. Además, bastante condessendí yo con el roche que me daba sacarle toda la cabesa. Que hasta el sebo le veía. Pero entonses llegó lo mejor…

A espaldas de la relatora, un interfono del mostrador comienza a zumbar al tiempo que se enciende una luz colorada en su apabullado diseño de protuberancias plastificadas. Ninguna le presta atención. La chica baja la voz.

-…A lo que sí llegaba era a sus partes…

Todas cacarean, excitadas. Un par lleva la mano a sus bocas arroceras con granos teñidos de carmín. El otro par aprieta los ojos, como anticipando lo mejor, como queriendo ver con mayor nitidez lo que se va a escuchar.

-…Ya que él no me tocaba le toqué yo, a lo malcriada, y os repito que esto a mí no me ha ocurrido nunca, los varones a mí se me engallan de lo lindo… ¡pero a él no se le paró! ¡Y eso que estuve largo!

Un nuevo pico en el estallido de risas. El interfono es el único allí en ruborizarse. Ellas siguen ignorándolo.

-¿Entonses, Empe, le frotaste bien? —se entromete la más ingenua.

-¡Le froté hasta que me escosió! —ahora sus pupilas se dilatan con falso candor—.

Por ensima del pantalón, eso sí… Porque por muy brichera y chabacanota que una ande, allí en medio de la discoteca no se me da a mí por…

-¡Noooo! —socorre la más puta.

La puerta blanca del fondo se abre de golpe. Como un mamífero a la carga, el doctor Avelino Huamán irrumpe balanceando el imperio de su vientre poderoso, la despejada frente arrugada en pliegues obscenos.

-¡Señorita Emperatriz, se puede saber por qué santa causa no contesta cuando la llamo!

Como un imán de efecto revertido, las tres asustadas amigas repelen sus auras de la mentada, la cual por su parte espanta los ojos y afecta la voz para enfrentarse al gastroenterólogo; las demás se concentran en el contenido de sus tarteras, ella también señala la suya:

-Doctor Huamán, es mi hora del lonchesito.

-¡Pues cuando yo la llamo, usted deja la lonchera o lo que tenga entre manos… —la experimentada del grupo se atraganta con el arroz. Las demás disimulan el chiste privado— …y se viene al toque a ver qué es lo que quiero o necesito! ¡¿Me entiende?!

-Sí, doctor Huamán, pero… —insiste en alegar Emperatriz.

-¡Ni pero ni sandeces! —replica el doctor, ya más sereno no obstante al haber impuesto su criterio—. Acaban de llamarme de la Universidad Católica. Necesitan que acuda ahora mismo a recoger mi conferencia del pasado julio sobre el colon espasmódico. Yo tengo una consulta urgente en la zona alta y no me va de camino. Salga andandito ahorita, a hacer el trámite.

-Sí, doctor Huamán.

-¡Y dejen ya de chismear como viejas pendejas! ¡Están en un hospital, no en una conferencia de porteras bigotudas!

El doctor Huamán concluye su estampida traspasando unas dobles puertas que intenta soltar con estrépito: pero el tirante muelle de cada bisagra aminora la rotundidad de su último tramo de cierre. A solas, las secretarias hacen trueque de miradas, impresionadas por la entrada y salida del personaje.

-Menudo carácter se gasta tu jefesito… —principia la menos tímida.

-No sé cómo toleras, Emperatrisita —media la menos parca.

-A mí se me agrió el almuerso… —lapida la menos necia.

-Es sierto que chambear para él es un arrós con mango. Que sea el médico más prestigioso del país no le da derecho a despresiarme así… –concede la bella Emperatriz–. ¿Pero qué puedo haser? Aguantar como mensa. Otras querrían estar en mi lugar –por lo que se desprende de sus sonrisas a destiempo, todas se dan por aludidas–. Aunque si les digo la verdad y siendo sinsera –sus amigas vuelven a compartir auras, sutiles, pendientes, irresponsables–, ese doctor y yo nos odiamos a muerte desde hase un chupo de tiempo. Un día le daré su meresido al muy faltoso…

La imagen de las cuatro confabuladoras solidarias es sustituida sin mediar pausa dramática por la de un sencillo rótulo de hojalata sobre una columna de hormigón crudo; rótulo en el que se lee: EN CASO DE SISMO, SITÚESE BAJO LA VIGA MAESTRA. Nos trasladamos lateralmente, entre varios modelos de coches moderadamente lujosos, ordenados en hilera, en la penumbra estereotípica de un aparcamiento subterráneo. El frente de uno de los autos, un BMW de plateada carrocería, se mece ligeramente. En su interior, un hombre y una mujer se morrean a lo bruto, como si fuera la primera vez o la primera en mucho tiempo.

Suenan las notas de un órgano eléctrico de suntuosa progresión, evocadoras de himnos sensuales de Pierre Bachelet o Francis Lai.*

Al aproximarnos se separan, para otorgarnos el privilegio de conocer de primera mano sus identidades: el doctor Avelino Huamán, siempre en su traje teja de entrepierna movediza, y la señorita Emperatriz. Ambos recobran el aliento prendiendo un cigarrillo, táctica típica tras un primer asalto de reconocimiento. Los labios resplandecen de saliva ajena.

-Hoy has estado brillante, Ave –le felicita la perdida.

-Y tú has estado perversa, Empe –le constata el adúltero–. Otra raya más al tigre… ¿Crees que sospecharán?

-No te preocupes –ríe ella casi con crueldad alcahueta, con una impiedad inaudita en genes no anglosajones–. Estoy segura de que todas fantasean con la idea. Pero ni la más puta se arriesgaría a confiarme una sospecha así. Les aterra que yo las ridiculise. Saben que no me callaría lo ofendido.

-Desgraciadas –injuria el doctor, inevitablemente afligido, como si la psicología femenina en bloque fuera la causante de penares íntimos.

-No las maldigas, son mis amigas. Son buenas… –se corrige–. Serían buenas si no tuvieran miedo.

*Rainer se refiere a dos compositores de bandas sonoras, célebres por musicar éxitos del cine erótico francés más difuminado y pegajoso, muy al alza en estos tiempos, como Emmanuelle o Bilitis. (Nota de Jonas Reinhardt)

Vuelven a besarse, el beso más reposado, medido, sin frenesí, que preambula la partida. Ella tiene ganas, pero el doctor Huamán la aparta de sí y le/nos informa:

–Tenemos todo el fin de semana para nosotros solos.

Enciende el motor y el BMW se pone en marcha con la eficacia de la mejor toma, encarando la salida. En off oímos la voz del doctor, lastrada con pesadumbre.

–Lo único malo es que mi hijito estará con nosotros.

–Adoro a los niños –asegura cantarina la voz de ella, contradiciéndole en cierto sentido.

Cambiamos de escenario a una calle céntrica, imaginamos, a juzgar por el tráfico y los conductores en vestuario de oficinistas y empresarios. El BMW queda atrapado en un embudo de autos. Tras repiquetear el claxon con la injustificada impaciencia de sus paisanos, el doctor Huamán decide saltarse el atasco, embocando el margen de la calzada, lo que implica orillar parte de la acera.

–Cuida que arrollas la vereda –advierte Emperatriz.

Antes de llegar a un cruce principal, una figura humana se interpone frente al coche: de pie en el centro del pavimento, un guardia de seguridad uniformado con metralleta y gorra caladas les obliga a frenar de golpe, una mano extendida en alto, sin desviar el cañón del arma del parabrisas. No dice palabra, solo mira con la insolencia de la impunidad.

–¡Pucha! –profiere Emperatriz, patitiesa de que esta vez su belleza no le dé patente de corso–. ¿Quién es ese guachimán?

Antes de que el doctor pueda liderar queja alguna, otro grupo de agentes de seguridad, pistolas y subfusiles en ristre, cruza en corro espinado enverdiendo una silueta pequeña vestida de negro. El hombre protegido tropieza y una brecha en el muro humano nos viene como anillo al dedo para reconocerlo. Ahora ojea en dirección al BMW, a solo dos metros.

–¡Mierda! –exclama esta vez, sin eufemismo alguno, el doctor Huamán, al tiempo que se frota la cara con una mano, tratando evidentemente de atrincherar sus facciones–. El mayor Veles.

–¿No quieres que te reconosca? –le interroga la amante.

–No me apetece ir ofreciendo un flanco desnudo a gente con más poder que yo –justifica el doctor–. Es una invitación a la extorsión. Tú eres mi punto flaco.

El mayor Veles enfoca con los suyos los ojos entornados del doctor, se diría que le ha identificado e incluso que le ha escuchado o leído sus labios y que tal parecer le

-¡MIERDA! -EXCLAMA ESTA VEZ, SIN EUFEMISMO ALGUNO, EL DOCTOR HUAMÁN, AL TIEMPO QUE SE FROTA LA CARA CON UNA MANO, TRATANDO EVIDENTEMENTE DE ATRINCHERAR SUS FACCIONES-. EL MAYOR VELES.

parece de lo más juicioso; pero al fin deja vagar la vista por alturas inconexas con él y el doctorcito, como si asuntos de fuerza mayor guiaran su voluntad en ese preciso momento, el aire despistado y menos marrullero.

-Algo ha ocurrido –comparte el doctor Huamán, y ya vuelve a ser el hombre seguro de sí, cautivante y acentuadamente socarrón a quien habíamos sido presentados. Ahora sigue con la vista la dirección que toma el séquito policial en torno a Veles, mientras baja la ventanilla de su lado para procurarse fresco–. Va hacia el convento de San Francisco.

-¿Habrá ocurrido algo? –retoriza Emperatriz–. ¿Qué habrá ocurrido?

El mayor Veles penetra en la nave principal del convento, apastelado y convexo como un edificio de nubes de azúcar, por un vano semioculto en una arcada. Varios agentes hacen guardia allí, la pose arrogante, el ánimo listo a localizar emboscadas susceptibles de desbarate. Lejana una vieja frente a un tenderete les observa, luego la mirada zascandilea aleatoria: al fin nos ha descubierto y la fija en nosotros sin comprender nada. Cuando se da cuenta de qué es aquello, agita la mano indiscreta, saludando quién sabe si para su familia emigrada.

El tránsito se desemboza. El doctor Huamán se reincorpora a la marcha, ahora súbitamente tranquilizado, discreto, aunque en la mecánica de aquel estilo de conducción nacional el avance tranquilo y discreto suponga, suponemos, la manera más rápida y efectiva de llamar la atención. Su brazo izquierdo sobresale por la ventanilla, acaricia el lomo de su máquina, como si apaciguara el animal que ambos llevan dentro.

-¿Por qué no esperas un toque? –le espeta Emperatriz, ahora intrigada.

-Salgamos de aquí –le zanja el doctor–. Esto no nos incumbe. Una cosa grave le ha pasado al Mayor, le conozco bien.

El BMW avanza con talante de tiburón. El doctor se asegura cuidadosamente de salir airoso del bache circulatorio, de que no va a sufrir un accidente imprevisto que le retenga más tiempo allí, en aquella zona de crisis, en aquel emplazamiento donde resultaría perjudicial rondar exhibiendo las partes vulnerables. Su mano asomada palmea una y otra vez la portezuela del auto.

-¿Por qué manejas tan despasito? –y sin respirar–. El Mayorsito tiene su qué –lo dice una muchacha que parece capaz de sacarle su qué a un poste de la luz si pone las suficientes ganas–. Siempre preferí los machos ya hechos…

El doctor Huamán no se permite ni la insinuación de un celo, ni un juego de reproche. Sigue atento a las cercanías, borrascoso, tenso. En la esquina rebasa un contenedor de basura endosado entre matorrales. Hay movimiento allí. Sobre el césped dormita un vagabundo de ropaje apelmazado, la mirada obcecada en la derrota. La mano del doctor es ahora un muñeco que se autolesiona contra la chapa del coche.

-¿Qué susede ahí? —curiosea Emperatriz, señalando los arbustos bailones.

-Como poco, algún desocupado con una revista chicha —teoriza el doctor.

El coche enfila la avenida central, principio del destapone, y Huamán se dispone a hundir el pie en el acelerador para correr por libre, cuando el arbusto se parte en dos y dos figuras se precipitan sobre su BMW, asiéndole la mano nerviosa que ya se ufanaba al entrar en territorio seguro, estirándola hacia abajo por fuera del vehículo y arrimando el filo de una botella rota contra su cuello.

Unas manos zarrapastrosas aterrizan sobre los relucientes cristales del parabrisas, induciendo la amarillez de su rostro y un respingo espantado de su compañera. Las manos desparramadas son femeninas. Una voz de hombre restalla:

-¡Alto, alto! —y tras el primer susto, se oye lo siguiente—. Por favor, tiene que sacarnos de aquí.

Quien le amenaza con el filo de cristal en la carótida es un sudoroso John. A su lado, una irreconocible Nancy recupera el resuello con las sucias palmas apoyadas en el auto. Los dos visten un blanco rastrero, parecen astronautas recién supervivientes de un mal alucinaje.

-¿Usted...? Usted es el hombre del anunsio de chela... —acierta Emperatriz sin sosiego visible, señalando a John y su botella de cerveza rota.

El doctor Huamán trasuda, traga saliva y el cristal se hunde más*.

---

*La tardía aparición de John y Nancy, sin que se haga pormenor explícito de su huida, hace sospechar que bien pudiera faltar algo de metraje en este segmento, o que sus responsables decidieron acometer una audacísima elipsis. Ambas explicaciones son plausibles, si bien no simultáneamente. (NdT)**

Bien pudiera ser que Rainer Nögler utilizase esta nota —caso de que sea el inventor y no el transcriptor de esta historia, como él pretende— a pie de página para disculpar su falta de imaginación y su impericia narrativa. (Nota de Jonas Reinhardt)*

***Recordar memorizado de esta gilipollez para que el gorrino del Presidente intente entender de una vez por todas qué es un concepto metalingüístico. (Nota a mano y tachada del Restaurador del Libro)

CAPÍTULO 2

-**P**arece que su yerno encubría más pecados de los que podía soportar.

Quien así habla es el Señor Santo, de pie frente a nosotros, en su improvisado cuartelillo de recogimiento. A su espalda, el mayor Veles le vigila, irritado, también de pie, el aspecto severo, por una vez indomado por las leyes de la corrección diplomática.

-Eso no es una respuesta –sisea Veles–. No me satizfase.

Santo da media vuelta hacia su interlocutor. Una brizna de superioridad revolotea tras los lentes. Quizá consciente de ello, retira las gafas y aprovecha el ademán para restregarse los ojos, quizá con la idea de rehuir la mirada del otro.

-Su yerno, Mayor, ha huido del Acondicionamiento y del recinto del Convento. Ha huido. Está involucrado en un asesinato pasional. Un antiguo amante algo… chinche.

Nada denota cambio alguno de actitud en la máscara pétrea del Mayor. Puede que el actor haya oído ya la frase muchas veces y no reaccione, puede que un personaje así no se sienta afectado por nada de lo que pueda oír, por trágico que sea.

-¿Y qué tiene que ver mi hija? –la máscara, contra todo pronóstico, mueve los labios.

-Ella nada, al parecer. Pero de todas formas se conoce que se la ha llevado consigo –el Señor Santo recoloca las gafas y se acerca amable e interesado, de nuevo desplegando ese sutil encanto manipulador que tanto éxito le procura con las masas, tentando su aplicación gratuita al Mayor–. Estamos buscando por todos sitios, ¿sí?

El Mayor comienza a leer en el aire las posibles consecuencias políticas del escándalo.

-No se desvele –le porfía el Señor Santo–. Haremos lo imposible por capturarlos sin daño alguno. De momento, solo unos pocos sabemos del crimen. Creo que todos podremos callar por el bien de esta comunidad y también de la propia nación. Aunque lo que ha hecho ese joven es muy grave...

-¡Nesecito que a ella no le ocurra nada! –estalla por fin la vena paternal del tirano–. No me importa lo que le pase a ese insensato. Pero a ella no le toquen un pelo –luego, más calmado–. Pueden contar con la colaboración total de mis senturiónez de la Guardia Personal y mis soldaditos.

-Oh, no hace falta. Dispongo de los hombres más apropiados para actuar discretamente. Los uniformes son una forma innecesaria de llamar la atención...

El mayor Veles se ha desplazado hasta la pared donde cuelga el cuadro de La última cena, escuchando atento al Señor Santo o simplemente extraviado en sus pensamientos. Sus ojos se activan, tras un instante divagantes por el espacio, en el punto carmesí de la pintura que acusa la presencia de aquel extraño comensal autoinvitado.

-¿Qué clase de siniestra broma es esta? –pregunta, cabalmente ofendido.

-¿A qué se refiere? Ah, eso... –responde el Señor Santo, reconvertido de nuevo en el vasallo fiel, algo apocado y falsamente inofensivo, un camuflaje al que no nos tiene acostumbrados–. Ya sabe, la moda filosófica de la necesidad de los dos opuestos. Ello, sumado al justamente famoso sentido del humor local...

-Tonterías. Esto es una herejía –el Mayor se vuelve hacia la puerta de salida sin más ceremonia–. Quémelo.

El Señor Santo asiente, y aunque el otro no le mira ya, no ve imprescindible afirmar palabra. El mayor Veles se para en el umbral de la puerta, meditabundo. Luego añade, sin dar la cara, su espalda negra más intimidante que su negra faz:

-Actúe con buen juicio, Señor Santo. Este zuzezo, crimen, lo que sea, debe

-¿QUÉ CLASE DE SINIESTRA BROMA ES ÉSTA?

quedar tapadito entre nosotros. Aún hay tiempo de que no trazsienda. Encuentre a John y a Nancy con vida. A los dos.

El Señor Santo sonríe estudiando la nuca de Veles, ahora todo el desprecio del mundo aflora sin matices en sus ojos de huevo tajado.

De pronto, la nuca del mayor Veles, como si hubiera advertido ese desprecio, se pone a hablar:

—Y una cosa más. Le creo y creo en sus palabras. Espero que los ubique y zolusione este desaguisado. Pero si averiguo que el desaguisado es suyo, prepárese para lo peor.

El desprecio se transforma en odio sin término medio.

—¿Adónde se dirigían?

La pregunta de John ha sido pronunciada un segundo antes de que se cerrase la secuencia anterior, a modo de engarce con esta. Regresamos al BMW conducido por el doctor Avelino Huamán, con la señorita Emperatriz a su lado y John y Nancy detrás, el modelo de anuncios inclinado ansioso contra los respaldos de piel sintética de los asientos delanteros, muñequeando sin recordar su función el embudo dentado de la botella.

—A recoger a su hijo.

—A un telo.

Huamán y Emperatriz han contestado a la vez y con el mismo apresuramiento, pero se les ha entendido perfectamente, para desgracia del primero, que se muerde el labio y fulmina con ojos de rencor los retrecheros de su amante.

—A un hotel. Queríamos estar juntos… y solos —elabora él.

—¿Dónde iba a recogerlo? —le espeta John, que no ha mordido el anzuelo de su respuesta falaz.

Huamán ya no contesta.

—¿Qué importa, Ave? —le intenta atemperar su copiloto—. Nos han prometido que no nos mancarán.

—No les haremos daño —garantiza John—. A ninguno. Solo requerimos de un sitio donde escondernos unos días, hasta saber qué hacer.

A todo esto, Nancy observa a John en silencio. Sospechamos que no acaba de estar muy conforme con el cariz aventurero que está tomando el asunto, como pronto confirmaremos.

-Es ahí –señala Emperatriz, al tiempo que el coche pierde fuelle y estaciona a unos veinte metros de un colegio de educación primaria. Vemos su fachada de piedra desbastada y recién pintada de color mandarina, y unas letras en altorrelieve de latón que rezan:

COLEGIO PRIVADO
JOHN F. KENNEDY

Una verja de lanzas negras acorrala el recinto. Frente a la entrada, varios niños vestidos con camisa blanca, chaqueta y pantalones cortos o faldas plisadas azules aguardan sorprendentemente aquietados. Se nos destaca a uno de ellos, de una decena de años: bajito, rechoncho, tupé negro como la suerte y ojos inteligentes y angustiados, de sufridor nato. Lleva la chaqueta suelta, encaramada al hombro encamisado. La piel esplende, el sol turbio no perdona. También tiene los iris azules, poniendo de relieve la excesiva abundancia de actores no latinos o no enteramente latinos.

-Ahí está –avisa Emperatriz.

-No le pasará nada, se lo prometí –promete John.

El doctor Huamán no responde, no le mira. Por influencia empática, su figura se crece ante nosotros, así como su atractivo personal. Sus ojos semiinvisibles en las dos sajas aún se afanan por acopiar serenidad y buen humor, pero los despellejes del estrecho labio inferior traicionan su inquietud. Despierta la sensación de que él solo y desarmado podría reducir a diez como John, y que pese a ello se comporta como un ser humano pacífico y razonable. Contemporiza por fin, regalando la buena fe del que no tiene opciones, abre la portezuela de su lado y allá avanza el tiparrón hacia el portalón del colegio con su seductora zancada de hombre de peso.

-Ernestito… –el niño ya le ha avizorado antes de que le llame, pero Avelino parece querer comunicarle el estado de las cosas por su tono de voz–. Ernestito, ven aquí…

Ernestito está feliz de ver a su padre. Se enjuga el belfo y abraza la panza al doctor, que se dobla hacia él, afectuoso, plantando una de sus rocosas manos en el hombrito despojado, una manaza poco apropiada a ojos atentos para encarnar la de cualquier cirujano prestigioso o no.

-Mira, Ernestito, son ya un cuarto para las tres, vamos a ir a casa. Vienen unos amigos con nosotros. Son un poco estrafalarios, pero tú no les hagas caso, en el fondo están bien –reojea el auto, como mojón de amenaza incierta, pero no distinguimos a sus ocupantes–. Mira esto...

El doctor Huamán extrae del bolsillo interior de su chaqueta una cartera de piel marrón brillante, reluciente de nueva. Extrae a su vez de la cartera un billete crujiente de cien dólares. Con cuidado y esmero lo deposita en la mano de Ernestito. Acerca más su jetón al hablarle. Tiene un rostro grande como el de un tótem, ojos como chiribitas, nariz de tejadillo aplastado, boca grande, piel movediza. ¿Por qué me parecerá tan guapo?

-Es para ti. En el carro también espera Emperatriz, una amiga de papá. Quiero que seas bueno con ella y que te portes bien. Y que después no le digas nada de ella a mamá. Ni la menciones.

Ernestito asiente. Parece que ya se conoce la matraca.

Mientras caminan de la mano hacia el BMW, oímos la voz del chico:

-No hace falta que me pagues. No le voy a decir nada igualmente.

El doctor Huamán posa su mano gigante, como un cobertor de reproches, sobre la cabeza también considerable de su niño. Es un gesto tierno, también triste. Es como si lamentara ser así.

Cuando entran en el coche, Ernestito se encaja diligentemente entre Emperatriz y su padre en un abrir y cerrar de portezuelas; pero a John y Nancy los sorprendemos en plena discusión:

-No, no me lo debes de haber explicado bien, porque sigo sin entenderlo –dice desidiosa Nancy.

-Concha de... –apunta John, antes de optar por embarcarse en una nueva explicación–. Te lo he dicho mil veces. He sido testigo de un asesinato, un asesinato a sangre fría ordenado por ese cojudo que nos está impartiendo clases morales sobre el buen funcionamiento de la pareja. Ese hombre es amigo íntimo de tu padre.

-No creo que tal detalle sea razón suficiente para no acudir a él –discurre Nancy, con esa ligereza de tono propia de una niña listilla de papá que no puede simular ni queriéndolo, porque nunca se ha visto obligada a quererlo, sus orígenes de familia bien y la vida regalada que ha llevado.

-Discrepo. Por el momento, lo es –dictamina inflexible John–. No podemos arriesgarnos hasta que no sepamos qué se filtra del asunto. Primero debemos saber a qué atenernos. Y debemos ocultarnos.

-¡Oh, qué sonsera! –protesta su novia, en un momento donde interesa recalcar cierta privilegiada estultez de su educación elitista, como demuestran la poca sutileza y escasa ecuanimidad con que le han escogido sus frases.

El doctor Huamán, que ha permanecido inmóvil y neutral durante este inciso de diálogo, contempla a John por el espejo retrovisor y sonríe, iniciativa reveladora de que comprende el dramático trance por el que están pasando. Luego, intercambia una nueva mirada con su hijo, esta vez de mutua confortación. Ernestito observa a su padre con madurez insólita, entre asombrado y al cargo.

-Si solo buscan un refugio por dos días, yo les ayudaré –intercede el doctor Huamán, con la precaución con que acometería a buen seguro una intervención a corazón abierto–. Pero júreme que no volverá a amenazarnos con eso.

Por "eso" se refiere a la botella rota. John repara en el gollete afilado, se diría atónito ante sí mismo. Baja la ventanilla de su lado y lo arroja.

-Perdóneme.

El doctor Huamán asiente agradecido y arranca.

El BMW se suma al tránsito benévolo a aquella hora: imposible situarla con exactitud, podríamos calcular en efecto, por el imperceptible declive del sol y la leve obturación lumínica de la imagen, las tres de la tarde.

El auto recorre calles amplias con apariencia de conducir a las afueras, en cada nuevo plano los tramos más despejados. La concisión niquelada del chasis resalta entre tanto coche de tres al cuarto, imposible despistarlo entre los desvencijados demás. El sol rojo se difumina con la porquería del aire, la polución satura el rubí de su cutis imposible de mirar a los ojos, creando un efecto de flou que lo suaviza, que lo melodramatiza convenientemente.

Al fondo, una cadena de cerros de arenisca envuelve la comunidad urbana. Los vemos con más detalle: están recortados como las pirámides truncas de gloriosos imperios olvidados de la América precolonial, pero en esta ocasión lo majestuoso se diluye en lo precario. El color diarreico de las colinas, sus peldaños horadados a toscas tarascadas, el acumule de escombros a los lados, las avenidas ascendentes cercadas por casetas de conglomerado y piedra donde un jergón solo puede caber de pie, el tutelaje insuficiente e infame de unos quebradizos postes de luz eléctrica, la repetición infinita de esa pauta musical que hace escala en todas las lomas hasta lontananza –la partitura de la miseria –, el polvo disoluto que todo lo baña y echa a perder, el desvaído firmamento indican que nos internamos en andurriales poco deseables, nada felices.

A vista de pájaro, da la impresión de que todo lo que sale de la ciudad ha de pasar por allí.

Desde la perspectiva inmediata del BMW, el aire en rededor es cada vez más libre, cada edificio es más bajo y distante que el anterior. Volvemos al punto de vista de John y Nancy, un poco de uñas aún: cada uno mira por su ventanilla más próxima, como medio de impedir enredarse en nueva disputa, y poco a poco se olvidan de todo lo que no es lo que se exhibe cristal a través: emparcelado, el polvo empieza a ser más taciturno, las aceras más estrechas, las gentes más visibles en los zaguanes junto a sus casas y establecimientos inestables, el acabado colectivo menos cotizado.

Hay miradas de población genuina, aquí no actúan profesionales contratados: hembras chiquitas, enjoyadas por cuatro trapos hollinados, bebé embebido a la espalda pendiendo cual bota de vino, se vuelven al paso del auto sin desalojar su rictus de esfuerzo perenne, sin ocurrírseles siquiera que alguien pueda pasar por ellas; machos dejados, los miembros sin presión de voluntad, se apoyan junto a la entrada del comedero de turno, disipadores de ruina, desmintiendo con sus costillas marcadas la sustancia del menú de cuatro soles que anuncia con tiza desafecta el caldo de gallina y la pachamanca; crías semidesnudas, en camisetas deshechas camisones, saltan descalzas con sus cabellos ondeando el color de su Infierno, para otear algún detalle de aquel coche lujoso que parece haberse equivocado de realidad y, quizá, desear que uno así las atropelle, las mate o las lleve: debe ser lindo morir arrolladas por un coche bacán; las viejas no se vuelven, son piedras. Como las que fijan los frágiles techos de calamina, las piedras y las viejas son lo único perdurable en un marco de provisionalidad eterna.

-¿Adónde vamos? –tantea Nancy. Ahora la más nerviosa de aquel BMW es ella.

-A Chaclacayo –concisa el doctor, y suena como si no fueran de recibo más aclaraciones.

DEBE SER LINDO MORIR ARROLLADAS POR UN COCHE BACÁN...

Los costados de la carretera se enlodan, el cieno va ganando terreno. Bordean una línea paralela de tenderetes de fruta colorista y zumos nutritivos, más nutridos y más coloridos conforme se aproximan a una encrucijada de caminos locales. Abundan los niños, abunda la escasez. La pobreza dota de vida aquellas gentes andarinas que no miran con miedo o reproche ni cuando el coche las roza al cruzar. El doctor, parece que acostumbrado a trayecto y a entorno, no disminuye velocidad. John y Nancy respetan el silencio, puede que sepan que cualquier cosa que digan sería baladí. Emperatriz juega con la oreja de Ernestito, parece que ve algo por el retrovisor, pero solo clava la vista en un mal remate de rímel.

La carretera se prolonga recta y decidida hasta hincarse en la lejanía, inalcanzable, como si tanta extensión de pista no fuera suficiente para amnistiar al forastero, librándole pronto de aquella atmósfera cargada de agonía humana.

-A partir de la próxima curva se acabó el concreto, así que tendrán que agarrarse –informa el doctor Huamán, casi gozoso, borbotando su animalidad en el ímpetu con que hunde el pie sobre el acelerador.

El BMW apura el firme de la carretera. La faja de cemento se ensancha con la acometida del vehículo, la curva cerrada se distiende con la connivencia de las cañadas, que también abren sus muslos rocosos para que la comitiva pueda penetrar en otro mundo.

Una silueta uniformada y de a pie contraviene el paraje inhabitado antes de enhebrar la nueva recta. Es una figura calma, quieta, con esa tranquilidad marsupial que tienen los hombres de la Ley, porque saben que lo tienen todo a favor y que las prisas siempre son el patrimonio del criminal. Hace señas al BMW y crece conforme este desacelera. La condecorada moto del agente de policía pace en un rincón de la cuneta. El coche se detiene justo cuando la carretera se iba a hacer el camino de tierra prometido.

-Mierda –valora el doctor.

-¿Será un control para capturarnos? –acucia John sosainas, quien desmerece ya demasiado tiempo en un rol poco lucido–. Quizá hizo mal en sobreparar.

-Qué va, no seas pánfilo –el doctor controla por el espejo retrovisor cómo el agente se acerca parsimonioso hacia el coche, hacia su costado. A continuación saca unos documentos plastificados de la guantera–. Este lleva ahí un buen rato buscando presa. Es mejor que negocie a solas con él.

Y sin agregar palabra, con una agilidad impropia, salta del BMW e intercepta al policía a media trayectoria. John se alarma y mira a Ernestito, quien no ha dicho ni mu: adivinamos que el héroe piensa que si el doctor ha confiado allí dentro a su hijo, a riesgo de que John pueda amenazarle o incluso matarlo, es que no tiene intención de delatarles. Pero no las tiene todas consigo, a juzgar por el tiriteo con que se rebulle en el asiento y las atropelladas tentativas de encontrar el mejor parapeto tras el que espiar por el parabrisas trasero. Nancy le imita, algo lerda, automática, poco convincente y un tanto fuera de papel.

-Te conosco, mosco –refranea Emperatriz, más entonada, sin apartar los ojos maldicientes del agente entrometido.

Ahora nos vamos un momento con el policía y el doctor Huamán:

-Tenga buenas tardes, señorsito –aborda el agente, su aura de autoridad bien delimitada en torno al budesco cuerpo, la piel más reluciente y marrón que su uniforme arrugado y marrón–. Me permite su brevete.

El doctor le tiende la funda de plástico. El agente la abre y hace como que examina diligente los papeles de dentro.

-Hum… –parece impresionado–. Señor Avelino Huamán…

-Doctor –institucionaliza Huamán, tal vez como aviso de que no piensa pasar ni una por alto–. ¿Y su nombre es…?

-Doctorsito –banderillea sonriente el agente acusica–. Le tomó gusto al timón. He visto cómo su carro tomaba esta curva a bastante más velosidad de la autorisada.

-¿De veras?

-Así es, doctor. Eso implica que le puedo inhabilitar el permiso de manejar durante un buen tiempo, quisás un año entero, incluso. No sé si se da cuenta de lo grave de la falta.

-No, dígamelo usted.

-Manejaba lo menos a siento ochenta por hora.

El doctor Huamán da media vuelta para vigilar el coche, fastidiado. Una brisa despega hilachos negros de su cabeza, los riza y desaliña, puro oleaje de pelo, embruteciendo su aspecto, agravando su peligro potencial. Descubre la cabecita sobresaliente de su niño entre asientos, la expectativa atemorizada, pronta a la reacción violenta, de John, el desconcierto de Nancy… El doctor se encara con el policía, le rodea los hombros con su macizo brazo y lo arrastra unos metros hacia el nacimiento de la colina que les abriga.

-Mierda –barrunta ahora John, asustado ante lo que pueda significar esa búsqueda de espacio íntimo por parte de su rehén–. Se lo va a decir, me juego el pellejo.

-¿Tú crees? –objeta incrédula Nancy, ni remotamente tan involucrada emocionalmente como su novio–. Y si es así, ¿qué? No hemos hecho nada malo, quizá ya vaya siendo hora de…

-¡Calla! –se impone John, apostándose para escuchar, pero a aquella distancia imposible. El doctor y el policía se giran y les miran al unísono: John, histérico, rebusca en sus asientos–. ¿Dónde puse el gollete?

Pero no da con nada.

-¿Buscas esto, intenso? –Emperatriz retiene la botella rota entre el índice y el pulgar, en un ostentoso gesto de connotación obscena. Antes de recibir una respuesta, lanza el cristal por el hueco de la ventanilla bajada del conductor*.

-¡Carajo! –reniega John, y parece a punto de abalanzarse sobre la joven secretaria con pretensiones poco nobles.

-¡Espera! –la mano de Nancy sobre su hombro le refrena–. Ya se vienen.

En realidad, solo reaparece el Doctor. Antes de volver a entrar en el coche, nos da la espalda y levanta la mano en forma de saludo cordial. El agente, asomado tras un terrón desprendido en la cuneta, le corresponde por el mismo procedimiento afable.

El doctor Huamán se sienta frente al volante, cierra la puerta y acciona el contacto. El BMW se reincorpora al camino de tierra seca, Huamán sube la ventanilla en cuanto es consciente. Luego recuerda y le pasa el brevete a su hijo. El coche se remece por la ruta como piel de forúnculos.

-Guárdalo donde estaba –le manda, cariñoso.

-¿Y bien? –le anima John, que aún retrasa la cabeza para echar desconfiados e impetuosos vistazos al policía, quien permanece de pie al borde de la carretera, como si nada, como si algo no hubiera ocurrido–. ¿Qué ha pasado?

El doctor Huamán conduce y relata con la misma dificultad, su osamenta oscila al alimón con su auto.

*Como cualquier lector medianamente despierto observaría, es imposible que John continúe en poder del fragmento afilado de botella, pues lo arrojó minutos antes por la ventanilla, en este mismo capítulo. Ergo tampoco tiene sentido que obre en manos de Emperatriz ¿Error de Rainer? ¿Error de la propia película? (Nota de Jonas Reinhardt)

-Lo que imaginaba… El fulano lleva ahí toda la tarde.

-¿No nos buscaba? —anhela saber Nancy.

El doctor sacude la testa, no se sabe si por las movedizas circunstancias o como terminante mentís.

-Ese lo único que busca es quitarle la plata a los que pasan por aquí. Sabe que esta curva todo el mundo la cruza veloz. Me ha confesado que hoy ya lleva catorce retenidos a los que ha recolectado.

-¿Le pagaste algo al infelís? No te vi darle nada —interviene Emperatriz, acariciando sus carnositas y bien torneadas fosas nasales y respirando sonoramente, puede que para destaponarlas.

-¿No corría usted el riesgo de ser arrestado por ofrecerle dinero? —se va por peteneras John, como si fuera un turista extranjero o un médium del espectador.

-Ese no tiene arrestos de arrestar a nadie —diagnostica el doctor—. Solo quiere dinero. Por supuesto amenaza con la detención, con retirar el brevete… No hace nada de eso, aunque sabe que puede hacerlo.

-Si no le coimaste, ¿qué hisiste entonses? —se asombra Emperatriz.

-No le habrá hablado de nosotros —apostilla John, turulato ante la propia truculencia de esa posibilidad.

-Dudo que le importara un carajo —tranquiliza el doctor, un pelo jodido—. No. Le he dado una tarjeta y le he prometido que si alguna ocasión tiene un problema de salud, le saltaré todo el protocolo y lo atenderé a él el primero. A él o a cualquiera de su familia.

-Entonses anda preparándote —pontifica irónica su amante—. Estos malogrados tienen más familia que detenidos.

El doctor Huamán no dice nada. John sonríe, el alivio de la tensión le ha puesto de buen humor, la descompresión de suspense incluso concita un intercambio de arrumacos que propicia la reconciliación tácita con Nancy: se toman de la mano, vuelven a ser un amor de pareja (funcionan mejor arreglados). El BMW devora kilómetros sin repostar, ahora su lampiño plateado, veteado de arena farragosa.

La nube de polvo ya es constante en torno al coche, como un benévolo enjambre. Los cerros ya no evidencian estar habitados: ni casetas ni postes de luz eléctrica. Solo colinas infinitas de arenisca y nada. Los pelados montículos se amontonan desalineados, apelotonándose alrededor del auto, que pese a todo logra encontrar el recoveco menos intrincado y reencontrar al fin el asfalto, penetrando una nueva avenida: el inicio de una corta calle con un portalón metálico al fondo cerrando el paso entre dos tapias.

Huamán traba el vehículo y asoma su pesada cabeza de buey:

-Lucho, soy yo.

Un muchacho en tejanos y camisa a cuadros, estrecha y entremetida en la cintura, sale de su sopor y salta del tocón donde se hallaba dormitando. De un poyo al costado recoge una Luger y, con la otra mano, entra una llave en el candado del portón herrumbroso, más ancho que alto, y lo abre hendiendo. El BMW cruza y el doctor sonríe al portero con la condescendencia que se debe a los tontos armados.

Acto seguido, remontamos una calle residencial, escoltada de chalets de minucioso encalado y cálido adorno floral: y pese al clima de inesperado mimo humano, el silencio reina en todas las viviendas. El doctor Huamán considera imperativa una justificación:

-Es un resort para médicos y especialistas. Este fin de semana no hay nadie más aquí. Todo el gremio se largó a Estados Unidos con sus buenos viáticos, a un congreso en Massachusetts del que yo me excusé…

Los demás ocupantes del coche se mantienen en silencio, como si un ceremonial de entrada o la soledad del recinto lo demandasen.

El doctor Huamán guía hasta alcanzar el borde opuesto de la calle. Allí desciende del coche y abre con llave una doble puerta de metal con forro de madera pulimentada. Luego retorna a su asiento y emprende el trecho final, incursionando en sus propios dominios.

Un vergel se abre a ojos de los cinco visitantes.

CAPÍTULO 3

—¿Nos mandó llamar?

El Señor Santo recibe la pregunta impávido, tieso y ambiguo de intención. Estamos otra vez en su base de operaciones, la frase ha resonado a sus espaldas y, como habíamos sospechado, al darnos la vuelta con él, confirmamos que su interlocutor no es sino el bello Cholo Lopes, comandando su troupe de cholos feos y feroces. Todos llevan por todo atuendo el blanco uniforme que tanto juego estético está dando. A un lado, los abades Pío aguardan junto a la puerta, sin duda han sido los correveidiles de Santo. Sus ojos lupinos devanean por sus uñas rosadas entre tanto talco o festejan lo homogéneo de la textura de la pared, solo cuando alguien habla se atreven a arriesgar un vistazo, camuflado su interés en una atención casual a las frases.

—Así es, queridos.

El Señor Santo abandona su inmovilidad, se desliza alrededor de los cuatro malhechores latinos, su guayabera adopta las maneras de sábana de espectro, el vuelo de sus mangas planea frente a las teces de bestias sumisas casi como escenificando un conjuro de desaparición. Los compañeros del Cholo optan por una estrategia facial de perro pusilánime y el propio Cholo guarda silencio con respetuoso temor, aunque sus pupilas azules siempre le salvan de la ignominia.

233

-Estamos en un buen chongo. Ustedes saben y yo sé lo que anoche ocurrió en las dependencias urinarias. Alguien más lo sabe, y ese alguien no solo ha escapado de aquí junto a su prometida, no solo puede que se halle ahora mismo en su hogar sano y salvo, echándonos jactanciosamente los perros de la Policía, sino que tiene el futuro suegro que menos nos placería poner en nuestra contra.

-¿Quién es, señor? —se apresura a complacer el Cholo. Una apetitosa tetilla castaña asoma su protuberancia rugosa por la abertura frontal del mono.

-John Figueroa —les ilustra secamente el Señor Santo, quien al ratificar la cara de ignorancia inmarchitable de sus matones, añade—. El pituco de la chela, ¿sí?

-Ah, él… —susurra alguno, reverente: salir en televisión siempre es un grado de eminencia. Por una centésima de segundo, al asimilar la identidad de su víctima, el Cholo Lopes acusa en la piedad de sus ojos cierta vulnerabilidad afectiva, pero la aplasta sin remisión para no traicionarse más que ante el espectador sagaz:

-No sufra —el Cholo toma las riendas del conflicto con temple, sabe que de la firmeza despectiva depende su futuro—. Lo ubicaremos.

-Chequeen su depa, aunque yo creo que ha huido sin más —conjetura el Señor Santo—. Su suegro no sabía nada de él. Para mí que se loqueó.

-Déjelo en nuestras manos. Tenemos una buena red de patas por toda la siudad, por un sol podemos saber dónde respira cualquiera, por muy de matute que trote —y como si se acordara de pronto—. Le provoca frío, ¿verdad?

-Frío y volatilizado. No dejen ni las sobras. Nadie debe sacar ninguna conclusión.

El Cholo Lopes asiente, se le da bien captar mensajes simples. Cruza impresión visual con sus hombres, el olor de la sangre parece azuzarles, en los reventados trajes unipiezas sus cuerpos cimarrones y despachurrados por el centro semejan peonzas siderales o imitadores de Elvis dispuestos a zampárselo para almorzar. Ríen guturales, como si no se jugaran nada en la degollina, como si solo jugaran. El Señor Santo traslada la vista hacia los abades, estos corroboran su lealtad sosteniéndole la crueldad de los ojos. El Señor Santo lo agradece con un parpadeo moroso. Luego cabecea con gesto abrupto hacia un lado.

El Cholo Lopes pone a prueba la paciencia de su ordenante con cierta indecisión. Cuando habla, su mano aprieta con adoración la medallita de su pecho.

-Señor Santo… —entona cantarín—. ¿Qué hay de la hembra?

234

Los dos Píos enfilan hacia el cuadro de La Última Cena y, con evidente pesar, lo descuelgan y posan sobre el suelo. Solicitan un último rescoldo de compasión, pero el Señor Santo los contempla impertérrito. Dolidos, se vuelven hacia la pintura y boquetean la tela a patadas.

El Señor Santo no mira al Cholo Lopes cuando contesta:

-Que siga su mismo destino.

La pintura está deshecha, el astuto Satanás yace descuajaringado entre otros restos de figuración humana. Pío I se sienta a conciencia sobre el labrado marco huérfano y lo quiebra por arte de su peso.

-¡El marco no! —exclama tarde el Señor Santo.

Pío I lo observa bien callado, el trasero bien hundido, la exquisita moldura bien rota. Pío II se aleja como si aquello no fuera con él.

-Que siga su mismo destino —se resigna y persigna el Señor Santo.

Imágenes de un televisor en blanco y negro, muestran un corrimiento de tierra sobre un camino sin asfaltar, semejante al de la ruta seguida por el BMW del doctor Huamán. Roca y peña desmigada se acumula volcada sobre varios autos, aplastados al borde de un desconsiderado risco naranja, menos por la tele. Varios hombres del más ínfimo estamento social pueden contarle por fin a alguien la miseria de sus vidas. Alguna mujer llora con el niño de rigor (mortis) en brazos. La voz del locutor circunscribe:

-…El inesperado derrumbe se ha llevado la vida de nueve personas, aunque la nota curiosa es que ningún conductor ha sufrido heridas graves. Con este, ya son cuarenta y dos huaicos en la periferia de la capital, provocados por un ligero temblor de escala cinco. Según científicos de la NASA, esto solo es el preámbulo de un sismo mayor que tendrá lugar dentro de…

Nos desplazamos inoportunamente (hasta nuevo aviso, se trata de un esforzado plano secuencia, sin ningún corte o empalme suplementario en toda la siguiente escena) de la pantalla televisiva hasta un sofá de gamuza leonado, desde el que miran, sentados con envaramiento y un cuerpo de aire entre ellos, John y Ernestito. Aquel con cara de engorro y este de cachorro abandonado, pero hecho a la coyuntura: ahora reposa la cabeza adelantada sobre los nudillos, los brazos paralelos en vertical acodados sobre muslos mofletudos. John también apoya sus codos en los muslos, pero tiene las manos entrelazadas, las mordisquea cuando toca ser mirado. Su enterizo blanco pasaría ahora por la piel de un dálmata. Nos encontramos en un espacioso salón de alta burguesía, moqueteado de blanco, con varias ninfas precoces aportando el mal gusto de porcelana en las esquinas, al fondo una escalinata de madera pulida y nuevo rico ascendiendo presuntuosa hacia la segunda planta.

En vez de seguir hasta allí, nuestro desplazamiento nos conduce hacia la pared opuesta, formada por paneles de cristal, una sección abierta para admitir nuestro paso al amplio patio exterior.

Se trata de una extensión de unos dos mil metros cuadrados, gran parte de ellos ocupados por un césped de hierba segada con varias calvas aquí y allá, a resultas del juego de fútbol improvisado (si hacemos caso de la solitaria portería del rincón) que se sucede probablemente cada fin de semana. En un extremo, un cobertizo con techo de paja cobija dos autos, el BMW y una camioneta ranchera que nos resulta familiar. En el otro extremo, contorneando la propia casa, casi detrás de ella, una piscina de azul incongruente, insolidario con aquel universo de verdes y cremas.

Seguimos moviéndonos en todo momento al borde del césped hasta encarar la zona este, empleada en albergar un exuberante huerto que hace también función de jardín, a juzgar por la heterogeneidad de sus variedades vegetales.

Si esta historia oliera, ahora olería bien. Me falta vocabulario y conocimientos rurales para poder describir con justicia la panoplia de árboles y arbustos frutales plantados en el huerto/jardín, dividido en segmentos según haya plátanos, manzanos, limoneros y otros tipos de mayor exotismo, que saturan de verde, de amarillo, de naranja, de frambuesa, de azul y de lila.

Por el caballón que parcela cada especie de frutal caminan, ufanos y desentendidos de la trama principal, Nancy y un anciano cano de expresión bondadosa y dos colgajos de mostacho en ángulo descendente. Viste pantalón y camisa de lino, el sombrerito de paja que no falte, más pinta mexicano que del Sur. Él se explaya:

-...Yo siempre quise tener mi propio huertito, así que me responsabiliso de todo mientras mi hijo trabaja, porque él trabaja mucho, le requieren en todo el país. Toda esta tierra de sembrado la cargué yo mismo de mi pueblo en sientos de costales. Mi nuera no suele venir por aquí, Avelinito solo acude con… amigas… no tan guapas como usted…

-¡Gracias! —sonríe bisoja Nancy, desplegando una boca deliciosa, una mirada agradecida por el tiempo muerto, este compás de espera que le permite lucir su seductora presencia sin los rigores de una tensión tenaz. Sus labios son gominolas arrugadas y no por ello menos suculentas que chocan con la lechosidad de la piel–. ¿Qué fruto es este, don Cristóbal?

Sostiene en la mano una aparatosa vulva de corteza amarilla, compacta, moteada de rugosidades ocres.

-Ah, el tamarindo… –miente el viejo; y por si fuera poco, puntualiza–. Es bueno para… ya sabe… ir bien de cuerpo –los ojos dolientes pero vivarachos inician una escalada imposible por el peto de aúpa de Nancy–. Aunque usted de cuerpo va fenomenal, ni modo…

Nancy ríe feliz, es un paréntesis expansivo, a nadie le amarga un elogio, la calma que precede el aguacero, y concluye con regocijo no exento de nervio:

-Qué maravilla de sitio. Y qué contraste con todo lo que hay ahí fuera, ¿no cree? –hace un gesto vago hacia los cerros.

Pretextamos la frase premonitoria para alejarnos ahora de nuevo: nos elevamos en el aire y contemplamos, sobre ese oasis de animados colores chillones y reposada vida vegetal, el monocorde arenoso de las colinas que lo circundan. Más allá de la tapia de adobe que constriñe el jardín, de los límites de una arboleda que limita la propiedad, del corsé de ladrillo que ampara el complejo residencial, asoman sin impertinencia, por derecho natural, los promontorios cerriles, impasibles, amenazantes como todo paisaje marciano, desnudos excepto por algún que otro generador de electricidad aislado, retorcido e inútil como espantapájaros en el desierto, con todo lo que conlleva de viso sobrenatural, de presagio de apariciones.

Admiramos todo esto, sacando nuestras propias conclusiones sobre la inminencia de una decantación argumental más o menos tremendista, mientras volamos por sobre la propiedad del doctor Huamán. El sol persiste alto, impenitente, intratable, pese a que deberían ser ya las cinco al menos. El paisaje se torna opresivo entonces, se desata una marcha de suspiros –su emplazamiento imposible de fijar– que retrotraen a los cantos primordiales de una tribu asesina antes de cometer la matanza, cantos hacia dentro que nos aturden y desorientan. Pero al ladearnos, frente a los cerros se interpone la casa principal del doctor, y enseguida nos alcanza un segmento de fachada de la segunda planta, a través de cuyas ventanas discernimos la simiesca figura dando cuenta de la acrobática dama.

Allí termina el plano secuencia.

Hemos entrado porque el instante lo merece, tan solo para espiar retazos robados de la refriega sexual de Huamán y Emperatriz. Se revuelcan en la cama de matrimonio como dos bestias buscándose, restregándose, averiguando la clave del sometimiento. Empecinan el resuello, ella se doblega momentánea pero vuelve a cargar, exigiendo una entrega completa y un magreo uniforme. El satén de su piel hechiza al macho, lo abruma con el sentido de la maravilla, le obliga a inmovilizarla bajo su músculo activo. Gruñen crueles, son crueldades las que se dedican amorosos, crueldades gozosas. En él más primarias, en ella más placenteras. La hembra se llena por un extremo mientras ruge su trance por otro. La vida siempre encuentra hueco para entrar y salir, para irrumpir y fugarse.

Cambio de rollo. La secuencia se interrumpe bruscamente y a un eructo sonoro la sustituye otra que nos sitúa una hora después, quizá. La loma de un cerro, de piel pedregosa, coronada por una torre de alta tensión que parece la Torre Eiffel clavada en el Apocalipsis, centran nuestra atención. Rayos de sol distorsionan nuestra visión periférica, crean desasosegantes esferas e inmateriales líneas discontinuas. Y, por encima de todo, el silencio. Un silencio vibrante, preludio de un estampido que no llega.

Y luego, un atolondrado zoom retráctil de airado tránsito borroso nos emplaza al pie del porche, bajo el voladizo del tejado, donde Nancy y John discuten, sus voces como hormigas solitarias en medio del silencio quieto, de las colinas desnudas que les sitian:

-No han dicho nada por la tele —admite John, casi más preocupado por ese hecho que por una hipotética orden televisada de caza y captura sobre sus personas.

-¿Qué te dije? Puede que ni siquiera lo hayan denunciado: fácil. Ese santurrón o como se llame está acobardado. Sabe que vamos a acudir a mi padre. Es lo que deberíamos hacer —Nancy quiere leer un matiz de aprobación a su idea en los ojos de él. Al no ser así, fuerza un ademán hacia la casa—. Voy a llamarle.

-¡No! –John la retiene de un brazo–. Espera. Espera a mañana.

Nancy analiza otra vez la inasequible mirada de su pareja, pero no consigue sintonizar con él.

-¿De qué tienes miedo? ¿Te asusta acudir a mi padre?

-Yo… sabes que no me fío de tu padre –sus palabras son regurgitadas, más ingeridas que expelidas. John suda.

-No seas ridículo. Yo tampoco me fiaría, pero es mi padre. Jamás te perjudicaría o te haría daño… –la bizquera de Nancy clavada en John le da apariencia de fotograma congelado–. No te lo haría por no hacerme daño a mí. Estoy segura.

El ceño de John remite al poco alivio que esas frases destraban. Nancy se le acerca, regalona.

-Él lo solucionará todo. Déjame explicarle.

-Mañana… –se empeña John.

-¡Por el amor de Dios! –barbulla Nancy, superada.

Nancy penetra en la casa en el mismo momento en que surgen de ella el doctor Huamán y Emperatriz. Él lleva abierto un batín doméstico color melocotón sobre bañador aterciopelado a juego, ella una bata roja ligada por la cintura. Ambos parecen reconfortados en el desahogo físico. Caen en la cuenta de la presencia de John, Huamán se hace al cargo:

-Si quieren llamar por fono, aprovechen ahora. Muchas veces no funciona, el viento casca los cables. ¿Y ven esas torres de alta tensión? Es lo único que tiene valor por aquí. Lo único sin vigilancia, claro. Suelen ser blancos de los terroristas. A los terrucos les encanta volar ese tipo de cosas, verlas caer. A veces uno puede pasar semanas sin teléfono. ¡Bah!

Como John no le hace caso, el doctor Huamán se desentiende. Emperatriz asume las maneras de la mujer de la casa.

-¿Les apetese algo para tomar? Tenemos Inca Kola.

-No seas vulgarota. ¡Ofréceles unos jugos, que para eso plantamos! –la reprende Huamán, con la típica despreocupación masculina que se deriva de señalar el remedio pero abstenerse de aplicarlo: o de financiar el agasajo pero negarse a servirlo; solo para buscar alrededor–. ¿Dónde está Ernestito…? ¡…Ah!

Lo localiza abajo, al pie de la portería, jugando con una pelota de cuero brillante, sin estrenar. El doctor corretea hacia allí, le arrebata de un mal pateo la pelota a su hijo y plantea con él un intercambio de pases.

-¡No aplasten mucho el gras! —les preconiza una Emperatriz preocupada.

-¡El gras no es tuyo! —refunfuña indiferente el doctor Huamán, tirándose a detener la pelota como audaz cancerbero y tiñéndose de verde todo un costado del batín melocotón.

-Ahora me deja perdida la ropa por jugar de arquero —crascita Emperatriz, disfrutando en el fondo su rol prestado. Recae en John—. ¡Pero siéntese, que ahora mismo le apaño un juguito! ¡Un toque!

John se repantiga bajo la sombra del porche, que se ve fresca, frente a una mesita de hierro forjado. Emperatriz le obsequia con un mohín en demanda de paciencia y se apresura a entrar a la casa, hacia la cocina americana que se adivina a un costado, pero aborta su andadura al cruzarse con ella Nancy, de vuelta al exterior, arropada en un batín también melocotón, con gafas de sol, una toalla al hombro y un obeso flotador negro en forma de dónut bajo el brazo. Nancy no repara en Emperatriz ni en John, o no refleja el menor atisbo de reparar en ellos, y prosigue los pasos delicados, atravesando la parte más frondosa de césped, hasta extender la toalla al pie de la piscina con flecos de tartán.

Emperatriz parece haberse olvidado del zumo de John, porque se adelanta hasta la baranda de la galería, fijando la vista sin disimulo en la figura de Nancy, de pie al reborde de la piscina. John mira alternativamente a Emperatriz y Nancy, entre la curiosidad y el agobio.

Nancy deshace el nudo del cinto y el batín cae abatido a sus pies. Solo viste la parte inferior de un bikini negro. Propulsa el neumático al centro del recuadro azul y, parca de expresividad, desciende la escalerilla metálica al interior de la piscina, su único desvelo el no mojar las gafas negras. Nada rechazando el agua como un perrito y se instala sobre el dónut de caucho. Cierra los ojos y disfruta el sol.

Como en un drama sureño, Emperatriz y John no pueden quitar los ojos de la mujer semidesnuda. Y, cómo no, sudan, sudan mucho.

Al otro lado, el doctor Huamán no intercepta un solo balón porque los ojos se le rebelan en dirección de Nancy. Ernestito se desespera y le suelta una coz a un arbusto exótico, a buen seguro ejemplar único en varios miles de kilómetros a la redonda.

Emperatriz se pone peleona:

-Hay que ver, esta que se calatea a la primera... yo no me exhibo así ni cobrando.

Una panorámica se recrea de nuevo en el aislamiento y desnudez de los altozanos que nos rodean. Indagamos sin resultado. Ni un alma sobrevuela aquel paraje. Sol decaído pero de brutal potencia, una polvareda estable que siempre ha estado ahí, tierra y roca permanentes, collados sin utilidad, sin función alguna, salvo perturbar a los extraños.

Frente a los cerros, retadora irresponsable, una mujer hermosa, casi desvestida, si no fuera por la tira negra que amordaza su sexo. Su cabellera encarnada refulge bajo el sol, hace casi insoportable verla, los pezones comatosos, acentos abiertos que apuntan a los cerros, señalando algo que ella no columbra: echada la cabeza atrás con desprecio para lo que no sea el alarde engreído del cuerpo, los ojos cerrados bajo la redundancia de los lentes, las manos surcan el agua que no suena, inquietante supresión auditiva.

Pasan segundos sin un solo crujido, sin un solo reflujo, sin una respiración.

John y Emperatriz se demoran examinando a la bañista sin apremio. La morena saca pecho, como afanosa por demostrar que ella no necesita exponerlo para ganar por goleada. Por su parte, el doctor Huamán cambia roles con Ernestito, de portero a chutador, su hijo cabreado se lo exige.

Ni así: despistado por un desvío inevitable de la mirada, el doctor chuta con el tobillo la pelota, que despega mal nivelada por encima de Ernestito, de la portería y de la tapia, hacia el mundo exterior, árido, infecundo y poco amistoso.

-¡Mier... coles, a ver si estás por lo que tienes que estar! –interjecciona Ernestito.

Pero el doctor Huamán no le responde, ni le mira. Tampoco mira a Nancy, por una vez.

Al ascender la vista hacia la pelota, hacia la trayectoria que completaba más allá de la tapia, sus escleróticas han ganado la partida a las sarcásticas comisuras y fornidas bolsas de carne que las asedian, reconquistando la superficie para imponerse por fin redondas, duras, adheridas a algo que ha descubierto más allá de su propiedad.

-Jesús de mi vida… –se encomienda el doctor Huamán.

John y Emperatriz escudriñan el origen de su espanto y el mismo escalofrío sobrecogedor les azota.

Nancy, alertado su aletargamiento por la exclamación del anfitrión, despabila de su desidia bañista, despeja las gafas veladas de sus ojos vagos y ahoga un grito de pánico.

Los cerros están preñados de figuras humanas, inmóviles, erectas. Los centenares de siluetas se alzan a kilómetros de distancia, pero todos los que allí son adultos, el doctor Huamán, Emperatriz, John y sobre todo Nancy, saben que están mirando en su dirección.

Con deseo.

Con lujuria.

Con ansia de matarles.

...DESPABILA DE SU DESIDIA BAÑISTA, DESPEJA LAS GAFAS VELADAS DE SUS OJOS VAGOS
Y AHOGA UN GRITO DE PÁNICO.

CAPÍTULO 4

Es noche cerrada.

Por vez primera, apreciamos el chalé del doctor Huamán desde otra perspectiva, desde lo alto de uno de los cerros. Al fondo de la quebrada de arenada peladura, en lo más hondo del valle de tierra, brota el vergel de la pequeña urbanización para la clase privilegiada. Una arteria de farolas marca los confines de la calle que recorre el complejo de viviendas, derramando el decaimiento de su ámbar; pero solo la casa del doctor Huamán tiene sus luces encendidas, el resto de residencias se esconde en borrones negros.

Nuestro punto de vista confluye perturbador, ligeramente amenazante, pese a que no vemos un alma a nuestro lado.

Ahora nos materializamos colgando graciosamente del techo del chalé, junto a la lámpara de candelabros con bombillas encendidas en copas glaseadas, atisbando abajo, a la mesa dispuesta en el salón principal del doctor Huamán. Este y el resto de sus compañeros de ventura permanecen sentados como figuras de cera alrededor de la mesa, frente a platos que parecen recién servidos. Huamán acapara la cabecera, a sus dos lados se sientan enfrentados Emperatriz y Ernestito, y más allá Nancy y John. El único que está de pie es don Cristóbal, quien procede con desgana a retirar platos y cubiertos intocados.

Al tiempo que descendemos del techo a la mesa para registrar mejor comentarios y expresiones, el doctor Huamán toca la veteada mano del señor mayor que hace de su padre, con amago de cariño:

–No eres tú, papasito, es la situación. Seguro el cebiche está de muerte…

El doctor Huamán se reprime, baraja miradas nerviosas con los comensales. A nadie le ha hecho gracia la expresión. Don Cristóbal prosigue recogiendo los platos sembrados con una carne blanca cortada a tacos, se diría cruda, humedecida y aposentada sobre hojazas de lechuga.

John rompe la inanición. Con la garra arrambla un manojo de maíz frito que desborda una taza.

–¿Cree que aquí estamos seguros? –interroga a un grano de maíz especialmente dorado.

–Ahora no sabría decirle… –capitula el doctor, el rostro congestionado, mientras manipula una petaca plateada de la que rescata un cigarrillo liado a mano, al que da lumbre antes de exponer su reflexión–. Sin teléfono por el que solicitar auxilio… No hay nadie excepto nosotros y el vigilante… si es que aún se encuentra…

No continúa. Emperatriz cobra vida para robarle un plato a don Cristóbal. Joroba las cejas y hace más visibles sus párpados remachados con lápiz azul, que le otorga a su mirada un qué monárquico y egipcio.

–No voy a dejar que esto me afecte… Con permiso, señor, yo sí comeré…

Emperatriz hiende su tenedor en un pedazo de carne y lo tritura en la boca con un plus de interés. Ernestito la observa con discreta abyección.

John sigue abstraído en la maravilla que le despierta el grano de maíz. Nancy le coge la mano, el tacto le saca de su abstracción:

–Pero diría… –da por sentado– …que esos hombres serían capaces de colarse aquí.

–Esos inadaptados malnacidos son capaces de cualquier cosa –califica Huamán y, ante la mueca de reprobación de su padre, se carea con él–. Sí, papá, son unos malnacidos y unos salvajes.

–Son tu estirpe –escupe el viejo, pero menos alto de lo que le gustaría.

–Yo no estudié ni me labré un futuro para que me señalaran con el dedo mis propios paisanos… ¡Yo soy el único responsable de mi fortuna! –Huamán descarga

—SON TU ESTIRPE —ESCUPE EL VIEJO, PERO MENOS ALTO DE LO QUE LE GUSTARÍA.

un puño sobre la mesa, quizá innecesariamente, la rotundidad de sus palabras es por sí notoria–. Mi mundo no es el suyo… yo he abrazado otro, un mundo de razón y contención. Ellos siguen prefiriendo la sangre y la superchería… Su crueldad y su ignorancia no son el mundo ideal que el indigenismo nos quiere vender…

-¡Es tu mundo! –reprende don Cristóbal, al borde del llanto, y estalla–. ¡Mejor ese mundo que esto en lo que me has convertido! Una mucama… el perro fiel de tus putas sinvergonsonas…

Sin voluntad de regaño, el doctor se levanta de la silla y abraza a su padre, llorón sin sentido de la mesura. Emperatriz roba un cigarro de la petaca y lo enciende con altivez, acto reflejo admirable de todas todas, por alusiones.

El doctor estrecha más a su padre y llora con él, podría quebrantar y absorber toda su huesuda fragilidad si así le apeteciera. John presiona la mano de Nancy, ambos se prodigan carantoñas desde el seguro burladero de su génesis blanca.

-Tú no eres un criollo… –moquea don Cristóbal, y el Doctor hace que sí con la cabeza, como dándole la razón o quitándosela.

En ese momento, revisitamos el techo del salón justo para asistir al advenimiento de la oscuridad más completa: las luces de la lámpara se desvanecen, provocando un apagón total y absoluto.

-Oooh… –murmuran todos los presentes, ninguno a la vista, delatando la falaz luz de luna.

-¡Ah! –el grito eminentemente asustado y relleno de agudo pertenece sin duda a Emperatriz.

Nos trasladamos más cerca de las ventanas. Allí, gracias prediciblemente a la técnica de la noche americana*, podemos no solo distinguir las siluetas de los personajes, sino advertir algunas de sus reacciones corporales y faciales. John y el doctor Huamán prevalecen erguidos, recortados contra el panel de cristal.

-¿Qué ha sido eso? –ajora John al doctor, por si pudiera restar margen para alguna explicación inocua.

-Son ellos. Se disponen a entrar.

-¿Tiene armas? –interroga John, apoyando sus manos en la pechera de Huamán, su entereza tan magullada como su enterizo.

---

*Se referirá, como cualquier alemán mínimamente viajado sabe, a que en la noche americana la luna es mucho más voluminosa y brillante que en la europea, y por lo tanto ilumina mejor en el sentido de proyectar con mayor potencia. (Nota de Jonas Reinhardt)

Le responde el inconfundible chasquido de percutores en un arma de fuego: el viejito don Cristóbal hace acto de aparición (corroborada por la hechura fantasmal de sus pálidos ropajes) con una escopeta de doble cañón que deducimos acaba de cargar y montar. La luna lecha en paralelo ambos falos letales.

-Con esto les daré vuelta –afirma el viejo, su faz fiera carantamaula selenita.

-Con eso no haremos más que exaltarlos y justificar una carnicería –discrepa el doctor. La testa se orienta al reflejo de la luna, sus ojos relucen en las hondas cuencas, muy apegados a los de John–. Tenemos que salir de aquí.

John aprueba con la vehemencia que da el terror. Temblor y asentimiento, todo en uno.

Se abre el panel lateral de cristal y el pequeño grupo de seis sale de nuevo al porche y, mientras discuten medidas, al césped frente a la puerta de entrada. El doctor imparte indicaciones a todos, pero en particular a John.

-Hemos de salir por esa puerta con el carro… la de entrada a la urbanización podemos atravesarla, creo yo…

-¿Qué hay del huachimán? –castañetea más que pregunta John.

-A estas alturas estará frío o se habrá unido al bandidaje, es muy fácil comprarlos –el doctor Huamán vuelve a apropincuarse a John, como cada vez que tiene que soltar algo trascendente o solemne, para el caso–. Quien o quienes han cortado el cable de la luz están ya dentro.

-¿Tomamos su carro?

-Sí, pero el bemeuve no… –señala la ranchera–. Mejor ese, los despistaremos antes cuando escapemos de aquí. Emperatriz y usted –se refiere a Nancy–, suban a la camioneta, no pierdan tiempo.

El doctor se torna hacia su padre y su hijo, ambos le miran determinados.

-Yo les esperaré –pregona el viejo.

-Yo me quedo con el abuelo –respalda el niño.

El doctor Huamán devuelve la mirada firme a Don Cristóbal. El doctor Huamán inspira aire dolido.

-No, Ernestito. No –le soba la cabeza–. Tú te vienes con nosotros.

El doctor vuelve a enfrentarse a su padre, le mide con los ojos, considera si hay alguna posibilidad de modificar su resolución. Los ojos de don Cristóbal le reclaman respeto. Huamán asiente.

Ambos se abrazan.

Luego, el doctor llama a John a un aparte:

-Dígame, doctor –John demuestra buena disposición y simpatía hacia el hombre, pero se sorprende al ver que este le ofrece una bolsa de plástico negra de tamaño mediano. Dentro descubre varios fajos de billetes.

-La plata de urgencia.

-No entiendo…

-Escuche y no diga nada –el doctor, serio, no admite vacilación ni vacile–. Eso de ahí es para hipótesis de que me ocurra algo, que se ocupe de mi chibolo. Nada es para usted. Creo que ambos somos hombres de honor.

John, violentado, intenta estar a la altura de la expresión sombría y el tono litúrgico del doctor Huamán.

-Así es.

-Bien –despacha el doctor–. Entre hombres de honor, no hacen falta más palabras, pues.

Ya se han incorporado a la cabina de la camioneta azul tanto Nancy como Emperatriz. Para no demorar metraje en bobadas, Ernestito las sigue voluntarioso sin insistir en su primer capricho: se dispone acuclillado entrambas tras los asientos delanteros, que ahora ocupan con propiedad Huamán y John. Las puertas se cierran con estrépito de trasto viejo y fiable. John ensarta con recato la bolsa negra bajo su asiento, sin llamar la atención de los demás.

Sin más dilación, Huamán enciende el motor y los faros del coche.

El doble arco de luz enmarca ahora a don Cristóbal, quien al ver la pickup acercarse, descorre el pantagruélico pestillo, tira sucesivamente de la doble hoja apaisada y corre con ellas, como un muchacho con su cometa, dejando pista libre al vehículo.

Huamán escruta la oscuridad. Frente a ellos, la nada acecha.

El auto parte.

Don Cristóbal vuelve a cerrar la doble puerta chapada y luego suspira. Un gemido asustado se le escapa del pecho flaco. Se pasa un pañuelo blanco por la frente, afirma con ambas manos el escopetón y se apresta a percibir algún ruido de muerte.

La ranchera avanza con buen ritmo, sus ojos luminosos rasgando la tela negra que le precede. La calle asfaltada es recta y parece ahora más larga, la conclusión no llega.

-¡Patronsito, patrón!

La voz del watchman arriba clara, antes que su propietario entre en nuestro campo de visión. El chico agita una mano, pero la otra la conserva a la espalda, la camisa ahora derramada sobre el tejano. Huamán no frena, más bien acelera —como se acelera la trayectoria del vehículo a cámara rápida—, momento que aprovecha el guardián para esgrimir su traición al apuntarles con su Lüger en la mano hurtada. Pero la camioneta es demasiado rauda y el pobre vigilante se ve obligado a echarse a un lado, rodando por el suelo si no quiere ser arrollado. Varios pesados metales impactan con violencia en el parabrisas, brotan telarañas de cristal por doquier.

-¡Machetes! —ruge Huamán.

La camioneta embiste la puerta enrejada de la urbanización. La desquicia, la suspende en el aire unos metros con el morro, luego la permite desplomarse y la patalea con las ruedas, abandonándola acostada e inerte. El coche enlaza el camino de tierra sin aminore ni demora. Varias sombras humanas se congregan, insistentes, machaconas, perceptibles contra las sombras inanimadas.

-Ya estaban dentro… —resume John sudoroso, impostando con propiedad síntomas de hiperventilación. La cabina se sacude como una aeronave en barrena.

-Avelino… —suplica Emperatriz, hasta ahora en un comedido segundo plano—. Vuélanos de aquí, corasonsito… —las sacudidas propician que su voz se rompa y suene más emotiva.

Huamán no replica, pero su perfil denuncia tremenda concentración. No las tiene todas consigo, ni unas cuantas siquiera.

La ranchera se bambolea sin perder comba del camino. Baches, guijarros y terrones estorban ante las ruedas, que rotan a una velocidad airosa para descarriar presuntos perseguidores. Los faros nos dejan discernir apenas cinco metros de tramo cambiante, flemoso, de vertiginosa sinuosidad. Huamán logra de puro milagro mantener el coche entre relejes, no salirse del epiléptico meandro, con esa estéril inminencia del desastre nunca culminado que posibilita el cine, una inminencia que se puede prolongar sine díe en forma de situación límite perpetua, hasta ser neutralizada heroicidad mediante. Al paso de la ranchera apreciamos en paralelo el declive de la cuneta derecha hasta una vaguada angosta, pequeño precipicio nada alentador pero opción siempre presente para un desenlace trágico.

John espía las manos firmes del doctor, agarradas con tesón al volante de madera y cuero roto. Los nudillos tiemblan con los traqueteos del trecho, la incrustación de los tendones en la piel marca la tensión del dueño. Huamán se ensaña en el labio mordido, intuye el término del itinerario terroso, presiente un final feliz al trayecto, toda vez desemboquen en la sección asfaltada y los empellones de la marcha expiren. La calma atrae la calma, el estertor de un pequeño sufrimiento ahoga el mayor. Todo pequeño alivio preludia el alivio decisivo.

-¿Estamos llegando a la carretera?

Huamán solo se atreve a asentir. Incluso Nancy y Emperatriz se prestan por primera vez una sonrisa de esperanza que, por defecto, entraña mutua cortesía. Ernestito no trasluce ninguna emoción.

Un contundente impacto machaca el capó. Algo lo ha golpeado con inhumana fuerza, algo que salta por el aire, rebota y vuelve a golpear contra el parabrisas, que chasca eclipsando la luz de luna con un mapa de ríos revueltos. Todos los ocupantes chillan. Huamán apresa el volante, que quiere irse de madre y hacerles volcar. Prorrogan un breve tiro de ruedas, una convulsión de segundos, hasta que el doctor impone su placaje y el vehículo encabritado agota su impulso, cómo no al borde de la barranca. El silencio engulle todo chirrido.

-¿Qué ha pasado, qué ha sido eso? –gritan Nancy, Emperatriz y/o, sí, Ernestito.

-¿Un huaico? –aventura John, dándoselas de experto.

El doctor Huamán desplaza la cabeza hacia uno y otro lado, con rotación breve, leve, lenta. Y terriblemente fatalista. Parece que sabe lo que ha ocurrido, pero no se molesta en suministrar explicaciones, sus ojos no se despegan del frente, pese a que el parabrisas resquebrajado impide ni mero vislumbre de lo que aguarda más allá.

El doctor Huamán desencaja la portezuela a su vera, que no empero se queja, dispuesto a salir. John le imita, confiado en el buen juicio de su aliado.

Ambos desmontan del coche por sus respectivos costados y exploran el panorama. El capó de la pick up se les presenta semihundido, incluso más de lo que hemos anticipado en el Preámbulo de esta crónica, una hilera de vapor es despedida desde alguna espita y un amasijo sólido y envuelto en jirones blancos permanece inmóvil, empotrado en el frontal del parabrisas.

El doctor Huamán se aproxima al bulto engastado en su carrocería. Previsiblemente, por un penacho blanco que la noche acaricia, sabemos qué se va a encontrar.

EL COCHE ENLAZA EL CAMINO DE TIERRA SIN AMINORE NI DEMORA.

Con una mano da vuelta a la mole desmadejada. En efecto, se trata de don Cristóbal, el semblante surcado por boquetes de machetazo que solo han respetado sus ojos, el pecho hundido en un socavón de plomo y la ropa hecha un burullo de sangre.

El doctor baja los párpados del viejo con la misma mano prieta que lo había volteado. Huamán no demuestra ningún dolor, ninguna conmoción, ningún sentimiento. Solo trompica, se apoya en el camino y se endereza. Se separa del coche, al tiempo que John nos da la espalda y vierte una vomitera. Las mujeres se contraen de miedo dentro del vehículo, solo Ernestito se atreve a bajar.

—No –la mano harinada de su padre le retiene del codo y guía de vuelta al interior del coche–. No, quédate ahí.

¡JA JA JA JA!

Una carcajada de signo despiadado viola el silencio. Parece proclamada desde el aire, parece un aullido triunfal de la naturaleza. Todos giran en su dirección: un reguero de miedo los invade, casi correlativamente.

¡JA JA JA JA!

John se yergue y recupera su liderazgo al lado del doctor Huamán. Nancy desciende al fin del auto, se aferra trémula a la portezuela, pero da la cara.

Todos enfrentan el lienzo negro de la oscuridad.

La oscuridad, por fin, les habla:

ESTE MENSAJE ES PARA LOS DEL CARRO: LOS VAMOS A MASACRAR A SANGRE FRÍA, QUIERO QUE LO SEPAN.

Comparamos la reacción en todos los ocupantes de la ranchera: John desfigura el gesto, espantado, produciéndonos la sensación de que reconoce la voz; Nancy se arredra palpablemente, busca a John como sostén; Emperatriz hinca el mentón y lagrimea en la penumbra de la ranchera, musita una oración de la que solo desentrañamos la palabra "piedad"; Ernestito respira por la boca, alarmado; el único que se obceca en no expresar su miedo es el doctor Huamán, quien mira hacia delante con cierto brillo escéptico.

-No podemos aceptarlo… –se mentaliza; luego lo modifica al grito–. ¡NO PODEMOS ASEPTARLO!

Ernestito baja definitivamente del auto y se adosa a su padre, como apéndice anejo. El doctor le acoge con un brazo, acogida y barrera a un tiempo para que no se adelante en demasía y descubra al tendido abuelo.

-¡NO PODEMOS ASEPTARLO! –increpa Huamán–. ¡CONMIGO VA MI HIJO, QUE ES UNO DE LOS SUYOS! ¡¡UNO DE USTEDES!!

Emperatriz también baja, el blanco de los ojos rojo. Todos están de pie ahora, enmedio del camino, amaitinando las tinieblas. No se ve a nadie más, ni una sombra en la sombra inmensa ante sí, en la gran vagina abierta que cubre el mundo: no se divisa ni un movimiento, ni se escucha un ruido de pasos, ni se filtra una voz. Solo LA voz:

DE ACUERDO. PERDONAMOS A TU HIJO. LE DEJAREMOS PASAR. PERO USTEDES MORIRÁN.

El doctor Huamán es el único en transpirar alivio y resignación. Arrodilla una pierna y sujeta a su hijo, sus manazas hombreras.

-Ernestito… Ernestito…

El niño le mira llorando. Sus ojos azules parecen la única fuente de albor en la noche. Los protuberantes lóbulos de las orejas se dibujan mazapánicos y destruibles, carne de puericia.

-Yo no quiero quitarme, papá… No quiero dejarte…

-Tienes que quitarte, niño… Tienes que marchar…

-Pero ven conmigo…

-No puedo, Ernesto… –El padre sintoniza su mirada benefactora y viril con la del crío, le habla profundo y quedo, le reconviene otorgándole parte de la prerrogativa adulta sobre el libre albedrío… si le obedece–. Escucha: después de esta noche, dejarás de ser un niño. ¿Entiendes? Después de esta noche serás un hombre. Quiero que te acuerdes de mí, Ernesto. Acuérdate de que tu padre te quiere y que cada día estará protegiéndote desde el más allá. Y busca a tu madre: ella es la única persona en el mundo que siempre acudirá cuando la necesites. Nadie más, mi niño. Nadie más.

John ojea a Emperatriz, que llora a moco tendido, indiferente a las connotaciones excluyentes que el discurso de Huamán pueda desprender sobre la significancia de su rol en el drama.

–Papá, te quiero –sincera Ernestito, casi imploración.

–Yo también, mijo… yo también –llora ahora el doctor, abrazando a su pequeño. Aprovecha que no le ve los ojos para instarle–. Corre, niño, corre… Sálvate… y recuerda siempre a tu viejo.

Empuja a Ernestito, para alejarlo de sí, y el niño aún le mira suplicante un instante, pero no quiere deshonrar a su padre y se apresura hacia la oscuridad. El pelo revuelto aún recoge el reflejo de la luna, pero pronto se difumina en una negrura que lo devora todo. Sus pasos se pierden en la libertad.

El doctor Huamán afianza las piernas y una comisura se relaja en media sonrisa de triunfo, sustentado en la visión de su hijo escapando, un respiro de dicha en la adversidad. Emperatriz se arrima a él y se reclina a su espalda. El doctor asume el abrazo de su amante y comparte suficiencia con ella.

–Estoy orgullosa de ti, papasito –le conforta su querida.

Él completa la sonrisa en su boca y asiente, también orgulloso.

John y Nancy se observan. Ellos piensan en otra cosa.

–No luchemos, John. Prométeme que no lucharás –le pide Nancy, hecha a la suerte.

John también asiente, pero bebe saliva y la barbilla le tremola como un animalillo. Le cuesta asimilar la idea de su muerte, se nota. Ambos entrechocan sus frentes, parangonan debilidades o fuerzas en el otro.

De repente, vibra en la lejanía un zumbido metálico, seguido de un alarido. John y Nancy alzan el rostro. El doctor Huamán también. Silba otro zumbido, otro alarido aflora, juraríamos que procedente de unos labios tiernos. La templanza del doctor se descompone:

–¡Noooo! ¡Ernestito! ¡Noooooooo!

El resuello de metales hollando y tronzando la negra noche llena el espacio sonoro, como insectos carnívoros que despedazan en segundos. Varios alaridos infantiles responden a cada machetazo.

-¡NOOOO, HIJOOOOOOOOOOOO!

El pecho de Huamán se abre en un bramido más dolido que los ayes de su niño. El padre cae de rodillas mientras escucha impotente los estertores del hijo.

-Me prometieron… me prometieron…

Un gemido indefenso retumba en la oscuridad y luego se muere antes de culminar su arco. Emperatriz se prosterna al lado del hombre, llorosa, ambos expectantes, ambos deseando oír un gemido más.

Nada les contesta. Solo la noche:

¡JA JA JA JA!

La carcajada retruena en el magro escenario donde los cuatro adultos apenas se sostienen. John se orina encima. El doctor Huamán golpea el suelo, dispersando por el aire altivo polvo, el único que se solidariza con su lamento. Aplasta, asesta y propina y la tierra no protesta. Entiende su dolor.

¿QUIÉN VA A SER EL SIGUIENTE?

Nadie dice. El doctor Huamán continúa confrontando su desolación con el camino. Nadie dice. El doctor Huamán espacia los puñetazos, siembra en los cantos la sangre de sus nudillos, resopla y se contiene. Nadie dice. El doctor Huamán se pone en pie y reta la noche.

-Cariño, no… –Emperatriz trata de oponerse.

Pero ni ella tropieza con razones para convencerle. El doctor no la mira ni le contesta. No se despide de nadie. Avanza hacia la noche a pasos tranquilos, inexorables.

-¡CARIÑO! ¡NO, CARIÑO! –Emperatriz se le arroja encima, histérica por retener a su amado, y ahora la niña parece ella–. ¡No lo hagas! ¡Quédate conmigo!

Huamán la rechaza sin dirigirle un vistazo. Solo aparta sus brazos, malas ligaduras para su desazón, pésimo contrapeso para la muerte, la repudia sin consideraciones de última hora. Ella cae al suelo, poco más o menos donde él estuvo macerando la tierra. El maquillaje se deshace con las lágrimas, se empasta con el polvo, creando una nueva máscara que hace irreal su rostro derribado, solo lejanamente evocativo de una olvidada humanidad. Los ojos y los dientes brillan. Emperatriz parece inmortal.

-Quédate conmigo… Te amo, te amo, Avelino… –ahora le toca a ella convulsionarse de dolor. No levanta el semblante, resopla y el polvo levita al haz de los faros, añade un matiz de estrago, un moco le brilla.

El doctor Avelino Huamán se desvanece en la noche. Durante un minuto no se oye nada. Al cabo tornan a zumbar los machetes en el aire. La negrura que interrumpe mullida cada silbido de acero evidencia la carne siendo tajada. La única diferencia es que la víctima no grita esta vez. Solo los machetes zurriendo, sin descanso, sedientos, y carne siendo descuartizada sin cerebro humano que le ponga fin. John y Nancy retroceden hasta dar con sus glúteos en el morro del auto.

Algún fierro más taja la oscuridad. La mirada en John y Nancy es de horror, es la mirada del espectador circunstancial.

La noche ha ingerido de nuevo. Y aún siente hambre. El aire trepida. Lo obscuro reclama su ofrenda. Emperatriz capta la gula de las tinieblas, pero el derrotismo también maneja sus miembros. La vida se le ha ido de los ojos, no sabemos si dentro o fuera del cuerpo, pero ha huido para no ser responsable más del devenir. Con las mangas del vestido, Emperatriz despeja el rostro de polvo, mucosidad y llanto. Parece la vestal decidida a presentarse digna ante el ara del sacrificio. No por derrotada su deseabilidad es menos.

Desata el nudo de las tiras que suspenden su vestido desde el cuello, descorre la cremallera de un costado y sale de dentro de la prenda como una culebra de su piel vieja. Para abreviar el clímax, ha garfeado la tira de sus bragas al deslizar los pulgares por la cadera y al bajar el vestido, remolca la prenda íntima. Bota la ropa a un lado, patea el aire para deshacerse de sus tacones y desengancha el corchete del sujetador. Lo deja caer desmayado.

Emperatriz se ofrece desnuda en el centro del área iluminada por los faros, única zona conmensurable del espacio dramático. Ahora, la noche frente a ella sí parece moverse, motas más negras en el negro común se revuelven, enervadas, rezongantes, codiciosas.

Lo rutinario pero justo sería decir que semeja una diosa oscura. Pero es más bien la hija de una diosa, plena y vulnerable al mismo tiempo, los senos repletos como alforjas provistas para odisea, pero exquisito, acogedor su terciopelo. El trasero decantado hacia la horizontalidad paradójica, las norias de sus nalgas ganan la partida a la frontalidad, arrastrando de paso el ángulo inclinado del vientre que exige adentrarse hacia la cuña sin vello, un tobogán perfecto el de su abdomen que termina en dos.

John y Nancy presencian aterrados. Emperatriz ladea el pómulo y pronuncia palabras que parecerían amorosas si no las oyéramos tan claro:

—Métanse en el carro. Cuando escuchen mis gritos, arranquen y no se detengan, vean lo que vean.

Quieren decirle algo, indagar más, compartir su aflicción, pero Emperatriz parte resuelta hacia la oscuridad, su cabellera azabache la capa más hermosa. El brillo de su pelo es también lo último que muere.

—Vamos —azuza John, codeando a Nancy. Los dos se repliegan, conservando la compostura y la mirada al frente. John se embute raudo tras el volante y cierra dos, tres veces hasta que la portezuela deformada acepta el acople. Nancy hace lo propio. Ambos boquean en el interior de la ranchera, parece que allí el aire circulara más.

Ambos esperan. Los dedos de John rodean la llave de arranque.

Pero no se oye ni un machetazo, ni la carne abierta. Ni un grito de agonía.

Entonces emerge un plañido.

Antes de que puedan diagnosticar lo que están oyendo, John prende el motor de la camioneta, suelta el embrague y pisa el acelerador. Las ruedas traseras patinan sobre la arena y propulsan el coche fuera de control. John se lanza contra la noche, parece querer atropellarla a fuerza de vaivén, los focos no logran alumbrar nada, solo superficie de bóveda negra.

Otro jadeo resuena más nítido John rectifica el curso del coche, y justo en ese instante los faros revelan la escena de horror absoluto: Emperatriz yace acostada sobre su espalda, mientras varios hombres morenos la penetran con nudosos penes por boca, vagina y ano, y ella ordeña dos miembros más. El propietario de uno de ellos, de tez cenicienta, se acuclilla sobre la faz de la joven y defeca en sus rozagantes mejillas unas heces esponjosas y húmedas de color sorprendentemente similar al de la picada piel de su dueño.

Reconocemos a un par de hombres del Cholo Lopes. Emperatriz vuelve a gimotear con toda la fuerza de sus entrañas y, al intuirnos embistiendo, gira el rostro grumoso de mierda y nos sonríe, feliz de ser aniquilada. Sus pupilas de caramelo derretido se contraen a la luz de los faros que acometen.

Una lluvia de miembros, torsos y cabezas estalla en la noche macabra: la ranchera traspasa el muro de carne y ojos.

CAPÍTULO 5

E l meneo de la ranchera cesa en cuanto pisa el firme de la carretera parda. Atrás, como una pesadilla antediluviana, queda el pasado de orgía y masacre. El asfalto abandera un nuevo amanecer en la promesa de su reverbero.

-Mi padre nos ayudará –los labios resecos de Nancy bisbisean la frase casi como una plegaria.

John no aparta ojo del retrovisor ni acusa esperanza.

-Dudo que con esta cafetera lleguemos –augura–. Ellos deben de estar motorizados. Lo mejor sería escondernos donde podamos hasta mediodía.

-¿Pero dónde? –el cabello despeluzado de Nancy permite apreciar unas raíces negras de lo más existenciales, a juego con el rímel corrido. No la hemos visto llorar, pero ahora esboza cierta demacración postraumática.

Amanece, convenientemente.

-¿Qué es eso? –consulta John.

Nancy atiende en la dirección que marca el hoyuelo de su compañero. De inmediato, se protege los ojos viserando con la mano.

En el crepúsculo de jirones de nube que amplifican manchurrones púrpuras, avanzadillas de un sol aún cauto en su ascenso, un espacio acotado orográficamente y tirando a rectangular espejea con decenas de fragmentos dispersos, como

261

cristalitos machacados, como lentejuelas de un vestido roto desde el fondo de un baúl. Nancy entrecierra los ojos y sus pestañas apretujadas definen el dintorno de numerosos vehículos de cuatro ruedas aparcados atropelladamente.

-Es una playa de estacionamiento.

-Sí, pero… ¿de qué?

Pese a sus reticencias, John conduce la ranchera hacia el terraplén, poniendo tacto en no desrielarse de las roderas. Maniobra la vuelta entera al rebaño metálico y sitúa su vehículo lo más alejado posible de la vista de la carretera.

-Siempre será mejor confundirnos entre este montón.

-¿Te parece que ingresemos?

Nancy se refiere a la fatigada casa en plano inclinado y de una planta que se sostiene a duras penas del final del talud. La pared descarnada enseña sus huesudos ladrillos por debajo de la piel de cemento revenido. El techo plano resta oculto a allanamientos desaprobadores. Ningún rótulo o señal ilustra la condición de aquella morada. Una ventana enrejada con barrotes pintados de azul y óxido y postigos alilados saludan la bienvenida a lo tenebroso.

Nancy y John se encaminan allí, de nuevo entrelazan manos. John avizora el recodo más lejano de la carretera, en cualquier momento tememos sentir un rumor de motores o columbrar una horda de tochos al abordaje.

Una puertita de madera azul con una mano apegotada de violeta cede frágil bajo un arco de intradós desdentado. La penumbra les acoge: John y Nancy prevén ser recibidos por algún sonido, alguna pista de lo que allí habita, pero no los perciben. Sin más, John franquea la puerta, Nancy pegada a sus talones, precavida. Sus propias sombras obstaculizan la visibilidad que pudiera aportarles el umbral abierto al sol.

John parece dispuesto a dar un paso más, pero un susurro le paraliza. Retrocede, timorato, al comprender que no están solos: una legión de murmullos les clava contra la pared. Alguien separa postigos, la luz entra. Hileras de figuras reclinadas alzan los ojos en dirección a ellos dos.

Se trata de una sala de adoración, un único recinto rectangular surtido con filas de sillas plegables de madera carcomida. Hombres y mujeres de mirada elemental y facciones sumidas, indios puros, de apariencia escalofriante por su entregada sumisión y su miseria, permanecen genuflexos en el suelo, frente a las sillas, ignorando su acomodo. Ora examinan a los intrusos sin que ninguna emoción nos insinúe la línea de sus pensamientos, ora prosiguen orando con los ojos cerrados. De pie frente a ellos, su líder espiritual, de constitución equiparable a la de la casa: un escacharrado anciano en pantalón de pana y camisa de felpa que también susurraba con párpados entornados y los ha izado para observar a los recién llegados con veraz expresión bondadosa, cierto jolgorio interior al recibir la visita de esos dos ejemplares de la remota civilización; quién sabe si lo que murmuraba abriga alguna relación profética con ellos. A su espalda, arrimado al paramento frontal, un aparador de madera esmaltada se presenta recubierto por una plancha de aglomerado, impidiendo conocer su contenido. Al costado, un velorio con cirios y bujías de colores derretidos. El viejo, sabio pretibetano venido a menos que nada, señala dos asientos vacíos a su siniestra. John y Nancy no dudan, quizá piensan que entreverarse con la grey les hará menos visibles que perfilados en el umbral. A pasos cortos, discretos y orientales avanzan hasta las dos sillas de madera, John se sienta sobre una, Nancy se prosterna directamente sobre las losas agrietadas, John comprueba que es el único sentado y en consecuencia hinca los hinojos.

Ambos clausuran los párpados e improvisan un arrullo devoto.

El relativamente venerable anciano prolonga su oración íntima frente a su tribu unos minutos más, las yemas de los dedos de cada mano conectadas con sus respectivos pares. Abre los ojos, carraspea con la delicadeza de un santo, evalúa a su manada con la fijeza del carnero previo degüello, y sin más palabra se vuelve hacia el aparador y retira sin esfuerzo el panel conglomerado.

Descubre así una vitrina de cristales grasosos de manos y, dentro, un minúsculo cuerpo momificado de medio metro de altura.

-¡La madre de Dios! —resuella John—. ¿Qué demonios es eso?

Nancy le chista.

La momia, envuelta en un manto blanco, aparece vertical y culminada por una corona diminuta, a escala, de sobado metal dorado, imprevisto remate sobre una calavera del tamaño de un puño, de color terroso brillante y mueca artera. Se trata del cadáver de un niño de pocos años, la piel casi enteramente corroída hasta los huesos, al que han añadido con burdo sentido escenográfico de la oportunidad una peluca de cerdas estropajosas que le llegan a medio cuerpo; también una dentadura de origen animal y magnitud notablemente mayor a la que tendría la suya propia o la de un humano adulto, y que la aterida cavidad de su boca chiquita apenas abarca, con renegridas piezas acolmilladas que sobresalen desparejas, provenientes a buen seguro de alguna bestia de granja sacrificada al servicio de lo macabro; y unas canicas azules a modo de ojos, con un punto de negro pintado en el centro de cada bolita, dispensándole la catadura, quizá premeditada, de malicioso observador de su culto, quizá para preservar de por vida su cariz conminatorio. El casi sudario también parece donado por sus adoradores, pues enmarcada entre brocado y brocado de oro, destaca bordada la siguiente leyenda: "Al Niño Milagroso, de los Pobres Todos". Asimismo, a sus piecitos agarrotados y negros, reposan numerosas ofrendas en forma de irrisorios juguetes: pelotitas de goma, cochecitos de latón, soldaditos de plomo.

-El Niño Milagroso –gorgotea el viejo– está dispuesto a oír sus plegarias y ruegos. Recuerden –alza un dedo amorcillado y de uña inmaculadamente marrana– que se comunicará con ustedes en sus sueños. No le falten, porque si quiere, puede ser maloso y causar mal tremendo. Tal es el poder que Dios le ha consedido. Así que preparen sus súplicas, que no deseos. Pero antes –el dedo pistonea el aire y casi se huele–, un experto en su materia nos va a proporsionar más datos sobre el Niño Milagroso.

De algún lugar atrás surge un elefantiásico hombre de rasgos orientales y gafas de Harvard, probablemente japonés, enlonado en descomunales pantalón de tergal y camisa de manga corta y a rayas, con mocasines menudos. El hombre no semeja ni mucho menos un sabio, un luchador de sumo a lo sumo, un técnico aplicado a lo más.

Ahora habla consultando al suelo:

-Bien, agradezco al señor Quispe –aquí procede una inclinación de cabeza hacia los Pobres Todos o su representación local. Efectivamente– el haberme permitido realizar mis experimentos y mediciones para determinar el origen del Niño Milagroso. Ustedes tienen derecho a saber, ya que son sus devotos, que el Niño nació en la segunda mitad del siglo XIX. Era un chiquillo de la sierra y nadie conoce exactamente cómo murió a tan temprana edad ni por qué se le otorgaron los poderes que se le suponen… que se le conocen. Valga decir que su culto nació entre las gentes también sencillas allá en la sierra y solo la descalificación y

LA MOMIA, ENVUELTA EN UN MANTO BLANCO, APARECE VERTICAL Y CULMINADA POR
UNA CORONA DIMINUTA, A ESCALA, DE SOBADO METAL DORADO...

el rechazo de la Iglesia española han provocado que termine subsistiendo aquí, entre esta humilde comunidad periférica a la capital. También puedo añadir que el culto a las calaveras procede más bien de la cultura precatólica, por lo que se puede definir como pagana...

-Muchas grasias por su explicasión –le interrumpe oportuno el anciano, indicándole vagamente alguna quimérica silla marginada que esperara gallarda su mastodóntico aposentado–. Estoy seguro que nuestros fieles agradesen este mayor conosimiento sobre el Niño Milagroso, su Salvador.

Un contraplano nos demuestra que ningún fiel refleja en su expresión ningún mayor conosimiento.

-Así pues, es hora de resarle al Niño Milagroso. Recuerden que pueden comprar sus velitas y ofrendarlas por solo dies soles la unidad. No pidan demasiado pero oren mucho, y no alimenten malos pensamientos, o el Niño Milagroso hará sus vidas mucho más desgrasiadas de lo que son ahora.

¡Y la expresión del anciano seguía rezumando bondad!

John y Nancy se cruzan miradas de conversos a palos, husman sus opciones, sopesan el panorama y se ponen manos a la oración. Resulta cuando menos interesante descifrar las palabras de John:

-Querido Niño Milagroso: impide que los hombres del rufián llamado Señor Santo –ningún parentesco contigo, Niño Querido– encuentren nuestro rastro y nos causen ningún daño, especialmente a mi amada Nancy. Procura también que nuestros destinos no se separen y que siempre nos amemos y podamos estar juntos para gozarla. Amén...

John se apercibe del vistazo incrédulo de Nancy y le encoge los hombros. Justo en ese momento la puerta exterior se abre de un tirón, y bajo el dintel se dibuja la tremebunda, hermosa y persuasiva figura del Cholo Lopes. El asombro de John solo halla resistencia en el por fuerza limitado ángulo de apertura de sus párpados. Como un rayo, hunde el hocico en su esternón y cierra los ojos, volviendo a salmodiar el parlamento anterior de corrido. Nancy, que asimismo ha descubierto al apuesto secuaz del Señor Santo, encoge el esqueleto y también cierra los ojos, como niña que se agazapara en la oscuridad que le proporcionan las membranas abatidas.

Pero el Cholo Lopes no repara en ellos. Sabe a lo que viene. Su mono blanco tirante y abierto en el pecho le confiere el empaque de un campeón de lucha libre. Planta las rótulas junto al primer creyente de la primera hilera, a una distancia de tres fieles de John y Nancy, afirma la barbilla en el pecho y se abstrae en un rezo interior y profundo. John abre un ojo para espiarle, mientras no ceja en su orar. Nancy igual. Los dos desnudan aún más el ojo estupefacto al presenciar cómo el maromo entra en trance de confesión y sacude su enorme percha con amargo lloro al hilo de su voto al Niño Milagroso. John y Nancy abrazan de nuevo la oscuridad y se concentran en invocar lo más desapercibidamente posible. El Cholo reza, John reza, Nancy reza al mismo ídolo. Cada uno parece rezar cosas diferentes. Deseos antagónicos, con toda probabilidad. ¿Quién se considera más bueno? Al cabo de un minuto, el Cholo Lopes besa la medallita de su pecho, se incorpora, se santigua y se sale de la sala de adoración sin mirar atrás. Reconocemos el sonido del motor de un coche alejándose, un rugido apagado que no habíamos apreciado al llegar.

John y Nancy suspiran y renuevan su plegaria:

-Gracias, Niño Milagroso… –reanudan a un tiempo.

Toda la sala es una enumeración de peticiones, humilladas y humildes. John estira el cogote, ojea el qué, se levanta y se desplaza con paso quedo, como si temiera sacar a los oradores del beneficio de su edificante cantinela, hacia la puerta de salida. Se asoma por ella, controlando la abertura de espionaje.

Ni rastro del Cholo ni de su tropa, solo una polvareda deshaciéndose en sentido inverso a la dirección de la capital. Terreno despejado, pues. John exhala tensión y abre del todo la puerta, apoyando un hombro en el marco. El sol ya regenta el cielo nicotinado. Cierra los ojos y saborea el relajo.

Abre los ojos y ve la vieja cabina de teléfono.

-Gracias, Niño Milagroso –musita con sincera devoción.

CAPÍTULO 6.

Ondas acidulantes de theremín sobre una porción de espacio en negro.

Unos ojos soñadores que palpitan arrítmicos bajo los párpados.

Otra vez la porción en negro. Una sombra más negra avanza hacia una luz cenital. El theremín enloquece.

El primer término es el que está iluminado: la sombra más negra se adelanta y posa ante nuestros ojos, ante los ojos cerrados del individuo.

Es John. Está desnudo de cintura para arriba. Lleva puesto el mono solo por la parte del pantalón, la pieza superior desmayada a los lados, caída desde la cintura como una sombra blanca. John mira fijamente al espectador con intenciones poco nítidas.

Los ojos soñadores huronean bajo su cobertura de fina membrana batracia.

La mirada que John nos envía ahora semeja de odio. Una eyaculación de sangre proveniente de nosotros brinca diagonal hacia su tórax y le empapa. Uno de sus ojos realiza un recule instintivo pero, sobre el papel, el chorretón en la piel debe resultar de su agrado, pues su cara de satisfacción es manifiesta. Otra salpicadura en diagonal impacta sobre su pecho pelón. Se forma una X de pálido y pintoresco escarlata, una saltarina y festiva sangre la nuestra poco verosímil y quizá por ello más grimosa. No embargante, John la acepta con delirio y carcajea cada vez más espasmódico y dicharachero, para nuestro presunto espanto.

Resuenan latidos humanos en progresión y a cada diástole se superpone la imagen de dos cuencas negras parcialmente rellenas con sendas esferas de vidrio de azules pupilas que, engastadas en el abismo, nos observan con la crueldad de lo inhumano. El redoble acelerado de latidos compartidos entre John y los ojos de muñeca es un duelo que estos últimos acaban ganando.

Los párpados suben y los ojos que soñaban contemplan con horror.

-¡AAAAH! –grita el condenado.

Se trata del mayor Veles, semiincorporado en una cama, suponemos la suya, a juzgar por el boato y la aparatosidad de la colcha de seda burdeos, la sábana de igual color y el dosel de madera noble.

El cósmico theremín es sustituido por un diarreico timbrado telefónico. El Mayor lo permite desfogarse un par de veces y luego descuelga irritado. Su mata negra se conserva cuidadosamente aplastada contra el cráneo. Contesta con ese gruñido ininteligible, urgente y maleducado con el que a todos nos gustaría responder siempre al teléfono.

Escucha y se altera:

-¡Por fin! ¿Se puede saber dónde carajo…? ¿A santo de qué vino esa chifladura…? ¿DÓNDE…?

El Mayor se calla, sus ojos parecen reconocer las palabras como si las viese expuestas ante él, flotantes y legibles. Vuelve a gruñir, más aquiescente a su pesar. El tenor de su silencio desvela que considera una resolución.

-De acuerdo –conviene–. No se muevan de ahí si no quieren que les saque la mugre.

El Mayor cuelga. A su lado, la sábana se revuelve mágica y roja. De debajo, brota una fisonomía familiar de mujer, el de una negra somnolienta y dispuesta al amor.

-¿Qué pasa?

-Tengo que salir –notifica escueto el Mayor, y tras su previo aviso retira la sábana y sale esquelético de la cama. No está desnudo, un improbable calzoncillo rojo se ajusta a su ingle con la precisión y voluminosidad de un superheroico taparrabo–. Quédate si te provoca, últimamente hay ezcacés de toque femenino.

JOHN MIRA FIJAMENTE AL ESPECTADOR CON INTENCIONES POCO NÍTIDAS.

El Mayor recoge su uniforme despatarrado al pie del lecho y abandona el dormitorio rococó sin un solo gesto cariñoso o mueca galante por despedida. La mujer mantiene los ojazos sobre la puerta crema recién abierta y cerrada. ¿Quizá se muestre contrariada, rencorosa por la marcha repentina del detestable amante? Nada de eso. Sin manifestar sorpresa alguna en sus hermosas facciones, se inclina hacia el lado recién desocupado del tálamo y repesca el auricular del teléfono. Sin mucha precisión, disca un número impreciso.

A semejantes alturas de la escena, será cuando probablemente hayamos reconocido ya a esta incitante mujer oscura. Es ni más ni menos que la dra. Vasques, la presentadora del vídeo divulgativo del INTELECT y el MFC. Ahora lleva el pelo suelto y desmadrado, pero la hechura de su tipo y el atractivo de sus rasgos no han cambiado prácticamente desde que grabó el documental. Sus hombros son bastante huesudos, le dan un aire somalí a la espera al teléfono.

-Soy yo –se identifica al fin–. Acaba de salir. Creo que va a verse con ellos.

Poco escucha al otro lado del auricular, a lo mejor instrucciones –en todo caso, bien breves– que le hace devolverlo a su horquilla sin mayor tardanza. Luego su pensamiento divaga por la alcoba.

Innecesariamente, baja de la cama y se apoya en una de las taraceadas columnas del dosel, aún reflexiva y desnuda. La pronunciada osamenta de la pelvis se impone contundente sobre el resto del esqueleto forrado de ébano, pelvis dictadora de deseos, maciza y terrible como la quijada de un buey.

Un corte poco ortodoxo nos teletransporta bruscamente hasta la entrada al cañón donde está situada la casa del culto al Niño Milagroso. El sol ya esplende a varios centímetros por sobre el horizonte. La luz naranjada bucoliza un paisaje desértico y asilvestrado, de sabor fronterizo. Al fondo, un Ford negro se aproxima por la carretera sin poder evitar el rastro de polvareda. El auto emboca el pasillo permitido por los coches aparcados, ganando nuestra posición hasta colocar su costado en paralelo al de la fachada del templo semipagano.

El Mayor desciende del coche, en traje negro impecable hasta un segundo después de inmiscuirse en aquel polvorín de polvo. Camina con aplomo hacia la entrada de la casa.

El Mayor tiene un buen lejos. Es cuando se acerca que empieza a dar miedo, por sus ojillos escrutadores, su boca de derivaciones mezquinas, su pelo amazacotado a una sien en comunión eterna, sus sierpes azules escoltando las cejas bajo la piel sauria, su menudez de índole sádica y acomplejada.

Entra como Pedro por su casa en la del Niño Milagroso. John, que continuaba masticando rezos poco menos que dormido, recibe la sacudida en un hombro de una mano de Nancy, quien ya se ha percatado de la irrupción de su padre. John resurge del abismamiento pseudomístico y ambos se ponen de pie entre el devoto gentío.

Mientras, el viejo líder del culto se dirige al Mayor para averiguar qué se le ofrece, pero Veles le aparta de una brazada sin un solo miramiento. Sus ojos dan con la efigie ladina del Niño Milagroso. Lo examinan fijamente. Un zoom a la faz del Niño nos sugiere que quién sabe si el Niño también le examina a él. El mayor Veles no reprime un sobrecogimiento y no se le ocurre otra cosa que rematar su animosidad con un escupitajo ciruela sobre el baldosado, acción que levanta ciertas reticencias en la feligresía. John y Nancy confluyen a la altura del Mayor y se lo llevan a un extremo, asiéndole cada uno de un brazo, entre las maldiciones pensadas de los Pobres Todos.

El Niño Milagroso tampoco les desvía la vidriosa vista de encima, siguiendo sus pasos con los ojos inmóviles.

-¿Qué huevas hacen aquí? ¿Ahora les ha dado por la agorería? ¿Es que me van a venir con que se han hecho supercheros, como estos mamarrachos?

Los indígenas no dicen nada, pero empeñan la mirada en el rostro del Mayor. El Niño Milagroso, en su espalda.

John y Nancy lo arrastran hacia la salida. Al aire libre, a dos metros de la casa, el Mayor se rebela y se les sacude de encima.

-¿Y bien? ¿Me van a explicar, sopilótez?

-Es el único refugio accesible y razonable que hemos encontrado –repone John.

-John tenía miedo… no estaba seguro de que fuera seguro acudir a ti –precave Nancy.

-Y tanto que no es seguro –se jacta el mayor Veles, tomándola con John–. ¿Un yerno perseguido por asesinato? Lo mejor que podría hacer es ocuparme de tu ejecución yo mismo en persona. Me parece la única manera airosa de salir de esta sin perder el apoyo popular. Incluso igual me ganaba algún sector indito, descontento y rasizta. Y tú… –mira a John con el propósito de escarnio reservado a aquel que le ha hecho una jugarreta–. ¿Es que no podías haberle eliminado de manera más discreta? ¿Es que tenía que enterarse todo el mundo?

-¡Pero él no ha muerto a nadie, papá! –le explica Nancy, ante la reluctancia de John a ofrecer explicaciones–. ¡Ha sido el Señor Santo! ¡El muy malévolo ha despachado un par de hombres en el Acondicionamiento! ¡Y le ha achacado la culpa a John!

-¡Razón de más para dezpreziarte! –el Mayor enfrenta su cara a la de John con los ojos constreñidos, acumulando en sus pupilas todo el vilipendio que le disculpa su rango–. Yo no quiero un yerno incapaz de probar su inocencia. Ni coraje tienes para matar.

John dedica a su futurible suegro una expresión de casi franca repugnancia, a duras penas contenida. Luego sí la reprime, como si de perseverar fuera a ser víctima de una basca.

-Ayúdenos, Mayor. Quieren matarnos –se limita a solicitar, los ojos gachos.

El Mayor atenúa su agresividad y retorna a sus cabales, fingiendo con agrado el rol de autoridad ecuánime, sometedora de crisis. Regula el bienestar de su cuello en contacto con el cuello de la camisa, chasca la lengua en señal de conformidad y asiente para imponer su adecuación mental a un punto de vista constructivo y posibilista.

-Lo primero es volver a la mansión. Allí nadie se atreverá a pedirles cuentas a ustedes. Y en cuanto a Santo, yo lo arreglaré con él. No serán los primeros crímenes que quedan sin resolver. ¿De qué raza eran los finados?

John no remonta la vista del suelo, no hace amago de responder.

-Eran cholitos –divulga Nancy sin empacho–. Nadie moverá un dedo por ellos.

-No, pues –el Mayor se pone de puntillas a unos centímetros del pómulo de John, asegurándose de que no le rehúya el matiz cínico de su comentario–. En efecto –y cuando le tiene enfocado–. Sin embargo, por ti sí vamos a moverlo.

-¿Podemos irnos ya? –solo atina a farfullar John.

-Por supuesto –el Mayor regresa hacia el Ford y la pareja le sigue, sumisa por necesidad, con cierto aire de bochorno generacional, de involuntaria reafirmación de clase alta asumida contra su voluntad, o de adolescencia pillada en falta por creerse libre... y ahora arrepentida–. Por culpa de ustedes he dejado sin zolusionar en casa un asunto importante que me surgió ayer...

El Mayor se interrumpe, su rostro cobrizo oteando la carretera.

Procedente de la misma dirección por la que llegó el mayor Veles en su Ford, aparece ahora una retahíla de coches en marcha, todos pertenecientes a ese diminuto modelo de frágil chasis y carrocería amarilla, casi de plástico, que hemos conocido como tico. Son al menos media docena. El Mayor, John, Nancy y nosotros esperamos con el corazón encogido que la comitiva de cochecitos prosiga su ruta carretera arriba y se pierdan de nuestra vista, pero a la altura del terraplén el peligro amarillo derrota hacia el trío e invade la explanada propicia para aparcar. En dos segundos, se presenta una línea de contingencia contra nuestros protagonistas, los ticos estacionados amenazadoramente a dos pasos de John, Nancy y Evo Veles.

La portezuela de un tico, uno que forma hacia el centro del arco, se abre y de él salta atlético el Cholo Lopes, con talante de mal genio, aunque uno nunca acaba de creer que aquel hombre sea realmente malo. Si John y Nancy hacen gala manifiesta del terror que les induce la presencia del tiarrón cholito, el Mayor la tolera inmutable: solo reacciona bufón al reparar en su vestimenta y la de dos de sus esbirros*.

-¡Carajo, pues sí se ha puesto de moda el overol blanco! ¡El cherry de la decadencia!

El Cholo no contesta. En tres zancadas se erige frente al Mayor, con inquina retadora. Si el Cholo Lopes fuera un decapitado, ambos tendrían la misma altura.

-¿A qué se debe el deshonor? –le suelta el Mayor, para sin pausa afectar en tono grave–. No me gusta verme obligado a entrablar trato con gentes que no conozco, y en este caso además se trata de gentes a las que no tengo interés cierto en conocer. Así que le agradecería que usted y sus malandros de mala muerte y patético enterizo nos franqueasen el paso, antes de que me vea obligado a tomar medidas... mayoressss.

El Cholo Lopes sonríe ante el énfasis de la última palabra, creemos, y no dice nada. El Mayor adopta ahora una seriedad hosca.

-Le digo que, dadas las sircunztánsiaz, será mejor para usted y los huevones de

---

*Apoyamos la conjetura de que el tercero murió atropellado mientras desempeñaba el rol de cuarto o quinto violador de *Emperatriz*. (NdT)

sus subalternos que se hagan a un lado calmosos y nos dejen marchar en paz antes de que avise a mis…

El Cholo aferra el cuello del Mayor con una sola mano y lo estruja, alejando al Mayor todo lo que le da de sí el brazo extendido. El Mayor desorbita los ojos de sorpresa y presión. Nancy exclama, pero no se atreve a intervenir. John solo esto último.

La mano del Cholo Lopes cuenta con las dimensiones apropiadas y se ajusta a la perfección para ceñir el pescuezo del Mayor. El Cholo acompaña su acción con una mirada de curiosidad, observa cada una de las gesticulaciones de su ejecutado. Luego vira los ojos hacia John, le sonríe con amor sin aminorar la apretura. John contempla la figura del Cholo: al tiempo que estrangula al Mayor con el brazo alargado y guiña cariñoso a John, su pantalón sufre frunce en la entrepierna. Visible bajo la tela impoluta, el bulto de su pene hinchado –de unos veinte centímetros, uno arriba uno abajo– encarrila su progresión por la pared interior del muslo de su dueño, hasta acomodarse en ángulo de setenta y cinco grados con respecto a la ingle, anidando en la afectuosa hondonada del izquierdo abductor. El Cholo erecto sonríe y sigue apretujando el garguero del otro.

Tras regodearse en el estrangulamiento un minuto de reloj, el Cholo emplaza su zarpa libre sobre la cabeza de su víctima, asiendo el ala de pelo pulcramente aposentado, solo para quedarse entre los dedos un peluquín desprendido.

-Puta… –flipa Lopes.

Desecha el peluquín lanzándolo a tierra, como tarántula disecada, y tantea con la palma el asentamiento de su mano en la nuca del Mayor. Cuando lo tiene bien agarrado, lo suelta por delante. Más que perder tiempo en recuperar el resuello, el Mayor lo malgasta en exigencias:

-¡Suéltame ahora mismo y quizá sea benévolo contigo y tu gente! –Tose y la saliva hacinada se le desparrama por los confines de la boca–. ¿Pero qué mierda te has creído, cholazo de los…?

El Mayor no acaba la frase. El Cholo ya lo sostiene perfectamente prendido del cogote, y con la otra mano, la misma que segundos antes le asfixiaba, se emplea en martillearle con la base de la rústica palma sobre la nuez, como un pistón, repetidamente. Al ritmo de sus desarmantes golpes, el desaprensivo Cholo silabea:

-¡¡¡Que… te… ca… lles… de… u… na… jo… di… da… ves!!!

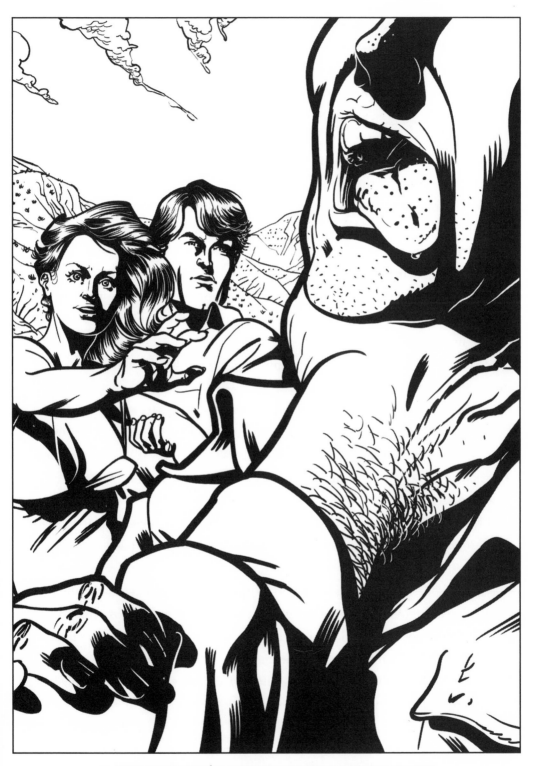

EL CHOLO ERECTO SONRÍE Y SIGUE APRETUJANDO EL GARGUERO DEL OTRO.

La palma implacable impacta la garganta del Mayor, desmembrando su resistencia y capacidad opositora. A cada apisonado de la manzana de Adán, cual si la exprimiera a puñadas, oleadas de bilis y sangre burbujeante desbordan boca y narices, y los ojos del Mayor comienzan a desorientarse y perderse en las alturas de sus cuencas. La mano embiste y chafa la tráquea de su prisionero acogotado, lo quebranta una y otra vez, lo desposee de toda su capacidad de autodominio, de estabilidad, hasta que de la otra mano del Cholo Lopes solo cuelga un pelele sin fuerza, sin voluntad y sin vida apenas.

El Cholo machaca varias veces más el gaznate de su rival, ahora absolutamente desfondado y deforme por los embates. La manzana de Adán ha desaparecido incrustada entre cuerdas vocales, el aparejo que sostenía al Mayor se ha venido abajo. Sus ojos sin dignidad consiguen enfocar por última vez, solo para ver los ojos inmensamente azules, deslumbrantes y serenos de su verdugo. Los ojos del Mayor se vacían de vida convincentemente, adquiriendo una calidad cerosa propia de los muñecos.

El maniquí del Mayor exige derrumbarse al suelo. Allí cae desarbolado, a pies de John y Nancy, hecho una piltrafa.

—¡Este cholo le ha choleado, cholaso! —se burla Lopes del fardo aplatanado.

La pareja no despega ojos del protector cuyo desmantelamiento ha presenciado sin objeción posible. El Cholo Lopes se encara con ellos, como si les hubiera llegado su turno: ahora ya dispone de tiempo para ocuparse debidamente de la pareja perfecta.

El Cholo se decide por Nancy. La mide con sus ojitos sensibles, mientras Nancy y John solo aciertan a replegarse, ella aplicadamente llorosa por la defenestración de su progenitor. La manaza homicida del Cholo acaricia el declinado curso de lágrimas de la mujer, descendiendo su pómulo y maxilar hasta circundar el delicado cuello. John inicia una protesta airada, el típico preámbulo verbal de un ser civilizado poco dado a la respuesta física —preámbulo que aquí resulta poco distinguido y desde luego prescindible antes de recurrir a la en puridad obligada violencia—, pero un belicoso siseo les asalta antes: el mayor Veles, desde el suelo, aún recopiló fuerzas para prorrumpir su molicie un borbollón de rebeldía en socorro de su hija.

Lopes recula con aire harto y tiende una mano.

-Que alguien me pase un fierro. A este cabrón no lo acabamos.

-Vámonos de aquí –confía John a Nancy, y sin aguardar consentimiento, la remolca unos pasos disimulados en retroceso.

Un allegado del Acondicionamiento alcanza un revólver al Cholo. Este lo empuña con firmeza erótica, la naturalidad con que lo acomoda en su palma resulta todo un agradable presagio. Casi sin apuntar, lo descerraja seguido sobre el Mayor, que encaja los proyectiles sin mayor queja ya. Los compañeros del Cholo Lopes espolean con algarabía la innecesaria descarga de balas, y se agrupan a su vez alrededor del Mayor para desencadenar un tiroteo dirigido contra el ya cadáver, posiblemente un festivo sustitutivo para ellos de los fuegos artificiales. Una polvareda levita en torno al fiambre, haciéndole desaparecer en la fumarola y también envolviendo al corro de pistoleros*.

Nancy refleja en su crispado ceño y su boca contraída, que traza con mayor crudeza que nunca unos preocupantes surcos nasogenianos, el sufrimiento que le provoca la humillación de los restos del Mayor. John no pierde comba y aprovecha el confuso tumulto y la batahola para atraerla del brazo y ganar unos cuantos metros más de despegue con respecto de sus verdugos.

Por la puerta del templo del Niño Milagroso asoman el viejo predicador y varios de sus fieles, por fin despiertos. Agraviados y temblorosos ante la balacera, echan a correr de espanto, cruzando al trote entre la cuadrilla de linchadores, que se sorprenden primero de aquella afluencia humana, segundo ríen al ver la oportunidad de integrar esa intrusión en su jolgorio, disparando al aire con más denuedo solo para descojonarse de cómo huyen sus paisanos cual conejos, algún malencarado incluso apuntando a dar y dando.

John sabe que ahora o nunca: tironeando ya sin protocolo del antebrazo adorable de Nancy, se descoyunta en desesperada estampida por evadirse de allí, en dirección a la ranchera aparcada en una de las últimas hileras de autos.

Pero el Cholo Lopes, que está a todas, se percata pronto de que sus dos cobayas han emprendido la escapada y les encañona y dispara entre el gentío, al principio con la relajación del predador a gusto en la escabechina, luego algo más alerta ante la clara posibilidad de que ambas víctimas materialicen su fuga.

---

*Imagen exacta a la que contiene el filme Dillinger, dirigido por un judío americano llamado John Milius hace escasos cuatro o cinco años, y que probaría una de dos hipótesis: o bien el director de esta supuesta película es un plagiador inconmovible, o Rainer Nögler se ha dejado llevar por sus gustos cinéfilos a la hora de "inventarse" esta historia. (Nota de Jonas Reinhardt)

Las balas del Cholo levantan chispas en las carrocerías que parapetan a John y Nancy, quienes se agachan entre vehículos sin desacelerar su espantada. Nancy ya es consciente de que se juegan las vidas y brinca como liebre por sí sola sin irle a la zaga a John. Por fin arriban a la camioneta y se introducen en ella.

Al constatar el pequeño triunfo de sus perseguidos, el Cholo Lopes se arroja a la carrera en pos de ellos, mientras sus compadres contrarrestan su propia amenaza, entretenidos en la juerga de pólvora y miedo.

John pone en marcha la ranchera a la primera. El auto se desliza tosiendo hacia una de las calles improvisadas entre coches, colándose emparedado entre otros autos que también ronronean la salida y adquiriendo velocidad en cuanto encauza la última recta. El Cholo se detiene, y comprendiendo que de aquel punto ya solo le falta a la pareja de huidos incorporarse a la carretera, desanda lo corrido y se desgañita en salvar a grandes trancos, entre compinches cachondos y feligreses desdichados, la senda más directa desde el yermo hasta el asfalto.

John gana la carretera, pero debe transitarla en un sentido que le acerca de nuevo a la casa en vez de alejarle de ella. Mientras por el terraplén avanza el Cholo a su caza, con muy poca mayor rapidez avanza la camioneta, ambos sujetos motrices de sendas trayectorias en ángulo recto, prontos al inminente encuentro de su vértice. Lopes corre raudo y asesta al hilo de su frenético ritmo cuantos tiros le permite el tambor de su arma (o igual alguno más), apuntando el revólver sin reducir la vertiginosa celeridad de sus prodigiosas piernas.

La camioneta cruza a unos cinco metros escasos por delante de él, y es entonces cuando el Cholo gasta sus últimas balas: varias impactan en el chasis, abriendo tres boquetes del lado de Nancy. Ella se recuesta más hacia John, que sonríe esperanzado al enfilar el tramo de carretera que le distancia ya del baldío y la casa.

El Cholo, derrengado y accionando un revólver que ya no tiene cartuchos, contempla la ranchera marchar.

—¡Concha su madre!

CAPÍTULO 7

—Sigue de fresa.

John conduce la camioneta a buen ritmo, todo el que le permite el maltratado trasto. Nancy reposa la cabeza en el hombro de su amado y deja levitantes sus ojos desparejos en la carretera. Cada cierto rato, no puede evitar demandar ansiosa.

—Sigue.

Permanecen en zona de cerros, pero algunos ya empiezan a avistarse habitados. John pasa más tiempo vigilante por el retrovisor que a través del descuajaringado parabrisas, que por el lado del piloto está menos resquebrajado y opaco. El cristal del retrovisor no le ofrece más que el tramo desnudo recién rebasado. Ni rastro de sus perseguidores.

—A lo mejor han renunciado —aporta Nancy, apostando por el pensamiento positivo en la balanza que John maneja en su cabeza.

John se contrae. Por el pequeño espejo acaban de concretarse en sucesión ininterrumpida los seis ticos en fila. Como para recalcar su condición compenetrada y letal, los pequeños y compactos vehículos amarillos se desplazan como un látigo hacia un lado del asfalto, después al otro, en formación perfectamente coordinada. Parece que ganan terreno.

John apenas atina a retirar la vista del retrovisor y aplicarse a la carretera. Los ticos rompen fila ahora, aproximándose con la anarquía que impone la pericia de cada conductor.

-Nos van a pillar —desanima Nancy.

-Estamos llegando a zona de invasión humana —explica John—. Si conseguimos cruzar algún pueblo habitado, quizás ahí tengamos alguna oportunidad.

-¿Cómo? —Nancy no alcanza a comprender. Tampoco da la impresión de que espere ninguna respuesta. Su mirada está a punto de perderse en el atolondramiento, de claudicar la cordura.

La determinación de John comprime sus labios, haciendo acúmule de la voluntad que le falta a su amada. Comprueba:

Los ticos le han comido terreno, apenas separa su vehículo de ellos una docena de metros. Los diminutos autos se revelan extrañamente amenazantes, quizá por lo extravagante de sus dimensiones y sus formas de dados ambulantes, parecen salidos de las irreales páginas de "Clever und Smart"* y ello los hace más intimidatorios si cabe.

Ahora, con una sincronización visualmente resultona, los copilotos de cada tico se asoman por sus respectivas ventanillas, metralletas en mano. Varios disparan varias ráfagas en dirección a la ranchera, independientemente de que se encuentren en primer término o entremetidos en la escuadrilla amarilla. Las detonaciones resuenan en el valle como sarta de ladridos.

Una hilera de metralla refilonea el paso de la camioneta, como una sucesión de petardos anunciando la llegada de los novios. Diversos proyectiles penetran la trasera, su contundencia la suficiente para hacer sudar a John, quien desprecia ya el retrovisor y ahora prefiere volver la cabeza directamente a la hora de verificar la eficacia de sus cazadores.

La ranchera consigue mantenerse a unos tres metros de los ticos, mientras se esfuerza en recorrer con solvencia la corcovada carretera sobre aquella harinosa tierra de nadie. Nancy se agarra al brazo de John. Las cerradas curvas comienzan a afectar la estabilidad del vehículo.

-¿Y… si nos entregamos? —flaquea ella.

John no contesta.

*Aquí el chico se refiere a esas historietas de humor sobre dos agentes secretos de broma, tan populares estos días. Dudo que quien las dibuja sea alemán. (Nota de Jonas Reinhardt)

Las metralletas vuelven a restallar. Alguna hace añicos el parabrisas posterior. Los cochecitos se están acercando, más alborotados y zumbantes, como hatajo de mosquitos agigantados por un escape tóxico.

-No podré aguantar mucho más –nos confiesa John.

De pronto, toma una decisión loca o poco meditada. Aprovechando que la colina a su lado ya no descolla a pico, de un volantazo se desplaza hacia ella para transitar en línea ascendente unos metros de la rocosa ladera, los suficientes para no volcar de lado. Luego dirige el morro de la camioneta hacia abajo, de vuelta a la carretera, embistiendo de paso al primer tico, que no ha podido frenar. El cochecito, un minúsculo parásito al lado del paquidermo que arremete, sale disparado de un golpetazo en la culera hacia el terraplén del otro lado, protagonizando varias vueltas de campana y el centrifugue de dos muñecos invertebrados en su estómago.

Los demás ticos prosiguen el acecho carroñero de la ranchera jadeante, que ahora apenas les aventaja en dos metros.

Las metralletas responden con saña. Varios impactos más en el chasis impacientan nuestra expectativa.

-Si no hacemos algo, estamos perdidos –acota Nancy, procurando aportar su grano de arena para dilatar una vez más nuestra suspensión de incredulidad, algo más flexible en cualquier persecución cinematográfica, pero sin duda ya al límite de su tiempo de vida efectivo.

Como para confirmarlo, vemos mascullar al Cholo –que conduce el primero de los ticos restantes–, con cierta urgencia mal reprimida:

-¡Tira a las ruedas, carajo!

El copiloto, más aparente para una danza tribal que para los menesteres de un arma de fuego, gruñe a modo ostentativo una teórica eficacia, pero su poca traza queda en evidencia cuando la metralleta se le encalla al ir a disparar su munición.

-¡Negro conchudo! –cholea el Cholo, y eso porque el reclamo de la carretera le corta un hilo de denuestos.

Pero hay otras metralletas que sí obedecen.

Bocas de cañón escupen ristras de trallazos contra la ranchera agujereada. Cristales de faros y esquirlas de chapa saltan por los aires. John y Nancy se encogen por instinto.

-¡Ay! –grita Nancy, asequible al desaliento.

-¡Un pueblo! –señala John, inquebrantable en lo suyo. Y, cual si fuera tierra firme para un náufrago, lo repite demoledor, subrayado con un cambio de marcha*–. ¡Un pueblo!

Efectivamente, a unos cien metros, al pie de un páramo del paisaje, se hacinan varias cabañas y chabolas arrebujadas al borde de la carretera, que vuelve a hacerse barrizal junto a la encrucijada formada con otra senda.

John tira cuneta abajo para atajar terreno y ganar tiempo, logrando desmarcarse una veintena de metros de distancia con los ticos, desconcertados por el viraje. Enseguida le siguen, pero la pendiente irregular da al traste con uno de ellos, que cae panza arriba y explota al cabo de nada, dos segundos.

La camioneta de John aborda por fin la encrucijada y se zambulle en la calle principal del pueblo, sin asfaltar, con baches y roderas al través. Los pueblerinos elevan el mentón para otear la motora jarana bajo el ala de los sombreros. Los mercachifles se desperdigan con su género robado a cuestas, los mercaderes se santiguan tras sus tenderetes de frutas y cueros.

Las metralletas tornan a tabletear. Nuestra estresada suspensión de la incredulidad se irá al garete si no ocurre algo pronto.

De pronto, de entre la multitud de vendedores y vagos que se arredran al paso del coche de John, emerge un pelotón de niños corriendo a su lado. Son críos nativos genuinos, de tres a ocho años, sucios de lodo y excrecencias, en pantalones o camisetas de fútbol por todo atuendo, enflaquecidos por el hambre pero por ello mismo entusiasmados con esa camioneta que cruza con gente blanca al volante.

-¡Cuidado! –les grita John, aturullado al ver que se lanzan a sabiendas frente al auto, obligándole a frenar bruscamente–. ¡Salid del medio!

-¡No aminoran la marcha! –grita Nancy, despavorida de lo cerca que les andan los ticos.

Los niños se arremolinan en torno a la ranchera, decenas de brazos tostados extendidos: sus cuerpitos harapientos y necesitados son el obstáculo humano, el único bien que tienen, que les permite impedir la huida de los vehículos forasteros y extorsionar las malas conciencias de sus conductores. John, al borde de la histeria, mira sucesivamente su pie a punto de pisar el acelerador y luego las

*Rainer Nogler no tiene permiso de conducir, de ahí probablemente la ausencia de detalles técnicos en torno a este episodio automovilístico. (Nota de Jonas Reinhardt)

284

frágiles manos y hermosas caritas que se cuelan por las ventanillas, rogándole merced y una pizca de consideración.

-¡Una caridad, señorsito!

-¡Un solsito, un solsito!

-¡Regálenos algo de comer! ¡Se lo comemos delante de ustedes nomás!

Nancy se revuelve hacia John:

-¡Nos van a arrollar!

Los ticos están solo a tres metros de darles alcance y chocar con la camioneta. Sudoroso y febril, John busca en el interior del auto alguna idea de última hora que le saque de aquel peliagudo brete. Pero no ve nada en el salpicadero o la guantera que le sea de utilidad. Entonces su mano indaga bajo el asiento del copiloto, entre las encogidas piernas de una turbada Nancy, y extrae la bolsa de Huamán. Sin verificar su carga, descuelga la mano por fuera de la ventanilla y arroja el contenido de la bolsa sin miramientos, hacia atrás, más allá de la ranchera. El papel moneda vuela esparcido como broma cruel e inunda el carril cenagoso.

Como una plaga, los chiquillos, la expresión luminosa y eufórica, se precipitan a la caza de los billetes, entre las ruedas traseras de la camioneta. Ni en tal estado de exaltación se olvidan de dar las gracias:

-¡Grasias, señorsito, grasias! —maúllan tres, cuatro, diez voces infantiles a destiempo.

John no espera más. Su porción de camino se ha despejado. Aprieta el acelerador y aprieta los dientes, una fórmula psicosomática para concentrar su energía en el pedal. La camioneta sale disparada y John exhala un aullido irracional. Nancy se limita a atisbar por encima de su asiento el panorama que dejan atrás.

-No se van a parar… —sus labios sentencian mientras sus ojos dolidos no renuncian a mirar.

-¿Qué? —respinga John, pendiente solo de poner distancia.

-No van a parar… —repite ella, casi llorando.

Más de veinte niños han tomado el terreno relegado, saltando y zambulléndose en pos de la bandada de billetes diseminados por el suelo. Sus pequeñas bocas emiten exclamaciones de alegría, quizá inéditas, cada vez que sus manitas atrapan uno de los valiosos papeles. Y otro y otro. Se revuelcan para luchar por un crujiente fajito o se sientan para oler el mágico tintado. Los adultos, mucho más feos que sus hijos, quizá porque ya la vida los estropeó, observan aún descreídos y desconfiados a sus retoños. Nada así les pasó nunca. Nadie se fija en los cinco coches iguales que se disponen a cruzar por el camino atestado.

-¡Cuidado, retírense, chibolos! –alerta un tendero, demasiado tarde.

Ni un solo niño vuelve la vista a los ticos. En el primero, el Cholo Lopes es testigo de lo que se le viene encima.

-¡Me lleva la fregada! –requetejura.

Su tico, y el que viene detrás, y los demás, acometen el amontonamiento de niños. Los chavalines chocan apachurrados contra el frontal de los coches, sus morritos aplastados, y salen despedidos, o quedan por fuerza de la inercia apegados al parachoques y caen entre las ruedas. Cuatro, cinco niños, se abaten descoyuntados sobre el capó del tico del Cholo, alguno ya muerto. Plastas de sangre y cerebelo embadurnan los cristales. El Cholo, horripilado, se cubre con los brazos mientras ante el curso de su auto no cejan de derrumbarse críos, muchachitos que deshacen la cara contra el parabrisas y se desnucan propulsados contra una roca.

Pasa otro tico, y otro, y otro, cada uno barriendo su parte de estirpe. Pero los criajos son demasiados. Sus cuerpos arrollados frenan la trayectoria de los autos, los conductores no saben cómo arremeter. Cada parabrisas es una lluvia de caritas infantiles que miran al adulto de su raza tras el volante, suplicándole que se detenga… y muñoncitos que golpean incansables para que las máquinas pierdan su impulso y cese la embestida homicida. Una rueda aplasta la cabeza de un chiquillo contra la tierra. Un billete vuelve a volar, el aire lo arranca de los deditos que lo retenían.

Los ticos se desvían del camino, embarrancando en los tenderetes, sin poder reanudar la persecución debido a su débil fuerza motriz y al lastre de los cadáveres tiernos, que no se desprenden.

Los pueblerinos estallan en insultos y llanto. Se apiñan aprisa para socorrer a sus hijos en el desastre, se arrodillan a llorarlos en medio del lodazal. Los hay que no derrochan un segundo y, haciendo salir a los pasajeros de cada coche asesino, les asestan bastonazos astillados y la emprenden a puñetazos. Las mujeres se embarcan en agudos lamentos.

El Cholo Lopes trinca con fuerza tal su portezuela que la muchedumbre no consigue abrirla y desalojarlo. Su copiloto es atenazado por varias manos que lo arrastran, extrayéndole por el hueco de la ventanilla.

SUS PEQUEÑAS BOCAS EMITEN EXCLAMACIONES DE ALEGRÍA, QUIZÁ INÉDITAS,
CADA VEZ QUE SUS MANITAS ATRAPAN UNO DE LOS VALIOSOS PAPELES.

-¡Yo no manejaba, a mí no me jodan! —chilla como un cerdo a punto del despanzurramiento. Un cayado le hace callar. El Cholo le arrebata su metralleta antes de que vuele fuera. El Cholo está asustado. La crisma de su compañero explota a mamporros y trompazos.

-¡Denme paso, conchudos! —exclama como un poseso. Maniobra el tico para retroceder y rematar de paso a un crío gemebundo chascándole el pecho, al tiempo que descarga una ráfaga de metralleta en un radio de ciento ochenta grados, de ventanilla a ventanilla.

La multitud le da un respiro, momento que el Cholo emplea en maldecir el raudal de polvo que la camioneta de sus perseguidos despide al alejarse de allí.

Dentro de la ranchera, John ulula, exultante.

-¡Lo conseguimos! ¡Los hemos dejado atrás! —y, al no obtener respuesta, se gira a su compañera—. ¡Nancy, los hemos…!

Nancy está semitendida en el asiento, al borde de la inconsciencia. Como era de prever, su mano tapona con poco arte una mancha de sangre a la altura del estómago. John se asusta.

-¡Nancy!

-No… no te detengas… —los labios de Nancy están pintados de un gris violáceo—. No jales el freno hasta que estemos a salvo…

John asiste aterrado al jamacuco de su novia, mas afianza el prendido de sus manos sobre el volante y no aparta la vista del camino mientras conduce, aun lagrimeando.

La camioneta arriba ahora a la ciudad por una avenida de doble sentido. Paciente frente a un semáforo, John pasea la mirada por una gasolinera en la que, bajo un precario rótulo colgante, pintado a mano en rojo y donde dice **GRIFO**, un empleado joven y musculoso despacha eficaz frente a una cola de autos de todo pelaje.

-Necesito llenar el tanque… —verbaliza John—. Pero no puedo arriesgarme…

John echa un vistazo a Nancy, a quien en teoría estaba hablando, pero ella mantiene los ojos estancos, presumiblemente desmayada o durmiente.

John localiza una rinconera entre edificios y empotra allí su vehículo, penetrando en el anguloso callejón sin salida. La sacudida del freno despierta a su enamorada.

-Cariño, debo llevarte a un hospital. Estás desangrándote…

-¡A un hospital no! –clama Nancy, pálida pero espléndida–. ¡Nos hallarán!

-Debemos arriesgarnos… –persuade él, convencido.

-¡No! ¡Sigue manejando! ¡Tenemos que quitarnos de aquí! ¡Lejos! ¡Lo más apartado y remoto! ¡Donde nadie te reconozca ni haga preguntas pertinentes!

John parece molesto con la situación, trasluce indicios de impaciencia:

-¡Ni de vainas podemos seguir en esta ruina de carro! ¡La policía nos detendrá en cualquier momento! ¡Y si te descubren estamos perdidos!

Los ojos de Nancy conservan una cualidad embotada y borrosa cuando parlamenta:

-La policía nos venderá a quienes nos persiguen, los conozco bien… Escóndeme atrás. En la trasera.

John la contempla fijo, dubitativo. Pero sea lo que sea aquello que piensa, solo asiente.

John saca a Nancy en brazos por el lado del copiloto y la porta desenvuelto y masculino hacia el culo de la camioneta. La instala sobre la superficie metálica de la caja, cuan larga es y lo más delicadamente posible, como una cervatilla herida. Luego la resguarda de cuerpo entero con una alfombrilla sintética de color negro. Se asegura de que nadie le está espiando, ni desde la calle ni desde las ventanas de los dos edificios que le flanquean. En consecuencia, se reincorpora tras el volante y conduce la ranchera fuera de allí.

Lo siguiente que observamos es la ranchera aparcando en el callejón que ya conocemos, frente a la mal suministrada Agencia de Transportes Amazonía. John descabalga del vehículo, recreando las acciones a las que habíamos asistido la primera vez que le vimos, y se apresura a la trasera del auto, donde supuestamente yace guarecida Nancy, siendo interceptado por la consabida panda de críos. Estamos a cierta distancia y no podemos distinguir esta vez sus diálogos, pero sí discernimos a John mostrando de nuevo los forros de sus bolsillos al tiempo que percute bien claro el reproche infantil "¡Figureti de mierda!". Mientras John se pierde en dirección al edificio rojo y los chavales se van por donde habían venido, nosotros nos acercamos a la caja de la camioneta, hasta entrever una fisura de oscuridad bajo la alfombrilla de plástico.

De repente, alguien aparta la alfombrilla y nos recreamos en admirar el rostro inconsciente de Nancy. Ese mismo alguien la carga a pulso y se escabulle de la calleja con ella en volandas, coyuntura que consideramos idónea para poner distancia asimismo con la ranchera, sin haber logrado aprehender la identidad del misterioso y anónimo raptor.

Cinco segundos más tarde, coincidiendo con una perspectiva general elevada, otro personaje entra en escena: se trata de un malencarado ratero que ya nos resulta familiar. Su intención es cruzar la callejuela pero, al avistar que no hay asomo de conductor en la cabina, vuelve sobre sus pasos hacia la zona posterior de la camioneta y se interesa por la alfombrilla, hasta el punto de proceder a sustraerla. Silbando, se encamina iluso al interior de la agencia, la alfombra enrollada bajo el brazo.

La calleja se sumerge en el silencio. Hasta que, sin previo aviso, se percibe una voz remota gritar:

–*...¿QUÉ LE HABÉIS HECHO?*

John, despeinado e inquieto, termina por reaparecer proveniente del ruinoso solar anejo a la agencia de viajes. Tras él, pulula el pitote de indígenas que le señalan y ríen, en coro burlón. John corre hacia la camioneta y confirma alterado la ausencia de Nancy. Desorientado y al borde del desquicie, emprende varios amagos de búsqueda que solo le trastornan más.

Por último, se para en el centro de la calle, eleva el rostro en nuestra dirección y, con gesticulación teatral y sobreactuado, se estira de los cabellos tintados, profiriendo sus ya antológicas frases:

–¿Dónde está? ¿Dónde está Nancy? *¡NANCYYYYYYYYYYYY!*

La oscuridad lo engulle todo.

4ᵈ PARTE
EL OTORONGO

CAPÍTULO 1

Las perneras blancas de John ambulan a lo largo de un andén prolijo en escombrera humana a una vaga luz de amanecida. Otras perneras raídas se arrastran por doquier. Un carcomido vagabundo se revuelve abotargado, un machón por cabezal, un enlosado por catre, un sombrero por antifaz, una botella por esposa. Solloza abstraído en su delirio onírico. Las perneras blancas fondean a su altura, le enfrentan.

Nosotros proseguimos hasta una cola de perneras ateridas que desfilan frente a la puerta abierta de un autobús en cuyo lomo leemos: "VIAJES PACHAMA-MA". Cada par se detiene un segundo frente a dos perneras en uniforme de interventor, un fragmento de billete va regando el suelo al ritmo de la salmodia…

-Su boleto… su boleto… su boleto…

…y las pacientes perneras congregadas van agregándose al interior del vehículo. Al fin recuperamos las de John al llegarle su turno de acceso, y el interventor no rompe el sosegado ritmo de su rasgado oficial. Cae la mitad del papel rosa y ascendemos para sorprender la chaqueta y el sombrero del vagabundo dormilón arropando el torso y ensombreciendo la cara de John, semioculto tras su nueva apariencia vieja. El ala de jipijapa bien calada le cobija medio rostro, lo suficiente para pasar desapercibido. Tras un instante consagrado a fomentar el escrutinio moroso del espectador cómplice, John se emboza lo posible con la, a juzgar por su plisado de labios, hedionda chaqueta y remonta la escalinata del autobús.

Dentro, cabizbajo bajo el sombrero, se aproxima al chófer que siestea:

-¿Hasta dónde nos lleva?

El conductor levanta unos ojos rehogados en alcohol.

-Pasamos la sierra primero y luego incursionamos la selva. ¿Hasta dónde va?

-Hasta donde pueda.

-Allá le llevaré, pues.

John transige y enfila el pasillo hacia la parte posterior del bus: hombres solos, mujeres solas, niños solos y familias, casi todos con traza de campesinos y ganaderos montaraces, endilgan sus hatillos, sus cajas de cartón amarradas con cintos bastos, sus maletas de madera alabeada, en los compartimentos superiores y donde les quepa. Hay poco pasaje libre: John se escurre entre el marasmo para apropiarse un asiento de ventanilla. Se preocupa de deslizar su sombrero sobre la mitad superior de la cara, finge y quizás consuma una cabezadita. El abordaje de pasajeros no cesa. A su lado se sienta un chico joven, de pelo relamido y sobresaliente en mechones puntiagudos, rodeando la cabeza como un tálamo de flor. Exhibe ojos rasgados, piel café con leche, ternilla nasal andina, talante pacífico, inofensivo. Viste pantalones de pana gastados y una chaquetilla de lana color chile, con motivos regulares de pirámides truncas en granate. Las manos sostienen un transistor de radio metalizado del tamaño de un paquete de cereales. Lo prende y retruena con vibrar de emisor barato un son folklórico. El chico lo agradece y permanece atento a la tonada, liderada por una engolada voz masculina de anhelo decimonónico que recita así:

"Cholo soy y no me compadescas, que esas son monedas que no valen nada, y que dan los blancos como quien da plata: nosotros los cholos no pedimos nada, pues faltando todo, todo nos alcansa…".

El chico mece la cabeza ufano, sin apercibirse de que John le fulmina con la mirada por debajo de la jipijapa.

-Apaga eso –espeta al cabo–. Va contra las normas.

-Sí se puede –clamorea el radioyente–. Le acabo de inquirir al fercho y me ha dicho que ensienda el radio nomás, que a todos alegrará.

-NOSOTROS LOS CHOLOS NO PEDIMOS NADA, PUES FALTANDO TODO, TODO NOS ALCANSA...

John refleja hartura en su semblante, pero opta por rebullirse en el asiento y huir su cara lo más posible de las chirriantes ondas hertzianas. El muchacho no le concede más atención, su ternilla parece comestible.

En la mitad delantera del autobús algo se cuece: no dejan de montar viajeros, aun cuando las plazas aparecen indiscutiblemente ocupadas en su totalidad. Ahora, el interventor ya no reclama boleto: acepta directamente unos billetes moneda doblados de cada nuevo fichaje. El chófer sale de su modorra y, al observar el volumen de masa humana que continúa circulando, y que se apelotona como ganado en el pasillo, golpea con su mano sucia el codo del revisor. Este se le arrima:

-Todos estos van de mi cuenta.

De las pelotitas de dinero saca un par de billetes y los introduce en la chaqueta del chófer. Este, alentado, silba conforme y apoya el codo sobre el volante para incrustar la cabeza en su mano y rebañar el sueño que le resta.

John se impacienta. Se yergue de improviso, incrédulo ante el suministro de res bípeda que se apretuja frente a él y que no parece tener fin.

Afuera, en el céntrico andén, otros buses parten y arriban. Adelantándolos sin complejo se destaca un tico algo perjudicado en complexión y color que, tras merodear el tinglado una vuelta entera, aparca entre dos autobuses: el Cholo Lopes es vomitado de su interior. Pasea su buen minuto sin rumbo estudiando el panorama que le rodea: obviamente, sigue buscando.

Sus pasos le llevan azarosos al pie de nuestro autobús. Mientras el Cholo otea el entorno, más allá, a sus espaldas y a un metro por encima de su cabeza, detrás de las ventanillas, la faz descubierta de John pronuncia varios improperios que no escuchamos, al tiempo que su gestualidad censura indignado la completísima invasión que ha sufrido aquel limitado recinto rodado.

Volvemos adentro con el ánimo curioso: ahora el pasillo florece frondoso de cuerpos y testas. El chófer cierra la puerta y pone en marcha la máquina. La mole férrea inicia el trayecto con un inquietante baile descompensado, zarandeando de un lado a otro, pero no hay miedo que nadie caiga dentro: no queda espacio para caer.

El Cholo se aparta instintivamente al oír el autobús renqueando a su espalda. Vuelve entonces la vista y localiza por un casual al bueno de John. Lopes sonríe al reconocerle, con una sonrisa no tanto de villano avieso, sino más bien de viejo conocido que reencuentra a alguien afecto. Solo a última hora añade un rebudio nasal de complacencia siniestra. Torna corriendo a su tico, enciende el motor y sale a todo gas carretera arriba, llegando incluso a sobrepasar el bus.

En su asiento, John se ha abandonado definitivamente a una siesta. La nueva tonada del transistor desfallece y, en su lugar, la estentórea voz de una cuña promocional retumba con solemnidad y rimbombancia sobrehumana, casi asgardiana:

-¡NOTISIAS EN RADIO INCAAAAAAAAAA!

Un locutor habla entonces en tono paternalista:

-…Hoy es notisia el ocsiso del Mayor Evo Veles, asesinado vilmente por una panda de malogrados cuando, según sus escoltas, el líder militar y político les había dado esquinaso el día entero para dar rienda suelta a su amor por un deporte que siempre le perdió: la casa mayor… —John se remueve en su respaldo, parece abrir los ojos bajo el sombrero–. Según fuentes fidedignas, el homisidio fue de carácter fortuito y no responde a ningún plan conspirativo del partido rival contra el ex candidato a las próximas elecsiones de la nasión. Sin embargo, su hija Nansy y su futuro yerno, el conosido actor y modelo John Figueroa, han desaparesido hase escasas horas sin que se sepa si ello guarda relasión alguna con el horrendo suseso. Su busca no sesa y en seguida les ofreseremos más datos, así como un teléfono para que reporten en caso de que ubiquen a la pareja volatilisada.

Un separador musical no menos estridente aporta cierta veleidad al trascendentalista discurso del locutor. John endereza la espalda y aborda afable a su vecino:

-¿Te importaría prestarme un momento el radio, camarada?

El camarada sonríe y le tiende su transistor. John acerca el aparatoso aparato a su oído y, pese a la ruidosa emisión, menea la cabeza frustrado:

-Parece que no funciona bien… Quizás si lo zamaqueo…

John comienza a agitar con ambas manos la radio. La sacude cada vez más enérgico, ejecutando una pantomima de desajuste de sintonía a la que el chico atiende con semblante de incomprensión angelical. John procede entonces a golpear el receptor con la palma de una mano, luego con el puño y finalmente contra una rodilla, violenta, frenéticamente. La señal acústica termina por perecer, ahogada, el transistor se fractura, resquebraja y descuajaringa. John suspira y devuelve a su dueño el cacharro muerto por hemorragia interna.

-Pues sí, parece que se ha estropeado del todo…

Dicho lo cual, tras esta conducta más propia de un turista prepotente anglosajón que de un bonachón lugareño, se reacomoda pancho para dormitar con la mejilla planchada a la ventanilla. El chico le mira inexpresivo aún, el cadáver de su radio todavía caliente en las manos.

Intercede la imagen del autobús, rumbo a las afueras de la metrópolis, carretera arriba, hacia un horizonte plagado de montañas de cresta nevada.

El sol apenas se entrevé.

En la siguiente imagen, ese mismo sol ya se resigna a su declive definitivo entre montañas mientras el cascarón con ruedas acomete la escalada de una carretera que serpentea monte arriba, con vericuetos estrechos y márgenes comidas por precipicios. Un sonido semejante a escupitajo recurrente o a un goteo a intervalos regulares saca a John de su ligero sueño, para conminarle a ojear con cierta alarma el paraje serrano. Pega la frente al cristal y observa la rueda más inmediatamente próxima a él bordeando con filigrana experta o inconsciente la comisura del camino mínimo. Cantos filosos y fragmentos de asfalto desprendido se precipitan hacia el fondo boscoso. John, impresionado por tan audaz visión, dirige su mirada hacia la cabina frontal del autobús.

El bendito chófer conduce con una sola mano, mientras con la otra repasa un diario de amarillistas colores, extendido un palmo por encima del volante, periódico que lee aplicadamente. Cada dos segundos polea los ojos para comprobar la ruta.

John se revuelve inquieto. El molesto ruido sibilante no ha agonizado a su lado. Tercia el crispado continente y descubre minúsculos pellejos de carne que vuelan por el aire, soplados, escupidos, expulsados por el muchacho de la radio tras escindirlos con dedicada vehemencia de sus dedos, concretamente de los inflamados bordes de las uñas, a dentelladas. El andino no nota la sorpresa de John, y reincide mordisqueando y resoplando gutural su propia piel con afición y la conciencia tranquila.

John corrobora entonces que no es el único espectador del extraordinario fenómeno cuticular: al otro lado del pasillo, ya no tan imposiblemente abarrotado, una jovencita bien parecida y con todo el aspecto de turista europea*, jeans breves, camiseta vieja y pañuelo a la cabeza, más una mochila roñosa apegada a sus corpulentas piernas, contempla a los dos en silencio, fijando sus ojos en John a cada segundo, sin decantación emocional aparente. John concibe de ella alguna reacción a su favor, pero al no percibirla prefiere desentenderse del reclamo de su vigía.

El astro amarillo vira a rojo tras la cordillera de peludas montañas. El regurgitar del motor nos sugiere que el autobús no ceja en su enconada ascensión.

Los pasajeros de pie dormitan como prisioneros coloniales, apoyados unos en otros, sin acritud, con llana aceptación del estado de las cosas. Nos centramos de nuevo en John, quien ahora duerme a pierna suelta. Nos acercamos a él, tanto que pareciera que nos quieren introducir en su cabeza: el ondulado progresivo del plano confirma que vamos a ser testigos forzosos de su sueño.

Avanzamos por una oscura caverna hasta dar con su salida. Fuera adivinamos un agreste entorno de naturaleza virgen, y aunque es de noche, la luz de la luna ilumina bien a John, quien aguarda al borde de la boca rocosa, desnudo y en cuclillas, inmerso en una miríada de murmullos para sí.

Expuesto en detalle, descubrimos que en realidad está concentrado en comer las partículas de carne que sus dientes encuentran prescindibles alrededor de las uñas de las manos: sus caninos asoman más desarrollados de lo normal y la vehemencia con que arranca los cachos de dermis y despelleja sus dedos es de índole animal. John se apacigua un segundo para vislumbrar el estado de sus extremidades superiores: la base en la uña de su cordial se ha desgarrado, y una gotita de sangre resbala por el perfil de la falange.

Como inspirado por un arrebato, John reemprende incisivo el mordisqueo de sus dedos lacerados. Pronto son todos los que le sangran, ahora en abundancia. Pero John no se detiene ahí y se entrega extasiado a morder, chupar y finalmente desmembrar las terminaciones de sus manos. Con afán carnívoro, mutila y tronza sus dedos por entero, recreándose en mascarlos y husmear sobre sus manos tullidas, escarbando con deleite entre muñones y pulpejos. A tirones y dentelladas cercena el resto de sus extremidades, digiriendo con la glotonería amoral del famélico.

*Incluso me atrevería a decir con todos los atributos de un espécimen germánico: frente marmórea, pómulos prominentes, ojos azul glaciar, pelo ala de cuervo, piel nívea... (NdT)

A continuación, sus brazos dos tocones sanguinolentos, se olfatea el torso, las axilas, hasta dar con un asidero para su abierta mandíbula en la coyuntura del hombro izquierdo. Con rabia primaria cierra la trampa de su dentadura caníbal, que se hunde en la articulación como en queso fundido. La sangre brota a espasmos. John sacude la cabeza, una bestia intentando adoptar la posición idónea para tirar de su presa, y desgaja de cuajo el brazo. Una ducha escarlata aspersa de su carne viva, pintando la pared con su riego, concretamente una sección de roca donde parece proyectarse además una sombra familiar, de forma piramidal y ominosa: sin duda se trata de la silueta del Niño Milagroso.

John, indiferente a la presunta presencia del tenebroso ídolo, indiferente incluso a su propia torrencial sangría, recuesta el brazo suelto en el que le resta y acomete su degustación por el lado superior, atacando y masticando el molledo como un perro su hueso.

Pero John sí capta nuestra presencia y alza unos ojos de pupilas contraídas, las de un felino. Al mirarnos, profiere un único bufido de aviso.

John despierta en el autobús, en medio de la noche y una gran agitación. Sobresaltado y rociado en sudor, busca aire, resollando con espanto y sin parpadeo que le dé tregua. Pero parece asfixiarse sin remedio: su boca se abre mayúscula y se cierra, inhalando y exhalando sin sosiego. Los ojos de John se agrandan, no entienden la razón de aquella situación extrema. ¿Ha despertado de veras o se trata de otro sueño? Procura aspirar todo el oxígeno que sus pulmones demandan, pero resulta obvio que el aire disponible es insuficiente.

Arrinconado contra la ventanilla, John boquea en condiciones críticas, siempre a punto de emprender la agonía de la asfixia. A su costado, resuena una risa jovial y socarrona.

John se gira calámbrico y descubre a su joven vecino andino, jacarandoso y risueño:

-Compadre, bienvenido a mi tierra. Que no sese el seseo. ¿Te dio el soroche? Vas a tener que haserte a ello, son dies mil metros de altura durante el resto de la noche.

John le clava la vista con ganas de estrangularle y expresión de estrangulado. Su ansiedad aparenta remitir un grado con el conocimiento de la circunstancia exacta de su estertor benigno, pero aun así prosigue boqueando como pez en el asfalto.

El autobús prosigue su subida por la escarpada montaña.

CON AFÁN CARNÍVORO, MUTILA Y TRONZA SUS DEDOS POR ENTERO, RECREÁNDOSE EN
MASCARLOS Y HUSMEAR SOBRE SUS MANOS TULLIDAS...

Amanece en el horizonte de cumbres nevadas. El autobús rueda ahora por una carretera mansa, penetrando un valle de prados; al fondo, un extenso pueblo de casonas de tétrica promesa. El sol se pertrecha en nubarrones, el día se revela entelado.

El autobús aligera cuesta abajo hacia el machón de un soportal que hace esquina, allí se sitúa tras otro vehículo de sus mismas características. El soportal es la entrada a la sucursal de la agencia de autobuses.

El chófer pliega su diario leído de pe a pa y en riguroso horizontal, y se vuelve hacia sus pasajeros. Le miran tanto los sentados como los que han apechugado con el trayecto de pie:

-Llegamos a Huarás. Aquí repostaremos media hora. Pueden estirar las piernas, si les apetese. Sirculen sin jalar.

El muchacho de probóscide poligonal se levanta como un resorte, feliz y despabilado al instante. Antes de bajar cargadito con sus bolsas, dedica una desaprensiva mirada de satisfacción racial a un John exangüe, de ojos ojerosos y papada empapada.

John desciende del autobús entre todos los demás viajeros, escondido aún en la chaqueta y encasquetado el sombrero, parece fresco el ambiente. Con porte algo exhausto y contrito, se concede un paseo por las calles adoquinadas y en pendiente, flanqueadas por casas ancianas de techos bajos. Apenas hay curiosidad en su forzado acercamiento a aquel hábitat raro y ajeno. El maquillaje ha destacado los pómulos lóbregos y la piel lívida de las mejillas se hunde en la cavidad bucal debido a la angustia y el cansancio, que incluso fuera del papel ya se deben de hacer notar.

Parroquianos en rústicas prendas de lana y provistos de recios cayados componen el austero séquito de auquénidos talcosos. En una placita, frente a una modesta fuente de piedra, un nutrido corro civil hace caso a un trío de cantantes locales, las cuales hacen alarde de sus coloridos refajos y agudos gorgoritos, acompañadas de una banda de músicos aficionados de esquelética figura y distraída capacidad de entrega, soplando quenas y rasgando charangos. Las mujeres, de neumatismo abundante, saltan y ondean la carnaza inferior de sus brazos desnudos ante un público condicional.

John se entretiene en contemplar a la que asume el liderazgo del trío, una india de tez atezada y pelo rojo, que está a punto de atravesar los tímpanos del respetable con sus tonos atiplados, muy contrastables con la contundencia de su masa corporal.

-Y por qué no podrás rectificar, siempre hay un nuevo amaneser... –entona la artista con modulaciones casi orientales–. Mientras Dios te da vida y salud, aprovecha para ser felís. ¡Brinda una sonrisa, sé más cariñoso, ponle alegría! Si tú sabes dar amor, entonces serás felís –y aquí improvisa un requiebro de caderaza–. ¡Se lo desea la Flor Hermosa de Huarás!

Al dilucidar la letra, de términos tan grotescos, y al reparar en su jamona vocera tan cándidamente volcada a su arte, John no puede evitar prorrumpir en una cascada de carcajadas que rebota cruel en el adoquinado de la placita hasta sofocar la propia música, la cual se interrumpe ofendida. Acogida la risa forastera con previsible desagrado y mucha incomprensión, todas las miradas concurren en John, con un sordo resentimiento agolpado en los negros ojos rajados que enseñorea sus facciones. John se reprime al fin, al constatar que su chanza no es bien recibida, ni siquiera entendida. Reculando, recapacita y practica ahora una sonrisa de pretendida afabilidad, se asegura de tener el rostro bien entrado en el sombrero y da media vuelta, desandando la calle empinada.

John, ciertamente pintoresco con sus patas de elefante, su chaqueta ancha y sucia y el sombrero incasable, retorna a la esquina de la agencia de autobuses: penetra en su umbría recepción, un habitáculo azul con sillas de madera desfondadas a un lado, un expendedor de Inca Kola sidoso al otro y un mostrador de madera y mármol fragmentado al fondo; detrás, una niña de coletas y sucios carrillos le observa desde el regazo de una mujer de coletas y sucios carrillos. Que le observa.

-¿Teléfono? –pregunta John, con la precaución de todo extraño recién corrido.

La mujer y la niña señalan a la vez hacia un rincón, sin exteriorizar amabilidad, irritación o simpatía. John descubre un teléfono público en una vuelta de la pared, un gran escarabajo negro de vientre redondo. Disca números y espera:

-¿Aló? –contesta una voz masculina de tono neutro y reservado.

-¿La residencia del mayor Veles? –verifica John.

-Así es.

-Me gustaría saber si Nancy Veles ha llegado ya a su casa –inquiere cauto, aplicado en emanar una calma que lentifica su dicción.

-No, la señorita Veles aún no se ha presentado. ¿Quién quiere saberlo? –la voz denota cierto desconfiado interés, John permanece callado unos segundos antes de responder.

-Un amigo de ella.

-¿Quiere que le pase nota de su llamado cuando se aparezca? –indaga solícita la voz.

-Sí, por favor. Dígale… dígale que me encuentro bien, lejos y a salvo. Que en cuanto me regrese me pondré en contacto con ella –refiere John.

-Bien… –al otro lado del teléfono, la pausa desasosiega–. No se preocupe, se lo haré saber.

-Bien –repite John, con alivio.

-Ah, una cosa más –endiña la voz al otro lado, como si la iniciativa de la llamada hubiera corrido por cuenta suya–. ¿Dónde debo decirle que se encuentra, señor Figueroa…? Porque es usted Figueroa, ¿sí…?

John mira con pavor desmesurado el auricular, como si este se hubiera transformado en una víbora en tris de acometida, rechazándolo instintivamente de su cuerpo. Enseguida cuelga corito, alelado por lo que acaba de escuchar.

Inseguro y timorato, John abandona el establecimiento sin molestarse siquiera en pagar la llamada –ni la niña ni la madre realizan esfuerzo alguno por llamarle la atención o reclamar, ni cambian la expresión, calladas y sin emoción allí detrás del mármol roto–. John baja a la calle, trompica entre los imperturbables lugareños andinos que no le dirigen un mísero vistazo, se siente atemorizado, vulnerable. Se apoya en el pilar de la entrada, su mirada corretea como lagartija sin rabo por el empedrado, el terror le ha ganado unos buenos segundos. Despoja el rostro del jipijapa, aspira con firmeza, empieza a recuperar el dogal de sus emociones. Detrás de él, un grupo de hombres cruza y entrevemos, asomado por la pared trasera de la agencia, al Cholo Lopes. O al menos eso nos parece.

John se gira y también le ve, emboscado detrás de los árboles del patio de la sucursal. Absolutamente pávido de miedo, John recorre unos metros desorientado, tropieza y cae contra los adoquines de la calle. Se incorpora, duda, busca y al fin se dispara escopetado al autobús, salvando de un salto los peldaños de entrada.

...UNA INDIA DE TEZ ATEZADA Y PELO ROJO, QUE ESTÁ A PUNTO DE ATRAVESAR LOS TÍMPANOS DEL RESPETABLE CON SUS TONOS ATIPLADOS, MUY CONTRASTABLES CON LA CONTUNDENCIA DE SU MASA CORPORAL.

El chófer se despierta sobresaltado de su modorra sobre el volante:

-¡Y ese apuro! ¡Que aún sobra tiempo y el pueblito es muy lindo!

John patea el pasillo y se sienta en el mismo asiento que había ocupado antes.

-Me gusta más este lugar. ¿Podría cerrar la puerta? Me provoca un poco de intimidad.

El chófer se encoge de hombros, encaja la puerta tirando del crujiente manubrio, vuelve a su silla y se apretuja contra el volante, echando el lazo al sueño en el punto exacto donde se le escapó.

John echa una ojeada por la ventanilla, no distingue nada ni a nadie sospechoso ahora, solo pueblerinos desconocidos, de sentimientos ignotos y sonrisa fácil. Cavila un segundo y se aposenta sobre el piso del pasillo, fuera de la vista de cualquier ventana.

A través de los cristales, el cielo pinta feo.

CAPÍTULO 2

El autobús runrunea por una mareada senda entre majestuosas cordilleras de vegetación cada vez más densa. El verde gana esplendor y libertad. Todo es espesor y escondite. El paisaje selvático resulta impresionante debido a la magnitud de sus montes, lo hondo de sus valles, la ausencia de huella humana, bla bla bla.

Dentro del vehículo, el pasaje se ha reducido a apenas varios y dispersos ocupantes ya sentados, casi todos indígenas con sus bombines de parches y sus alpacas teñidas. John sigue desvelado, reposa una rodilla sobre el asiento y fisgonea por la ventana en todas direcciones, y luego arroja algún vistazo esquivo hacia las ventanas del otro lado, nunca se sabe. La senda está amurallada de árboles. Protegen y ocultan a un tiempo. Causan seguridad y comezón.

Es así como su mirada va topando una y otra vez con la de la turista, que le observa con curiosidad y esa falta de temor que a veces se confunde con la audacia y que caracteriza a algunos jóvenes del primer mundo que deambulan por los demás como si fueran el patio olvidado de su casa, desarreglado por una caprichosa negligencia momentánea. John desde luego aparenta lunatismo: continúa con su chaqueta abrochada y el jipijapa hasta los párpados, pese a que brilla el sol y es evidente que el calor empieza a hacerse notar, como prueba la ligereza de atuendo de los demás viajeros (y ahora el chófer tutela un pañuelo por la frente, además).

La chica sonríe para sí y rebusca en su mochila una bolsita de vicuña, seguramente adquirida en la región, de la que recupera un cigarrillo liado a mano.

-Disculpa… –se tuerce hacia John, medio abocada al pasillo–. ¿Tienes lumbre?

John no le hace ni puñetero caso pese al correcto castellano. Finge no haberla oído, aproxima la cara a la ventanilla para desenfocar la vista sobre el fondo de la espesura.

La rubia sonríe otra vez, es buena perdedora. Busca más en la bolsita y saca un mechero plateado con el que se enciende su cigarrillo. Suelta un suspiro de humo delectado. Está hecha toda una jipi. Sigue fumando mientras con el dedo atormenta un mechón desafecto de su melena recogida.

John la examina ahora que el plazo de requerimiento fémino ha sido invalidado por la previsión y los recursos materiales de la propia requeridora. No parece muy interesado en las palmarias cualidades superficiales de la forastera, más bien nos da la impresión de estar sopesando su talante amistoso, evaluando una posible aliada del camino.

-Disculpe… –titubea al fin, en inmejorable inglés.

Al principio creemos que ella no le va a hacer caso tampoco, pero tras una calada especialmente gustosa, se encara con él, en silencio.

-Disculpe mi rudeza anterior –a John no le duelen prendas en solicitar dispensa–. Me preguntaba si… ¿me puede ofrecer uno de esos cigarros?

Ella asiente, tampoco le supone esfuerzo lanzar pelillos a la mar. Su necesidad de sociabilizar se refleja en la aptitud con que prende ella misma y alcanza el nuevo pitillo al extraño.

John efectúa un par de chupadas, pausado, como esperando que el tabaco despierte en su psique un estado diferente, más idóneo. Después la vuelve a mirar:

-¿No le asusta viajar sola?

La chica sonríe, por vez primera para él, y encima tiene un formidable juego de dientes, cuadriculados, blancos y sólidos.

-¿Y a usted?

-No es lo mismo –aduce John, serio–. Cuentan cosas horribles de lo que le puede ocurrir a una gringa sola en estos parajes.

-Quizá usted me pueda proteger, entonces –aventura ella, exhalando una bocanada

-... Y A CAMBIO YO LE PROTEGERÉ A USTED DE ESO QUE LE ASUSTA.

como un embrujo–. Y a cambio yo le protegeré a usted de eso que le asusta.

John obsequia una sonrisa, en reconocimiento a la atención al detalle de la observadora viajera.

-Para protegerle –añade la chica–, deberíamos estar juntos.

Sin aguardar la invitación, se incorpora y desplaza hasta el lugar contiguo al de John. Este acepta de buen grado la inesperada invasión, sin traicionar en exceso su nerviosismo. Tampoco es ausente la breve ojeada disimulada que, acabáramos, se permite por fin derramar sobre las piernas esbeltas y ligeramente sonrosadas de la muchacha, ciertamente dignas de resalto.

-Por nuestra tierra dicen que las europeas son muy atrevidas –dice John como si se tratara de un elogio.

-Esa no es la palabra que yo he oído, pero gracias –concede ella.

-¿De dónde es usted? –pregunta al fin él, parecía inevitable llegar a ello.

-Lübeck.

-No me suena.

-Una preciosa ciudad –ante la condescendencia en la expresión de John, ella insiste–. No, preciosa, en serio. Está al norte de Alemania. Tiene unos lagos muy bellos y cuando nieva se pone toda que es un primor.

-Lübeck –estrena en sus labios John–. Debe de ser muy distinto de esto.

-Oh, sí –subraya ella–. Lo es. Pero esto tampoco está tan mal, ¿verdad? –ironiza con involuntaria frivolidad turística–. Además, recuerde que yo estoy aquí para protegerle.

La chica, un flamante producto del aún candente movimiento de liberación de la mujer occidental, le repasa sin recato; John se rinde y le devuelve la mirada sin miramientos, bajando las defensas y mostrándose gestualmente amistoso, por una vez. El agradable intercambio de apreciación ocular dura varios segundos, en un clima cordial de relajación y placidez. Ella le extiende una mano. Él la contempla sorprendido y se dispone a corresponderla. Sacuden sus manos en coqueto ceremonial. Ella se presenta:

-Me llamo…

De pronto, un zarandeo considerable da al traste con su ritual social. La voz del chófer se deja oír en todo el autobús:

-Perdón por el sacudón.

-¿Qué es lo que ocurre? –grita John en su dirección.

-Un tronco en el camino –responde el chófer, con tono de haber pasado ya por incontables situaciones como esta–. Supongo que bandidos. Preparen su plata y no escondan nada. Es lo mejor, no suelen molestar mucho.

El pasaje murmura con susto. John se levanta sobresaltado. Rebasando a la joven sin afectar más consideraciones con ella, se planta en el pasillo y vigila tenso ambos flancos acristalados. Continúa sin distinguirse nada sospechoso, pero ahora las hojas de los árboles tropicales se agitan proféticas.

Un disparo interrumpe su procesión y los cuchicheos de los circunstantes. John se asoma hacia donde hemos oído la detonación.

De entre los tupidos arbustos, confluye al camino una línea de hombres armados con escopetas y machetes, de aspecto suficientemente rufián para espantar al más puesto. Visten pantalones bombachos, la extensión de cuyos canalillos sobrepasa en muchos casos sus sandalias, y los faldones de la camisa por fuera. Sus rasgos son de cariz desproporcionado, arcaizante, paleolítico, hiperbólicos de mandíbula, nariz, arco superciliar o cualquier otro elemento que les haga clasificables, bajo el criterio de una primera impresión nefasta, en el apartado de la villanía: cualquier facción que remita a cierto primitivismo físico y mental, de resonancias arteras o comadrejiles en nuestro subconsciente atávico. Son unos quince y desfilan con parsimonia, sabedores del efecto aprensivo creado por su mera presencia, apostándose a lado y lado del autobús. Cierra la formación, como era de imaginar, el Cholo Lopes, que aparece desarmado, con un brillo de alegría sincera en sus ojos ante la anticipación del reencuentro, y una hermosura insultante que desafía el mundo civilizado, una belleza silvestre cuyos centros de emanación radican en el feroz rostro moreno de delicada mirada oceánica, en el ramaje frondoso de su plexo solar, en el particularmente abultado miembro viril que soportan sus musculosas piernas. El blanco tiznado de su traje unipieza, su bronceado, la rebeldía de sus luengos mechones, su barba de días, se confabulan para proporcionarle un aire de divinidad naufragada: un aura de semidiós caído y ahora redivivo para reimplantar su lasciva ley de la selva.

El Cholo se acerca hacia el costado más inmediato del autobús. Allá, separado por el cristal, constreñido como una bestia acorralada, le observa con rabia John. El Cholo sonríe como si hubiera rescatado un amigo del alma.

-Me los desalojan a todos —ordena a sus hombres—, pero luego los dejen marchar. El único que nos importa es el criollito.

Uno de sus esbirros, de bigotón imponente y cráneo desmochado, golpea con el cañón de su arma el cristal de la puerta de entrada al autobús. El chófer la desatranca, solícito, y fisga todos los ojos infames, como si quisiera reconocer a algún bandido que ya le hubiera robado.

-No tenemos mucha cosa —justifica por todo saludo.

El esbirro lo expulsa a empellones y anuncia al conjunto del pasaje:

-¡Venga, ahuequen! ¡No se me desmanden y no les susederá nada!

Sin olvidarse de apuntar, el pistolero baja los peldaños y espera a que los pasajeros procedan a evacuar el autobús de uno en uno, como así hacen, expelidos sin protestar y sin grandes objeciones. Todos parecen usados al desvalijamiento y la depredación fraternal.

-¡Apuren, más aprisa, que esto no es el sine!

-Esto es más riesgoso —ingenia otro bandolero, y todos ríen como los malos conjurados de las películas.

Los compinches del Cholo van recolocando a los asaltados, varones y hembras, en una margen del accidentado derrotero, en fila. Al ser expulsada del autobús la alemana, nos percatamos de que varios de los armados le restriegan una mirada atenta, de lujuria oscura, visceral, sin barnizar por Occidente. A la joven le pesa tanto libídine indisimulado: dobla sus brazos sobre el tórax, pese a que no está desnuda, su temple anterior diluido por el asalto, solo quedan ganas de pasar desapercibida, lo más difícil en ella.

El esbirro más principal entra al bus y saca a culatazos a John, que se había rezagado haciéndose el longuis. Nada más pisar tierra, mi guapa compatriota se le abalanza, exclamando en inglés:

-¡Protégeme!

La jovencita se abraza a John, para sorpresa de él. Los bandidos ríen, les complace verificar la intimidación que provocan en aquella blanca beldad, ríen mostrando con repulsiva insistencia sus dentaduras escasas y podridas, potencialmente vomitivas en un encuentro carnal.

-Vaya con el pituco… —suelta admirada y no exenta de resquemor una voz cualquiera y despreciable que recapitula por todas—. Qué rápido buscó suplente.

Retumba otro tiro al aire: el Cholo, una Luger humeante en la manaza, se abre paso entre sus secuaces.

-Ya fue –impone el Cholo con propiedad–. Escuchen ustedes todos –se dirige a los pasajeros, alineados como en paredón–. No les vamos a chorar. Ya pueden reingresar al busito. Ahora les retiramos el árbol y se nos desaparesen –entonces cabecea hacia John–. Solo queremos al criollo.

La joven, al oír esto, mira a John espantada y, sin pretextar palabra de disculpa o mohín de subterfugio ni excusa mínimamente decorosa, rechaza su amparo y cruza decidida a integrarse con el plantel de felices viajeros liberados. Pero el bandido bigotudo la retiene del brazo:

-¡Eh, tú no, gringuilla! Tanta querensia le tienes, te quedas con él.

La joven comienza a temblar. El subordinado la conduce de vuelta a John, mientras ella no ceja de repetir en castellano:

-Pero… yo no le conozco… de veras no le conozco de nada.

-Pues igual le vas a conoser –dice el subalterno de Lopes, guiñando un ojo a la horda, que ríe estereotipada y maligna.

Unos cuantos malhechores despejan del camino un funcional tronco de cedro dispuesto al través, alzándolo a pulso y desechándolo a un lado. Los pasajeros retornan aún atónitos al bus, el chófer agradece el misericordioso gesto forajido con infinitas reverencias francesas y, sin dejar de agradecer, arranca el achacoso vehículo y se aleja trocha arriba. Una polvareda de cieno seco baña a John y la chica, desazonados en medio de la senda, cercados por la panda de asaltadores.

El Cholo se persona frente a John:

-¿Dónde está Nancy? –pregunta este, adelantándose a cualquier posible agresión física, argumentada o no, que le deje con la palabra en la boca.

El Cholo no responde, pero entrecierra los ojos avieso.

-¿Dónde está? –insiste John.

-Si no lo sabes tú… –contesta su apuesto contrincante.

-La habéis matado, ¿verdad? Y a mí también me vais a matar. Eso es lo que haréis –le espeta John, en un ramalazo de osadía que proviene antes del estado de histeria en que se encuentra abismado que de un natural gallardo.

-Te equivocas, hemos resibido nuevas órdenes –repone el Cholo.

-¡Habéis matado a Nancy! –le acusa John, despavorido. Un esputo diminuto es despedido de sus labios, inadvertidamente para él, y golpea un párpado del Cholo Lopes, quien no le presta mayor atención ni permite que el incidente obstruya el gotero de sus respuestas.

Lopes deniega:

—No entiendes nada —y, arrimándose más, hasta que su rostro y el de John parecen al borde de un beso—. No sabes qué me duele esto.

El Cholo chasca dos dedos y dos de sus rufianes prescinden de sus armas y sujetan a John de los brazos y el cuello, mientras un tercero empieza a desprenderle del overol, con esa maquinal diligencia a la hora de recrear una acción memorizada que tienen los malos actores figurantes. Otro trío circunda asimismo a la alemana, para impedir que aproveche un despiste y salga por piernas.

—¿Qué hacéis? —se revuelve John—. ¿Qué estáis tramando?

—Nada riesgoso, no sufras —replica uno de sus inmovilizadores, y todo el hatajo le ríe la gracia—. Me tinca que te va a gustar. Pero ahora te sobra el enteriso.

El lacayo del mostachón y el cráneo despoblado se sitúa a la altura de su superior.

—Oiga, patrón —señala a golpe de mentón—, ¿y si los juntamos a los dos blanquitos, pues? Queremos verlos hasiendo chuculún.

Los forajidos que apresan rehén a la joven también la han desnudado, rasgando vilmente su camiseta y bajando a tirones sus jeans. Sus senos son voluminosos y autosostenibles como la selva virgen, óptimos para el canon occidental y muy preciados con seguridad para la mentalidad latina; la protuberancia de su vulva rebosa lo velludo de su triángulo trigueño. Los tunantes la desposeen incluso del calzado deportivo. Al menos uno de los dedos gordos es mucho más corto que el dedo colindante, produce un efecto alienante respecto a su identidad humana: a ello se agrega una clavícula excesivamente marcada y el ombligo vuelto.

Como un rebujo de carne, se la pasan entre los tres bribones, riendo. Ella rebota de brazos de uno a los brazos del otro y del otro, las manos masculinas ávidas, atrapando las carnosidades bamboleantes con baboso alborozo. La joven chista y zollipa con timbre entrecortado, pero poco puede hacer para presentar resistencia, salvo menear los pechos.

—¡Oigan! —les desangela la voz del Cholo Lopes—. Tráiganla acá, vamos a probar otra cosa.

Meciendo la cabeza en señal de disgusto y frustración, con esas innecesarias elocuencia y gratuidad que delatan a los intérpretes mediocres cuando quieren expresar un ánimo contrariado, el trío de truhanes traslada a la sollozante chica al lado de John, que ya aguarda desnudo y sigue placado por sus celadores. Su pene es sorprendentemente pequeño y de ángulo quebrado hacia la mitad del carnoso cilindro, y muy moreno con respecto al resto del cuerpo, quizá por lo replegado de la piel. Está circunciso.

-¡Tu pija sí es chola! –afrenta un vil, apuntando con un índice tan oscuro como el pene de John y de similar longitud.

-No, muy chica, pues –zahiere otro de ellos.

-Veamos qué tal se te da la infidelidad –reencauza el Cholo Lopes, con sarcasmo. Y añade–. Si lo hases bien, te dejaré ir.

John le mira profundo, sorprendido. No sabe si está bromeando o no. Pero la mera posibilidad de una salida con vida de aquella encerrona a jungla abierta le obliga a recibir la presencia de la chica con otros ojos y ánimos. La examina intentando leer en ella algún indicio de su actitud: la joven tiembla, pero iza el rostro y la vista altiva y fija en John parece franquearle de buena gana el paso de la voluntad masculina a sus honduras, hacerle concesión pasajera de un permiso de intrusión consentida en su más íntimo ser, por causa de fuerza mayor. Sus captores los empujan hasta que los dos cuerpos entrechocan y permanecen frente a frente. La joven entreabre los labios, sobrecogida y disponible. Ambos juntan sus cuerpos, los bajo vientres se presumen en contacto. John posa una mano sobre el seno de ella y la otra en el hipogastrio. La chica se estremece, traga saliva e inclina el rostro, como doncella en falta.

-Sé dulce –le suplica al oído. Y un brazo delicado se entromete en ambos cuerpos, inicia cálidos vaivenes en la ingle de él que se adivinan caricias preliminares. John resiente el placer preambular en los ojos que parpadean lento, se acerca para besarla, se embisten listos para el propiciado acoplamiento.

-¡ALTO! –les congela la voz del Cholo. El robusto cabecilla se interpone entre los dos amantes y los desvincula de sendos manotazos, enfrentándose a John–. Esto no ofrese mérito –y a ella–. Parese tu mariachi –de nuevo a John–. Vamos por algo diferente.

A un gesto brusco de cráneo, sus felones aferran a John con la prerrogativa del simple, esta vez para forzarle a asentar rodilla en tierra, presionándole la espalda hasta estirarle boca abajo. John trata de resistirse sin éxito. Sus nalgas blancas y lampiñas quedan expuestas, pronunciadamente entresacadas debido a la posición del cuerpo en decúbito prono, no enteramente horizontal. Como a una vaquilla a punto de ser marcada a fuego, los malandrines le trancan los brazos, mientras John sacude las piernas indefensas sobre el pedregoso y áspero terreno.

-Santo Satán me sugirió personalmente esta pequeña reprimenda –el Cholo Lopes retira su mono y deja al descubierto su portentoso torso. De un segundo estirón, descubre un pene de anchura insólita, en estado de semierección, el rocoso glande a la intemperie*.

En acción paralela, los tres pillastres a cargo de la alemana la han arrinconado contra un árbol, poniendo en práctica los prolegómenos de una violación: pringosos besuqueos, manoseos inapropiados y bajadas de cremallera no solicitadas. A una señal, Lopes les arroja la Luger, que uno de los indeseables caza al vuelo para utilizar como prótesis fálica en infecto asalto del ejemplar ario.

El Cholo se afianza con las piernas separadas, el retorcido overol tendido entre tobillos como un puente colgante descolgado, como los grilletes de un presidiario, galeote de su compulsión violadora, frente a la grupa masculina al alza.

Nos deleitamos ahora, más próximos, en el culo de John, en sus glúteos que nos encaran: ambas nalgas son pelonas, de cachas llenas, lucientes, consistentes, comestibles. El Cholo ronronea al valorarlas, escupe la palma de su diestra y friega su tranco ya erecto, una diagonal emergente en la pantalla, un cañón antiaéreo. La puntera de su pie golpea el periné del prisionero, le obliga a elevar sus posaderas por acto reflejo.

Luego el Cholo asiente, el ojo experto, listo para actuar.

Manos mugrientas de sus acólitos invaden el inmaculado mapamundi de John, hacen hincapié en sus ancas pálidas y las separan, dejando a la vista el angosto paso del cañón internalgal entre las macizas laderas de carne: la estrella del ano se dibuja prístina en el centro del surco, rodeada de una nube cárdena que contrasta con la albura del resto, nube rematada en su circunvalación por un anillo de vello tibio y retorcido. Las nalgas se encabritan, así como su dueño.

-¡No! ¡Soltadme! ¡Qué vais a hacer! ¡Soltadme, malditos chanchos!

*A partir de aquí dudo que las descripciones y acciones que siguen las haya podido ver Rainer Nogler en ninguna película. (Nota de Jonas Reinhardt)

El Cholo se relame y maniobra su virilidad enhiesta hacia la diana tremolante. Los dedos invasores tironean la piel vecina al ojete para que este se pronuncie y bostece: de resultas de su muda exclamación, la boquita fruncida enseña una porción de encía, roja y casi gelatinosa.

John comienza a gritar, en previsión de lo que le espera; grita como un gorrino en día de matanza; grita y se agita, reducido a lo que querían, a lo que el pánico reduce: a un animal desesperado que se desgañita ante la inminencia del sacrificio.

Pero los hombres que sujetan al animal lo sujetan bien. Los muy cerdos.

El glande colosal y bicéfalo se recuesta contra el oh de su culo, aborda y presiona despiadado el orificio y pone del revés la boca del recto. El ano saliva y se resiste a acoger la polla: los filisteos despotrican como en palenque.

—¡Coja al cojudo, Cholo! ¡Dele ahí duro! ¡Qué bien parada, Cholo, no pare ahora!

Pero sus jaleos perecen solapados por los alaridos de la presa. El animal chilla, aúlla y berrea, los agudos del miedo dominan la textura de sus bramidos.

Mientras, en brutal contraste o complemento, la turista extranjera es asimismo sometida a una cópula impuesta: uno de los maleantes la está penetrando contra el suelo, concentrado y seguramente pestilente, al tiempo que empotra el cañón de la pistola alemana contra la boca paisana, mientras los otros dos varan los brazos femeninos con una mano y con la otra se acarician los testículos. Pero ella no se resiste, soporta en silencio la vejación; solo su mirada se resiste: su perímetro visual rechaza abarcar a sus abusadores.

El resto del grupo de asalto prefiere esta pista del circo. Los chillidos de John llegan a la chica, que muerde el falo de metal y se debate por descubrir el cielo.

El bálano de Lopes ha metido ya su cabeza en el hoyo y espía ávido al otro lado. Los gañidos de la criatura sojuzgada se reanudan más estridentes, más incontenibles si no cabe. El Cholo aprieta la boca, el cuello de su ariete encajado al borde de la aspillera. Relaja su zurriago un segundo, se prepara para una embestida de golpe. Su garganta profiere un gruñido esforzado al tiempo que sus caderas propulsan el embate: el tronco de su verga se desatasca y desliza de una seca acometida en el recto del animal. Un sonido de desgarro interno certifica la rudeza de la penetración, el rompimiento del esfínter queda evidenciado cuando, al retirarse, el pene cholo resurge piel roja.

El alarido que John emite traspasa las fronteras de lo humano, del bestialismo más puro.

El Cholo no se inmuta. Sodomiza con espíritu lúdico, haciendo ir y venir las ingles sin aparente dificultad, la sangre el mejor lubricante. John ya no grita ahora, resopla. Los secuaces del Cholo ensalzan ruines la evolución del forzamiento, uno incluso palpa por debajo del cuerpo poseído, como un mamporrero.

-¡Eh, patrón! ¡El pituco la tiene parada!

El Cholo amplía su sonrisa de incisivos rechinantes y arremete con nuevos bríos. A cada asalto, su garganta deja escapar un rugido, y su esclavo una queja. Llevado por el entusiasmo y el crescendo carnal, el Cholo desase las caderas profanadas y desplaza sus renegridos brazos por las fuertes espaldas claras, reptándolos bajo las axilas y entrelazando las manos con sus palmas en presión contra la nuca del forzado, sin dejar de empujar como un semental.

Acto seguido, con un majestuoso relincho, afirma el peso en sus talones y se incorpora, arrastrando y elevando consigo el cuerpo casi desmadejado de su sometido. La cosa llamada John Figueroa queda suspendida en el aire, empalada por el príapo embadurnado en sangre y mierda, hendido hasta la cepa su aparato excretor, la boca abierta como si el pudendo atravesara todo el tronco y amenazase con asomar por el otro extremo.

El Cholo tiene bien agarrado a su mamífero, sus manos invencibles atenazando el cogote de la bestia, mientras apura unos cuantos enviones más de sus resistentes caderas, ahora propinados en vertical. La hemorragia interna chorrea por los imponentes, caballunos cojones y piernas del Cholo como propia. Su pollón aguanta erguido y tieso como si un báculo lo recorriera.

John extiende sus brazos exangües y asciende la vista al cielo, como un crucificado en busca del consuelo de un Padre.

-¡Sigue parado, patronsito, sigue parado!

Los bandoleros se apiñan, monos curiosos, y manotean divertidos el sexo erecto del empalado, de dimensiones nada comparables a las del cipote de su verdugo. Sin recabar instrucciones, se aprestan a masturbarlo, capturando el miembro en sus puercas palmas, batiéndolo torpemente hacia abajo. Su dueño entreabre los párpados, balbuce otra protesta, pero no le da el alma: una sucesión de estertores monosilábicos brota de sus labios, mientras busca cobijo a su desventura en los ojos de la alemana.

La joven continúa siendo ultrajada, ella con más parsimonia, dejándose hacer por sus mostrencos profanadores, engullendo el sabor a metal y el asco y la indignidad con el rostro semiladeado, como ignorante de la mala vaharada que corrompe el resto de su ser. Sus ojos encuentran los del antaño hombre y condescienden su tristeza, le animan en silencio, le ofrecen paz e incluso procuran remedar un pobre sustituto, un apacible estímulo mental para su orgasmo indeseado.

El pene violado borbota esperma en inesperado júbilo de espuma, salpicando manos y caras aborrecibles. Sus pajeadores brincan y celebran como chitas.

Casi al mismo tiempo, el Cholo Lopes imprime un acelerón a su culminación del acto y se corre con un clamoroso ululato que recorre la selva y desata un desmedido escalofrío en el espectador.

Como respuesta, pegotes de semen resbalan piernas abajo entreverados con la sangre aliena.

-Ya estamos parches –susurra al oído de su pasivo.

El ser taladrado se derrumba desfallecido, su figura exánime aún colgando en el aire. El Cholo, transportado en su desahogo místico, cimienta las rodillas en el suelo y precipita su carga, descabalgándole, desalojando su presencia del cuerpo invadido y acostándose al lado, aún goteante por la reciente eyaculación. Ambos recuperan fuerzas tendidos boca abajo en medio del camino, Lopes más presto a recobrar su aliento, la alimaña mermada por la sangre que cuelan sus entrañas.

El Cholo se sienta y jadea fatigado y pleno. Exultante de la proeza lograda, observa al yaciente sin que este se aperciba, con una mezcla de triunfo y afecto. Principia una caricia en el dorso de la res vencida, pero no osa completarla y aparta su mano reticente antes de tocar. Luego su mirada hosca recae en los hombres que violan a la alemana. Se gira a su lugarteniente, el belitre mostachudo, que huele y gusta su mano regada de jugo de John:

-Acaba con eso, pues.

El susodicho acata la orden y, refregándose la mano en el faldón de la camisa, se encamina hacia el grupo de violadores, al tiempo que desprecia a un lado la escopeta y desenfunda su machete.

El bribón que posee a la chica se frota contra ella como un conejo. Al ver venir al bigotes, el corro se retrae asustado, previendo una acción violenta que bien podría ir en su contra. Los que agarran a la muchacha también se amilanan, retrocediendo un medio paso en cuclillas, pero no cejan en su sujeción. El violador de facto no le siente aproximándose por detrás.

La hoja del machete, bruna y oxidada, no resplandece al alzarse contra el sol, más bien lo eclipsa. La chica consigue escupir la Luger, pero ya es reacción pueril. El filo cae contra el cuello de la alemana, penetra hasta la mitad del pescuezo. Con un par de mañosas remecidas el machetero desclava la hoja y la descarga tres veces más, descabezando por fin a la muchacha. La testa rueda indiferente del suceso y de su propio cuerpo, que prosigue laxo y sensible como el de un ser vivo. El copulador se resiste a desistir del acto, apegándose más a la decapitada, abrazando sus adorables brazos ahora que no se defienden y apuntalando su perfil al vientre infortunado, mientras se enterca en consumar sus envaines en la vaina avenida a la fuerza.

Conforme él acelera su placer, sus compadres alicaen la retirada, aceptando la evidencia*.

Es en este mismo instante cuando despierta a la consciencia el animal vejado: sus ojos se abotargan de abyección al contemplar el fin de su compañera de viaje, asumen lo cercano que debe de estar el suyo propio. Sobreponiéndose al horror, sus facciones recomponen la apariencia humana.

John espabila y echa un vistazo en torno, desentumece el sentido, con toda certeza para calcular sus posibilidades. Y, sin confiar en un momento más oportuno, se desapega del suelo, emprendiendo una impetuosa, alocada carrera hacia la frondosidad que bordea el camino.

-¡El pituco, de a pocos se nos fuga! –grita alguien.

-Tiremos a la mitra.

-¡No!

El Cholo Lopes se vuelve, asustado por primera vez que nosotros sepamos. John se lanza desnudo contra los matojos, esprintando un breve descenso entre árboles, ramas y hojarasca. La espesa maleza oculta su visión, contrariando a los que le apuntaban prestos a matar. El terreno de jungla declina apenas diez metros antes de caer a pico por un despeñadero, pero John no se apercibe del risco ni remite su veloz fuga a la desesperada. Resuenan disparos al tuntún. John hace caso omiso, no para. Sus pies pisan el aire, zanquean el vacío.

John se desploma por el precipicio. Un reguero rojo le persigue, como estela de

*Recordar abundar en detalles más escabrosos a la hora de referir este emotivo pasaje al cretino del Presidente. (Nota al margen a mano del Restaurador del Libro)

CON UN PAR DE MAÑOSAS REMECIDAS EL MACHETERO DESCLAVA LA HOJA Y LA DESCARGA TRES VECES MÁS, DESCABEZANDO POR FIN A LA MUCHACHA.

avión en barrena. De lejos es imposible discernir si se trata de él o de un especialista. En cualquier caso, justo es admitir que estamos siendo testigos de una espectacular caída humana, pues quienquiera que sea el que se desmorona sacude brazos y piernas en espasmos vivos, no presenta la inmóvil pereza habitual de los miembros inarticulados de un muñeco, y la emanación escarlata aporta fisicidad.

El basto ramaje de los hercúleos árboles frena a duras penas su incursión hacia el suelo. Chasquidos de varas a su paso, otras más fuertes no se quiebran y desvían su trayectoria con impacto desabrido. El cuerpo rebota inánime de copa en copa.

Se descuelga a pelo de la última rama y recorre a plomo la distancia última, hasta el límite de crespa vegetación. De repente, el terreno se abre a sus pies y John desaparece entre verdes fauces.

Recortados al borde del barranco, el Cholo Lopes y su camada se asombran de lo presenciado.

–¡La tierra se lo tragó! –alucina el socorrido bigotudo a su flanco.

El Cholo abre mucho los ojos, no halla pruebas que refuten.

El grupo se recoge, encorvado, cariacontecido. El Cholo dedica una última mirada amorosa al vacío. Cierra los ojos y también se va.

Nosotros sí nos acercamos a ese terreno abundante en arbustos por donde John se ha volatilizado. Nos adentramos en el subsuelo, entre ramas tendidas y hojas palmeadas, por donde algunos rayos de sol aún consiguen hender demediados. Aprovechamos esos claroscuros y vislumbramos a su contraste un hueco excavado, una trampa para caza mayor que el manto vegetal disimulaba. En el árido fondo, un cuerpo desnudo, tendido, tirita y resuella. El suelo está plantado con una afilada estacada de cinco por cinco piezas, cada estaca marfileña de unos treinta centímetros de altura, sobresaliendo en torno al humano. Una atraviesa la mejilla superior, pegando la boca abierta al tallo recio, de ahí la sonoridad y urgencia del rezongo. Otra estaca perfora el muslo izquierdo, en torno a la cual tremola toda la pierna.

Los gemidos prosiguen unos segundos, luego cesan. El cuerpo vapuleado rinde su protesta. Queda inmóvil, inaudible, yerto.

Intentamos saber a ciencia cierta su estado, ampliar detalles, pero cedaceamos: la oscuridad nos gana una vez más.

CAPÍTULO 3

J ohn abre los ojos.

Está acostado en un rincón del suelo arcilloso, sin recubrir, de una choza hecha de madera y caña. La penumbra responde a que los postigos de las tres ventanas permanecen cerrados, las fallebas trabadas. Con suerte se filtra algún rayo aislado por el techo de palmera, individualizando el polvo que carga la atmósfera. Del exterior, llega constante y nítida una banda sonora de ecos exóticos (estremecimiento de hojas, píos cacofónicos, croares de angustia, insectos legendarios) que nos sitúa míticamente en plena selva tropical.

John suda bajo una mole de frazadas, el cuerpo no reposa sobre un mal colchón, apenas una manta vieja. Su rostro cosméticamente afeado refleja tristemente el ajetreo físico de las secuencias anteriores. Media cara sobresale el doble que la otra media, debido a una cremallera de pespuntes que le ata una loncha de moflete resultante de la estaca atravesada. Sus ojos grisáceos han aumentado un grado de oscuridad, y los párpados embotados y el relieve matizado de cejas y ojeras tienen por objeto significar el agotamiento padecido. No sabemos las horas o días que lleva allí encerrado, ni conocemos los que transcurrieron mientras quedó inconsciente en el sembrado de estacas.

Ahora John percibe una sombra frente a él. Intenta enfocar la vista en esa figura y descubrimos que es una forma humana, sentada en el suelo. Parece observarle en silencio, la cabeza apoyada sobre una mano, no tiene prisa en presentarse o en ser descubierto. Le mira con ojos de niño, pero se trata de un anciano. Se cubre con una gorra azul con visera, bajo la cual escapan pelitos canos en su descenso a las orejas, de lóbulo grande y mustio y velludo. El viejo viste sandalias, un pantalón corto de pana marrón y un polo tirando a rosa mate. Rítmica, con la regularidad de un electrodoméstico y su misma vibración, se oye su respiración monótona, un rumor nasogutural, solamente cuando espira el aire.

-¿Dónde estoy? ¿Cómo he llegado aquí? –rebobina John, rezongando por el lado sano y ventilando de paso saliva y bilis.

-Buscando a Nansy –responde una voz sorprendentemente casual y desenfadada: es la voz del viejo, pero parecería que procede de alguien más mozo, agazapado detrás.

John desencaja los ojos todo lo que las prótesis faciales que remedan chichones le permiten.

-Tú… tú… ¿Tú qué sabes de Nancy?

-Lo que dijiste en tus sueños –la voz razona mucho más despierta que su responsable–. Estos días los pasaste delirando, pues.

Como John no replica, el viejo agrega:

-Hisiste un largo camino buscándola. Así es.

John lanza una ojeada a su alrededor, se diría que recuenta demasiadas piezas sin encajar.

-Eso está muy bien, pero… –piensa cómo formular la siguiente pregunta–. ¿Cómo he llegado aquí?

-Los del contrabando te acarrearon –explica el viejo, sin mayor apasionamiento ni aparente interés que si estuviera hablando del tiempo–. Te encontraron en la trampa del otorongo.

-¿Otorongo?

El viejo señala su gorra. John ranura los ojos para visualizar: en el centro del gastado tejido azul, destaca en color perla sufrido la silueta de un felino saltando*.

-El otorongo –repite el viejo–. El demonio de la selva.

*Parece que se trata del logotipo de la marca automovilística británica de modelos de lujo "Jaguar". (NdT)

John asiente. El viejo le mira divertido, pero no añade palabra.

-¿Cuántos días llevo aquí? –inquiere John.

-No lo sé. No llevo la cuenta.

John prueba a incorporarse volcando el peso sobre un codo. Presenta el torso desnudo, acotado por algunas vendas (en manos, hombro, costillar) que ciñen emplastos de hierbas oscuras; el cuarto le da vueltas y su semblante se contrae de dolor, obligándole a mantenerse recostado, embalado en las mantas. Echa un vistazo bajo ellas y sorprende sus ingles envueltas en mastodónticas hojas anchurosas a la manera de unos pañales: su pierna izquierda también aparece emplastada y cuidadosamente fajada con tiras vegetales, formando un atado irreprochable.

-¿Cuánto tiempo estaré así antes de poder irme? –resuella.

-No lo sé. Ahí tienes el piyama cuando gustes largarte con viento ransio.

John descubre su mono blanco colgado de un gancho, como un pellejo humano o un alma en pena, sobre la puerta de rollizos.

-Los casadores lo encontraron en el camino.

John observa a su anfitrión a un paso entre la burla y la preocupación, azuzada esta última por el más que probable remolino de recuerdos que parece acuciarle. Prudente, resiste la tentación de cualquier deducción inmediata para asegurarse primero de establecer la situación real en que se halla: inspecciona con la mirada el cuarto, de habitabilidad aportada tan solo por un banquito de madera pegado a la pared de la puerta principal y, apagado, un hogar de adobe en la pared opuesta, asolado de cisco y pequeños cilindros blancos que no se distinguen bien, semejantes a cartuchos de papel. Sobre la repisa se aburren varios frascos con sustancias de colores exóticos, sugerentes.

Durante todo este rato, solo se ha oído la espiración regular del anciano, que tanto podría estar entregado a pensamientos fatuos como a dejar pasar el rato.

-Eres un chamán, ¿verdad?

John aguarda alguna respuesta. La respiración del viejo no se altera, su progresión sigue vibrando alternada con silencios.

-¿Puedes ayudarme a encontrarla? –la pregunta de John está expresada en términos de profundo respeto y caución.

El viejo parpadea un par de veces, un ojo lo hace más intensamente que el otro, da la impresión de que el tic es un guiño cómplice a John. John no se atreve a reiterar la cuestión. El viejo toca su pecho con una mano, la mete en un bolsillo y extrae un paquete de cigarrillos negros, marca Popular, y de adentro un cigarrillo y un encendedor metálico. Rueda el lomo del cigarro entre sus dedos, el brillo de las uñas resaltado por sus incrustaciones de negra suciedad: el tabaco cruje tras su fina envoltura blanca. El viejo atiende solo al crepitar de la picadura. Luego cierra el puño alrededor del cigarro y sopla. Sacude la mano un par de veces. Vuelve a soplar. Se arranca con un cántico.

El cántico resulta ininteligible, se diría de signo religioso o espiritual, pero está pronunciado hacia dentro del cuerpo, y no hacia fuera, lo que hace más difícil su desentrañado: de vez en cuando es aprehensible la palabra "Dios", en castellano, pero el resto semeja un lenguaje oriundo de la propia selva, miles de años antes de que Occidente pusiera su bota sobre aquella orografía. A la tercera vez que el viejo nos endilga la invocación divina, nos damos cuenta de que la oración es reemprendida tras cinco o seis versos. En un par de ocasiones el viejo expectora al suelo (en una casi moja a John, al que pilla inequívocamente desprevenido, a juzgar por su espontánea expresión de enojo) y sopla dentro de la mano, en el filtro de la boquilla.

Así rumía su idioma autóctono un minuto largo, que interrumpe para preguntar a John:

-¿Cómo te llamas?

-John.

Y el viejo retoma su salmodia, solo que esta vez, al final de cada vuelta de la letanía, anexa, provisto su tono de connotación involuntariamente cómica, el nombre de John. Cuando este ya da muestras de impaciencia ante lo cargante y austero del bisbiseado ritual, el viejo suspira una última vez: siempre sin mirar a John ni desvelarse por su estado, se endosa el pitillo en los labios y, recuperando el encendedor a sus pies, lo enciende con prosodia más digna de un aficionado al tabaco que de un brujo. Chupa con ganas y como a sorbidos, antes de soltar una sola bocanada.

Tras de decantarlo unos segundos en su frágil y abombada caja torácica, lo expulsa en dirección a John, que atontado por la enérgica vaharada, comienza a toser y a carraspear, tendiéndose de nuevo cuan largo es e izando el cobertor, a la defensiva del viejo loco. El hechicero continúa fumando y, cuando considera preciso el momento de vaciar de nuevo los pulmones, alza las frazadas y destina el humo expelido bajo ellas, a todo lo largo de la humanidad de John.

Este sigue desconfiado los movimientos del anciano, sus inhalaciones y posteriores espiraciones. Al fin, se envalentona a sugerir, mal protegido desde su lecho:

–Se trata de… de una especie de purificación, ¿no?

El viejo se limita a seguir fumando y soplando, hasta que, mediante una conveniente elipsis, comprobamos que casi no resta tabaco por quemar. Entonces se vuelve al desconcertado yaciente:

–Quedó un pucho. ¿Lo apuras?

–¿Eh? –John no sabe qué responder–. No, no…

El viejo encoge los curruscos que tiene por hombros y agota de una última calada la colilla. Luego la aplasta en el suelo, a su lado, y la arroja al interior del hogar, junto a las otras muchas que allí retozan.

Por un encadenado de escenas, vemos reinsertada la estampa del hogar, solo que ahora acoge crepitante y danzarín fuego alimentado por buen tiro, bajo una cazuela que cuelga de un hierro cruzado. Una mano de niña recoge con un cucharón el oleaginoso líquido humeante del puchero y lo vierte en un cuenco de barro, para conducirlo acto seguido al centro de la choza en reverente expedición. La única luz procede de la hoguera, parece noche cerrada.

John permanece echado, adormecido, en su rimero de frazadas. Al notar la irrupción de un tercer intruso, despierta: enfrente tiene aún al anciano chamán, tan indolente y desentendido como de común, mirando el techo y hurgándose la nariz con ningún propósito aparentemente místico. John desvía la vista a su izquierda y se lleva un sobresalto al contemplar a la persona que se cierne a ese lado: una indígena enana, de rostro arrugado y chato como si una plancha apisonadora la hubiera comprimido por frente y mentón, chafando sus rasgos originarios. Lleva el pelo recogido en un moño cuya redondez confiere a su voluminosa cabeza un aura extraterrestre y solo viste falda: afortunadamente, una ristra de collares escuda los pellizcos de sus senos. La enana le ofrece el cuenco y John le finta la presencia por instinto.

-Mi nieta —aclara el chamán—. No es linda, pero es de confiansa —Y como si hubiera soltado un chiste, el viejo ríe para sí—. Toma, tómalo. La chacruna ya hirvió. Ahora sí voy a purificarte.

John se impulsa con esfuerzo hasta fijar su estabilidad en una postura genuflexa, la pierna sana flexionada, la otra lo estirada que puede. Se exhibe en mejor forma, la inflamación del rostro ha rebajado a la mitad. Examina receloso el líquido apelmazado con algún hierbajo flotante, luego a la enana, cuya esencial y surcada frente se arruga más.

-Te está sonriendo —especifica su abuelo.

John traga saliva y admite el cuenco en sus manos, procurando no tocar las que lo depositan. La enana no se da por aludida, se apresura a un costado y arrastra consigo de vuelta un balde de plástico amarillo que abandona a los pies de John. Se vuelve al chamán y le ofrenda una forma cilíndrica arropada en hojas enrolladas. El anciano toma el cigarro y lo prende con su encendedor metálico. Cata el humo y suspira:

-Mapacho de primera. Lo cultiva ella misma.

La enana tampoco acusa el cumplido. Solo espera instrucciones, y lee algo en la mirada del viejo que la hace salir de la choza.

El chamán inhala una intensa bocanada y la despide sobre el cuenco, atolondrando de paso al convaleciente. Luego exhala fumaradas en torno a él, bendiciendo el lugar, tras lo cual deja languidecer el mapacho a su vera, sobre el suelo de tierra.

-Bebe —aconseja finalmente a John—. Y si tienes que arrojar algo, arrójalo en el barreño.

John estudia la masa alazana que bucea en el cuenco, un pis otoñal entreverado de grumos y bilis viscosa. Obliga a sus dedos a ejercer de avanzadilla, palpando la textura del preparado. Luego, previendo la náusea, inclina el cuenco presto a los labios, y sorbe sin respirar. Mientras el aceite rebalsa la boca, sus ojos buscan sabor sin resultado. Repara en que el viejo ha cerrado los suyos y su cabeza va y viene, como en trance. No hallando aversión en la bebida, empina el cuenco sin hacerle ascos. Ahora lame los dedos pringados.

Posa el vaciado cuenco. El anciano prosigue su amplio asentimiento con los párpados apretados.

-No siento nada –le confía John.

El viejo no contesta. John asiste inconmovible a su reiterado bandazo. Sus ojos valoran romper el encantamiento.

-Chamán, no siento nada.

El viejo abre los suyos y le responde:

-Entonses, ¿por qué lloras?

Lágrimas como goteras mojan las manos de John quien, perplejo, se las lleva a la altura de unas inundadas pupilas. Tras la perplejidad llega la voluntad del llanto, que le invade. Lloriquea como un crío y reojea avergonzado al anciano, con un sentimiento de culpabilidad acrecentado ante la comparecencia de un mayor.

-¿Por qué lloras? –repite maquinal el viejo, sin matiz extra de insistencia. Parece una pregunta que formara parte del ritual.

-Yo… no sé… –y un nuevo estremecimiento le sobrecoge, desencadenando un tumultuoso derrame de gotas que caen restallantes sobre el cuenco–. Lloro… porque no encuentro a Nancy.

-Si lloras porque no la encuentras… ¿por qué te alejas de ella? –el viejo prolonga otra vez los ojos clausurados, cual si estuviese guiando a John a través de una oscuridad cuyas claves solo él conociera.

-La quiero, la quiero, la quiero –entona John como un mantra de autosugestión. El cuenco repiquetea. El anciano espera. Ayuda:

-Pero.

-Pero hay algo aquí… –John señala sin mirar su vientre–. Hay algo aquí que me hace dudar. Que me hace sentir que quizá no quiero volver a verla… Que mi amor no es tan profundo… Que prefiero estar solo… –los sollozos se redoblan–. Ese algo pugna por salir, me inquieta, me tortura… Me trae malos pensamientos, deseos lascivos, ganas de correr… Es una fuerza… una fuerza que no es buena para Nancy y para mí.

-¿Cómo lo sabes?

El repiqueteo es ahora exclusivamente líquido. Agua contra agua.

-Porque esa fuerza quiere que sea libre y… si quiero ser libre, no puedo estar con Nancy. Para ser libre tengo que renunciar a ella. Pero yo quiero estar con ella. Por eso tengo que encerrar esa mi libertad… esa fuerza… aquí…–vuelve a tocarse el vientre.

-Ahí dentro está… tu demonio.

-¿Cómo sé que es un demonio?

-El demonio lleva consigo la plenitud.

John reincide en sus pucheros: el paralelismo con una llorera infantil resulta patente, como una retracción a estados emocionalmente primarios.

-¡Y qué tiene de malo la plenitud! –se altera John, cual un mocoso al que sus padres negaran el postre.

-La plenitud no es mala… pero en el hombre, suele ser breve. La plenitud te colma y te consume… El ser humano no puede ser pleno si quiere sobrevivir. Esa es tu hesitasión. La hesitasión de todos los hombres.

-¡Pero qué tengo que hacer para acabar con esto! –se coge el vientre, como si le doliera. El cuenco casi rebosa.

-Tienes que elegir. Liberar tu demonio o matarlo.

John mira al viejo. El anciano abre los ojos y los clava en la faz de John: son ojos de gato. John se asusta. Acciona la boca para exclamar, pero en lugar de una palabra surge un torrente de vómito. La mano de John corre por el balde y lo cimenta bajo su morro. La náusea domina su expresión. Una basca le sobrecoge y una arcada establece la viabilidad de un nuevo chorro orgánico. Devuelve en cuatro tiempos. Cuando se vacía, queda con la cabeza gacha y rezumante, sin fuerzas o valor para enderezarla. Pero el llanto ya no se siente.

-Mírame –le dice el chamán.

El balde abundante brinca al suelo, pesa demasiado para la flojedad de las manos. John eleva el continente sanguíneo por el trauma y detiene sus ojos acuosos en la franjas contraídas de las pupilas ancianas.

De pronto, un espasmo le sobreviene. Creemos que va a vomitar de nuevo, pero no: no quita ojo del viejo. Adoptamos el punto de vista de John: la oscuridad se ha hecho noche; la penumbra interior se ha vuelto negrura exterior. El anciano empieza a cantar sus icaros. Alrededor del viejo ha caído un manto de tinieblas que parece la bóveda del cielo, y recortado sobre ella la figura del chamán sentado comienza a retroceder, a alejarse hacia lo alto, a reducirse en la distancia del firmamento…

-No… –musita John–. ¿Qué… qué está pasando…?

El chamán se evapora en el más allá de la nocturnidad: solo la silueta perla del felino estampado en su gorra destella ahora, como una estrella más, la más temible, fija en lo alto del plano celestial. El icaro resuena con igual contundencia que antes, reconforta. Un mapa de constelaciones y planetas se superpone a la noche: los planetas giran y se desplazan, las estrellas brillan definidamente, la luz del inmóvil otorongo andante fulgura realzada sobre todas las demás. John se asombra. Sudoroso, sus palmas se plantan en el suelo, que ahora ha desaparecido: él también está inserto en la noche, sentado en el espacio, en plena galaxia. John se sobresalta, interpreta impetuoso los bandazos compulsivos de alguien presa de un ataque de vértigo. La congoja le aflige. El otorongo adquiere movimiento y voltea el hocico en su dirección. John cierra los ojos de pavor.

-¡NO! –grita.

Se echa hacia atrás y vuelve a caer sobre el suelo de barro. Sube los párpados con tiento. Ha retornado a la choza y enfrente sigue sentado el chamán, inofensivo y sereno, observándole silente, bonachón. John suspira y ensaya una sonrisa de alivio.

-Así que en esto consiste…

Una convulsión le traspasa, el dolor desfigura su tez y sus manos agarran su barriga. Sus dientes chirrían. John se aferra a su abdomen, paralizado por un agudo malestar. Sus pies patalean. Sus manos sobre el vientre empiezan a vibrar, como encajando golpes a través del bandullo. Una nueva sacudida le tira de espaldas. Los brazos son rechazados por un bulto que crece y decrece en su tripa, John los retira del todo, clava las uñas en el barro, preparándose para lo peor. Su panza, ahora de calidad cerosa –a buen seguro por obra y gracia de un no obstante convincente efecto especial–, se hincha y parece a punto de explotar.

En lugar de eso, el vientre se cuartea debido a las acometidas que sufre desde su propio interior. La piel en torno al deformado ombligo se rasga en jirones, la sangre salpica aterrorizada: una masa sólida y negra puja por abrirse paso desde dentro, arremetiendo como feroz ariete y sobresaliendo entre sacudidas de rabia y viscosidad. De su hondura surge un rugido. ¡La masa está viva!

John berrea al borde del desmayo: la barriga se abre en una explosión roja de vísceras y heces, y de entre el mondongo gelatinoso brota el morro de una fiera. Atrapada entre las lianas de los intestinos, la imponente cabeza de una pantera negra mordisquea y despedaza la madeja de tripas, las muelas carniceras tajan como cizalla las entrañas y los ojos rojos confirman su voluntad de hacer todo el daño posible. La bestia forcejea por nacer del vientre. John intenta frenarla oponiendo las manos sobre la resbalosa y reluciente testuz, pero las fauces de la pantera se revuelven contra él: las mandíbulas asesinas se abren y cierran, cercenando falangetas, nudillos y venas. En tres segundos, las manos de John no existen, sus dedos han sido amputados, han caído al suelo como penes muertos y el félido tironea para emerger y liberarse de su prisión descuartizada.

John afirma la nuca en el suelo, cierra los ojos y profiere un alarido.

Cuando los abre, todo ha pasado. La normalidad, la ¿realidad? vuelve a reinar.

El viejo le evalúa, con recochineo. Luego se agencia un nuevo cigarrillo y lo enciende, descojonado. John se recuesta sobre un codo y le reclama jadeante, sañudo.

-¿Qué me has hecho?

-¿Te molesta el humo?

El viejo emana considerado una fumarola hacia un extremo de la choza para que no alcance las inmediaciones de John.

-Viste dentro de ti –revela.

John asiente. Luego apaña una sonrisa animosa que solo le aguanta en pie medio segundo.

-Eso creo… ¿Era mi demonio?

-Eres un varón espléndido. Tu demonio también es poderoso.

-Pero… me he… ¿Me he liberado?

El viejo deniega con un enojoso meneo de la cabeza.

-Para liberarte de la libertad tienes que enfrentarte a ella primero… Hoy solo viste qué te reconcome… Pero para sanarte y volver con tu Nansy, tienes que enfrentarte al Otorongo… a tu demonio…

John le pestañea con un progresivo terror dibujado en sus facciones.

-¿Enfrentarme a él?

El chamán hace un gesto de afirmación, complacido de que John por fin lo asimile.

- Tienes que verle antes de volver con Nansy. No hase falta que lo busques… El otorongo te encontrará. Sabrás qué haser cuando lo tengas enfrente… Entonses mírale a los ojos y verás tu sino… Cuando tengas al otorongo delante de ti…

El viejo enmudece. John yace desvanecido en el suelo.

...Y DE ENTRE EL MONDONGO GELATINOSO BROTA EL MORRO DE UNA FIERA.

-Grasiela... –susurra casi inaudible el viejo, por su intacta serenidad nada sorprendido de la reacción del capitalino.

La puerta de troncos se abre y entra la enana desde la noche. Sin necesidad de instrucciones, rescata el cuenco, lo mete en el balde y luego transporta ambos afuera. El anciano aprovecha para erguirse y trasladarse frente al hogar encendido. Allí, inmóvil, escudriña las ahora relajadas llamas con atención. Es la primera vez que sorprendemos en él una expresión ortodoxamente reflexiva.

La enana vuelve a entrar. Al ver que su abuelo se ha desplazado, se sienta sobre el suelo ocupando el sitio recién abandonado del viejo. Luego escruta con creciente interés sensual el noble perfil del durmiente. Comprobando de reojo que el anciano sigue de espaldas, Graciela se reclina sobre John y deposita sus labios de bebé sobre los de él.

El viejo sonríe, triste.

CAPÍTULO 4

Eﾉl sol señorea.

El portón de la choza se abre y John sale al pequeño claro de selva, presuntamente dispuesto a partir. Viste de nuevo su sempiterno traje unipieza, lavado para la ocasión, aunque ya con varios desgarrones y maltratos suficientes para irrecuperarlo como prenda cotidiana y otorgarle un toque aventurero a cambio. A la espalda carga una mochila indígena de cuero resistente y al costado una cantimplora de latón forrado en cordobán.

John se vuelve hacia el interior de la choza, adelanta la mano en lacónica despedida. Del hueco de la puerta surge una estela de humo de tabaco, no oímos ninguna respuesta. John toma la vereda que le aleja de la choza.

Una manita se apoya en el quicio y Graciela asoma para mirar marchar su objeto de deseo. John se apercibe del espionaje: vuelve a volverse, pero no sabe corresponder la franca adoración que sus sentidos registran en la pasa que la enana tiene por cara. De entre aquel desaguisado humano, se impone la hermosura del brillo de sus ojos negros, petrolífero, inmarcesible. Graciela le dice adiós con la mano.

John asiente y reanuda su marcha. La enana no cierra la puerta. La música extradiegética se identifica con ella.

John excursiona entre lúcumas de raíces como palas de hélice y arbustos leprosos de hojas oblongas que le rodean cual pedigüeños de luengos harapos. Cojea un poco, pero su recuperación parece muy avanzada: apenas le ha quedado la impresión de su desgarrón socavada en la mejilla, aportándole un ligero ápice de brutalidad del que carecía y que casa bien con su bagaje seductor. De todas formas, la barba de días camufla a ratos el socavón.

Las zapatillas deportivas de John pisan húmedo entre las hierbas. Se para medio minuto para contemplar un negro lago que acaricia las frondas. Los árboles de la orilla respetan su linde, pero extienden las ramas tentaculares, tal vez para tantear si merece la pena proseguir hacia el agua ominosa. John repasa las copas de los árboles, las hojas se mueven, a lo peor alguna sombra recorre una rama artrítica. John se preocupa, se percibe paranoico. Bordea el lago y en cuanto encuentra una trocha practicable, se pierde por ella.

Así arriba caminando a otro exiguo calvero, artificialmente creado por el hombre, como revelan varios tocones dispersos cercenados por aserramiento. John se sienta agradecido sobre uno de ellos. Está sudando y decide reponer líquidos sirviéndose de la cantimplora. Al culminar el primer trago y acuclillar la vista, vislumbra entre ramas caídas una extraña figura ovalada que sobresale del suelo. Este descubrimiento detona en él una aparente alarma. Se levanta y avanza hacia la abombada masa: al acercarnos con él, comprobamos que la cosa tiene toda la traza de un caparazón de tortuga de aproximadamente un metro de diámetro, solo que se encuentra partido y agujereado en varios puntos. La superficie es coriácea y está dividida en casillas con hendiduras por doquier, la capota de un marrón borroso e irregular, la parte interior resalta más clara. John se arrodilla y toca los bordes reconcomidos: desprende fragmentos de corteza tronchada que se deshace en sus dedos. Entonces descubre algo más: retuerce un pequeño y compacto cono incrustado en el corte transversal del caparazón, forcejea para liberarlo. Tras mucho ímpetu invertido, consigue hacerse con él. Lo posa en la palma y lo estudia. Se trata de un diente canino de dimensiones disuasorias, de blanco el convexo y cóncavo amarillo. La forma perfectamente curvada del colmillo queda truncada en su parte superior. El cazador perdió su arma y el arma perdió su filo abriéndose camino hacia la carne blanda de su presa.

John sostiene amedrentado el canino en su mano, le ocupa todo el ancho. Un bufido resuena en ese instante entre las sombras. El susto es de órdago: John se yergue de un salto, oteando sudoroso hacia la manigua, la espesa red de maleza que le rodea y que puede albergar cualquier monstruo.

La voz del chamán pronuncia evocada, solo en los oídos de John y en los nuestros: "Tienes que enfrentarte al Otorongo… a tu demonio…".

John articula unos pasos crispados hacia el centro del claro, sube al pedestal de un tocón. Revisa fijamente el ramal donde cree que puede agazaparse una bestia, a tenor de los rumores que de allí proceden y sus ligeros, correlativos movimientos, que pueden ser originados por la brisa o por un cuerpo salvaje en su seno. La fronda se estremece. John se atraganta, pero prolonga su mirada con un hilo de decisión hacia el posible cubil de su destino.

Los arbustos se alborotan y un bufido más contundente, inequívocamente félido, resopla en la sombra. John no espera más: se lanza a una carrera en sentido contrario a tal velocidad, entre tocones y raíces, que por un segundo y un par de zancadas se olvida incluso de cojear.

John escapa entre los árboles, sin echar la vista atrás. Va tan disparado y raudo que nos tememos que tropiece con algún tocón y se propine el encontronazo terrenal de su vida. Ahora solo le quedaba dislocarse un hombro. Corre y corre, arrastrando la pierna tonta como a un niño distraído.

De pronto, el terreno desciende. John lo aborda con demasiado afán y sus pies, al no hallar sustento en la distancia prevista, se hunden y le desequilibran, provocando un batacazo de aúpa sobre la espesura. Por si fuera poco, la humedad de las hierbas y la pendiente se alían para hacerle resbalar más allá de lo que el abundado ramaje nos permite distinguir. Adivinamos la forma de John recorriendo de espaldas más de diez metros, entre hojarasca y maleza, hasta que el follaje le escupe y le vemos resurgir escurriendo por la broza hacia el final de una ladera y el inicio de un camino. Las plantas de John imponen su resistencia en aquel patinaje sobre espalda y tocan, albricias, asfalto. El encontronazo con el suelo es de pie.

John recupera el aliento al tiempo que reconoce terreno: ha aterrizado al borde de una carretera, el alquitrán arrugado como la piel del chamán por la inclemencia del astro rey. Mira a un lado y a otro. A su izquierda, la pista sigue recta y parece desembocar en paraje abierto; a su derecha, el asfalto interrumpe la suntuosidad de su forro y por debajo precede la senda desnuda, polvorienta, rocosa y desabrida hacia la lejanía montañosa. John se mentaliza y reemprende su expedición hacia la continuidad del tramo pavimentado.

El sol insiste, ahora sin árboles que le den esquinazo. John transpira como un peregrino, aplica el gollete de la mermada cantimplora y riega la boca. El asfalto chiclea su calzado.

John transita el mediodía. Las cunetas comparecen más despejadas, la civilización va ganando campo, incluso avista alguna estrada asequible que parte de la carretera. John se lo toma con calma.

A su espalda nace un zumbido, progresivamente acrecentado hasta convertirse en un impertinente vibrar de motor. John echa un vistazo prudente. Un motocarro, trasunto de cuadriga, conducido por un quinceañero se apropincua a su altura. El carrito al remolque consta de un banquito para dos, un parasol menta; la moto parece enorme en comparación con el mozuelo, que cabalga sin casco y con sus salidos huesos predispuestos al quebranto. Viste pantalones cortos y una camiseta que se le hace excesiva, a juzgar por cómo ha atado los extremos del ruedo bajo el esternón, dejando al fresco el vientre tierno. El pelo negro es abundante y flamea como bandera pirata.

El muchacho llega a menos de un metro de John, reduciendo la velocidad al paso del caminante.

-¡Quiubo! —saluda.

John no contesta, sigue andando a su ritmo aplacado. El chico le observa con la inevitable pizca de fisgoneo rural.

-¡Tremenda sudada! Tal parese que se cayera en la cocha, amigo. Y eso que no es muy profunda aquí.

El chico no quita la vista de John, el silencio solo aviva la curiosidad. Tiene cada extremo del labio superior punteado con una frugal mata de vello, como si el bigote de Hitler* se hubiera espantado y un residuo inocuo se refugiara en cada comisura. Los ojos pequeños del adolescente se agrandan.

-¡Pucha, ya sé de qué le conosco! ¡Usted es el del comersial de la chela!

*Mención del nombre de nuestro Salvador en vano… (Nota al margen a mano del Restaurador del Libro)

John rechina los dientes, farfulla alguna maldición. Pero el chaval se nota feliz con su descubrimiento, no representa amenaza alguna ni susceptibilidad de represalia. Ahora quiere mostrarse caritativo:

-¡Suba a mi mototaxi, pata, yo le llevo a la siudad! ¡Usted es una selebridad!

John examina al motorista para constatar si habla en serio, sin frustrar la caminata.

-No llevo plata.

El chico se carcajea, como si no le creyera.

-¡No importa! —persevera alegre—. ¡Yo le llevo, pucha!

-No subo con chibolos —se obstina John, poco interesado en sociabilizar.

-¡Eh, un respeto! —exclama el chico, hipertrofiando su indignación—. Que yo me la paso del jato a la chamba y de la chamba al jato. Que ya uso pelos en la pinga. ¡Conténtese, pues!

Tras esta última frase torna a carcajear. John no puede reprimir un amago de sonrisa. El chico se le gana con su talante de feliz desgarbo.

-Vamos, pues —resuelve John. De un salto monta al carro y aposenta su trasero en el centro del banquito. El chico da gas y la moto adquiere prisa, propulsando consigo la carreta, de apariencia frágil y muy básica.

John refleja cierta complacencia en el trayecto, pese al constante traqueteo. Camiones cruzan transportando enormes fletes de troncos y duchándoles con un chapuzón de polvo amarillo y denso.

El forastero aprecia los márgenes de la carretera: terreno trabajado la respalda ya, concebido como huertas verdes o cultivos de maíz. Al poco enlazan las factorías, grandes naves rodeadas de cercas, y alguna granja o casa ganadera con movimiento humano dentro de sus límites.

-Parece un lugar próspero —comenta John.

-¡Oh, sí, la siudad ha cresido un mundo! —grita el motorista a su delante—. ¡Casi medio millón de almas!

John repara en una verja inminente que exhibe un cartel de aluminio con rudimentario dibujo idealista de variadas bestezuelas oxidadas.

-¿Tienen otorongos en ese zoo? —inquiere John.

-¡Ahí tienen de todo! ¡Solo falta el hombre! —vuelve a gritar el motorista, y el niño se manifiesta de nuevo en la risa despreocupada y jovial.

Ya entran en la primera área poblada. Pelotones de calles acosan la carretera, calles de barro, sin asfaltar, pretendidas por cabañas grandes de dispar acabado, pintadas y sin pintar, en una gradación que nunca supera la cualidad destartalada, sobre porches levantados medio metro del cieno. Hombres recostados en mecedoras o sillas fosilizadas, charrupando cerveza sin premura; mujeres trajinando la ropa sucia u oreando las faldas para airearse los bajos; niños jugando y peleando, que es lo mismo, por un fruto sanguino en medio del lodo seco de calles que son verdaderamente suyas.

-¡Bienvenido a mi siudad! –ulula el motorista, con sincera ufanía.

Por fin concurren a una encrucijada pavimentada, el centro urbanístico de aquel enjambre humano. Las calzadas son tablones que se acuestan unos en otros, por donde pisan sin cuidado los peatones. Los nativos son aquí de otra manera: sus ojos no son rasgados, más bien almendrados de forma y color; su piel es más oscura, menos rojiza; su expresión no es renuente y circunspecta, caldo de rencor, sino abiertamente vivaracha y agresiva, casi pendenciera. Hostiles o no, sus caras afirman una vida más plena.

-¿Adónde quiere ir? –le profiere el muchacho.

-¡A donde haya gente! –replica automáticamente John. Y luego, para sí, resintiendo los días en el refugio del chamán–. Necesito ver mucha gente.

Hay más motocicletas que autos sobre el firme. Muchos residentes circulan en motos de gran cilindrada, sentados a ellas junto a sus esposas e hijos, cobijando bebés incluso, sin protección ninguna para sus seseras ante el posible infortunio de un accidente. Pero los motocarros son predominantes.

Frenan ante un semáforo, el primero que hemos visto. Una india autóctona, sin mácula visible de mestizaje en su resplandeciente morenez, despliega en una esquina sus collares, sus piedras, sus pendientes. Al presentir la mirada de John sobre ella, se le enfrenta casi sobrenatural:

-Cómpreme, señor. Mire qué lindos aretes.

John le sonríe con melancolía y el chico arranca de nuevo, retorciéndose de la risa, que parece salirle del vientre desnudo, por la insistencia con que lo soba. El motocarro bordea la plaza del ayuntamiento, distinguible por el engalanado edificio de ancho palco abierto, su reloj parado en una torre, la alameda en el parque, el obligado monumento al héroe independentista de rasgos europeos y la inactividad de los paseantes.

-¡Esta es la plasa de armas! –le instruye a gritos el mototaxista.

-¿Qué hacen tantos hombres saturando la plaza a esta hora? –le consulta John.

-¡Nada! ¡No hasen nada! ¡Son desocupados!

-¿Y cómo logran sobrevivir? –se admira John.

-¡Usted alusina! –ríe el jovencito–. ¡Nadie se muere de hambre aquí! ¡No es como la capital! ¡Aquí la fruta sobra, y si quieren chambear, siempre hay madera que cargar por el río! ¡Allá le llevo!

Y, efectivamente, el motocarro prosigue hasta detenerse en el límite de la ciudad, frente a un vastísimo río de agua marrón uniforme e inquietantes remolinos, por el que circulan achacosas barcas remolcando rebaños de troncos, recolectados desde la otra orilla, todavía imbuida de plena exuberancia forestal.

-¿Qué anchura tiene? –curiosea asombrado John.

El chico no deja de gritar aun quieto y con el motor apagado:

-Qué sé yo. ¡Dos kilómetros fásil! –y señala la ribera–. ¡Aquí tiene sus almas!

Enfrente, el embarcadero de madera prevalece teñido de un soplo colonial. Cientos de fornidos lugareños en shorts de nailon, bronceadísimas las espaldas por un sol que llueve sobre mojado, atracan y desatracan sus barcazas y canoas en el amarradero, ayudan a descargar la mercancía o simplemente apuestan a los naipes, apilados bajo algún dadivoso árbol. John aspira hondo con aire de trotamundos realizado.

-Parece una ciudad con mucho comercio.

-¡Con mucho comersio y bebersio! –redondea irónico el imberbe chófer, llevándose una mano, con el pulgar y el meñique significativamente extendidos, hacia la boca–. Aquí los selváticos somos muy distintos de la capital. Aquí somos muy suyos. Ándese con tiento y no rete el albur.

John se apea del motocarro y se despide del muchacho:

-Gracias. ¿Cómo puedo recompensarte por el trayecto?

El mototaxista hace un gesto a una fibrosa vendedora ambulante con nevera portátil en la cruz del brazo.

-¿Tienes chela Inca?

La mujer asiente, palpa poco en la nevera y le ofrece una botella de cerveza de cuarenta y cinco centilitros. El chicuelo le paga y tiende a John la botella.

-No, no tengo sed –se disculpa John.

-¡Quiero su firmita, sonso! –contradice el adolescente, riendo, mientras emerge un bolígrafo del bolsillo–. Por esto me saco más que por la tarifa.

John autografía la etiqueta de la cerveza, apabullado con la picardía del muchacho. Este le sonríe una vez más y arranca su motocarro, su risa alegre es el mejor adiós.

John se gira hacia la entrada fluvial al muelle, de pie sobre el pequeño túmulo arenoso que lo confina. En ese momento, una canoa a motor procede a fondear en el embarcadero. Un hombre cincuentón y varios adolescentes faenan sobre cubierta, prediciblemente padre e hijos. John sigue las evoluciones de una muchacha de excelso físico, larguísimo cabello azabache y garbo de garza, que salta la borda ágilmente para ligar las amarras. Al inclinarse con el objeto de anudar el cabo, la flácida goma de su falda perezosa pone al descubierto la cara superior de sus nalgas. John no puede reprimir un rendido silbido de admiración.

Al volverse de cara al andén, aún perdida su sonrisa cándida en las bondades del sexo opuesto, se topa con un escenario espeluznante: desde el punto más cercano al más lejano del puerto, los estibadores nativos han abandonado toda actividad, lúdica o laboral, que estuvieran realizando, y uno a uno los cien, doscientos, quinientos se enderezan para observar fijamente al forastero afrentoso. John retrocede pusilánime y acoquinado: no es para menos su reacción, ante la mirada neandertal y asesina de aquellos hombres encallecidos por la brutalidad cotidiana, hombres que no parecen dispuestos a sufrir la humillación a manos o silbidos de un extranjero blanco. Algún escupitajo florece a los pies de John, alguna mano empuña más firme un machete. John continúa reculando.

Una mano le palmea el trasero, haciéndole aullar de dolor. Resignado a pelear por su vida, se da vuelta raudo y de bruces con un indígena de cabellos claros e intenciones oscuras.

-¡Ahí no, duele a rabiar! ¿Qué quieres de mí? –le interpela John, tan huraño como asustado.

-Bésame –le manda el indio, su radiante pelambrera atributo de leona.

-¿Qué? –pregunta John, temblando ante la perspectiva de un nuevo sometimiento sexual.

-Que armaste un chongo. Bésame o estos primates te ultimarán de un machetaso.

...EL INDIO TEÑIDO SE ABALANZA SOBRE JOHN, ADHERIENDO SUS LABIOS A LOS DEL FORASTERO
Y AGITANDO LA CARA COMO LLEVADO DE UN RAPTO APASIONADO.

Sin más dilación, el indio teñido se abalanza sobre John, adhiriendo sus labios a los del forastero y agitando la cara como llevado de un rapto apasionado. John no tiene tiempo a defenderse.

De inmediato, los descargadores adoptan una expresión de rechazo ante la indiscreta escena fingida. Meneando la cabeza y publicitando bien alto su elocuente repulsión hacia los invertidos, reanudan actividades, tanto las de ocio como las de oficio.

John bizquea al intentar mirar al escuálido y maduro indio que le está enlabiando. Este no parece tener prisa en deshacer el besuqueo. Por fin, de manera discreta pero vehemente, el modelo logra apartar a su lamedor.

—Ya… —la voz le sale aguda, pero un carraspeo la nivela—. Ya están a lo suyo de nuevo. Gracias.

—Waldo Alvarado, para servirte.

El intruso sonríe, coqueto y alborozado. Viste una camiseta de tirantes y pantalones cortos y negros de un tejido semejante al lamé. Sus piernas flacuchas desnudas y sus pies encajados en lánguidas chanclas, imbuyen propensión sicalíptica a su ya de por sí afectada gestualidad. Nerviosa y tentativa, su cabeza anhela empatía en John. Tiene el pelo (de peinado manso, con casquete de volcado a raya, muy parecido al de John, por cierto) tintado de un escandaloso dorado platino; sus ojos, siendo lúcidos, imploran afecto; la narizota decidida añade un gracioso toque masculino a su melindrosa finura*.

John no ha retribuido con cortesía la presentación del amanerado, sino que hace un esfuerzo por demostrar que su interés ya ambula en otra esfera, vadeando sin prisas las estribaciones del muelle. Pero el besucón no se achanta y se resitúa a su vera.

—John Figueroa, ¿verdad? Le he reconosido al toque. Sigo todas las revistas de la capital, aunque aquí me las traen con retardo de meses. Adoro sus comersiales. ¿Para cuándo el sine?

—Yo… —titubea John—. En fin, le agradezco su intervención, pero ahora tengo asuntos…

—¿Nesesita posada? ¿Un almuerso buenaso? ¿Un cuarto quisás donde pernoctar?

—Aún no me he preocupado por buscar pensión…

*Obviamos la descripción verista del tiznado que oscurece su piel, ya que en esta ocasión también nos encontramos ante un actor anglosajón interpretando el rol de un aborigen. (NdT)

-Debería haserlo. No todas las personas de esta región ostentan mi nivel de desensia. Yo tengo una buena amiga que alquila alcoba por un presio muy rasonable. Ella es limpiadora y una mujer muy…

-No me interesa –le ataja John, al borde de la desconsideración–. No me sea pamplinero y permítame seguir mi camino.

-…muy mujer. No son sus "pamplinas" sitadinas. Creo que no se da cuenta del peligro que aquí corre –avisa su acompañante, interponiéndose ante el recién llegado y mudando su almibaramiento por la severidad más inconmovible–. Usted no solo es forastero, criollo y pituco… por si fuera poco, los lugareños nos han ampayado: acaba de destapar en público que se le moja la canoa por un parroquiano en shortsitos. Aquí la homosexualidad no está bien vista, ¿comprende? Aquí ser cabro se paga caro.

John asiente, como excusándose.

-Aquí esos… –vitupera el blondo nativo– …esa mancha de eslabones perdidos le puede haser un tajo como el que esconde ahí –apunta con la muñeca floja la cicatriz de la mejilla barbada–, pero en su gasnate. ¿Lo prosesa? Así que le deseo recapasite.

John medita un instante.

-¿Y usted puede ayudarme?

El indio sonríe. John se rasca la barba rala y pisaverde, pensativo.

La imagen del rostro hirsuto de John es suplantada ahora por otra equivalente, en la que no solo se le ha desembarazado de todo rastro piloso en la mitad inferior de su cara, sino que la superior está techada por un cabello negrísimo como la pez, mucho más intenso que en su versión precedente. Las manos de Waldo, contagiadas de tinte, aplican ahora sobre la piel del forastero un pigmento oscurecedor con una esponjita, poniendo especial énfasis en no empastar la pálida zanja de la cicatriz.

John permanece sentado en una despanzurrada silla de barbería frente al espejo donde por primera vez hemos captado reflejada su estética actual. Alrededor revolotea Waldo, en un pertinente batín de peluquero. El salón de peluquería en el que se hallan es identificado en un plisplás como suyo: un retrato del mismísimo Waldo en pobre imitación de pose hollywoodiense cuelga triste y sin marco sobre la pared amarilla, junto a un par de diplomas gremiales con su nombre bien destacado. La repisa del espejo frontal perece atestada de tijeras, brochas y potes de tintes. Al lado del cristal, la Liz Taylor pegada, de la época del Lassie.

-¿Qué te paresió? —sondea un ilusionado Waldo—. ¡Estás mango! Lo que yo daría por conseguirme un machucante así.

John sonríe, por primera vez sin recelos.

-Me viene que ni al pelo. Estos días es conveniente que pase desapercibido, no solo aquí.

-Ahora pasas por un indito más. El costurón le da un toque macho.

John diluye su sonrisa con una remembranza nostálgica. Por el espejo observa a Waldo, mientras el peluquero se ajetrea femenino en recoger su instrumental.

-Dices que en esta ciudad peligro por blanco y porque me crean invertido, pero tú das impresión de llevar aquí una vida muy respetable… —Waldo aborta su trajín. John se arrepiente—. Disculpa, yo… no quería parecer rudo o impertinente.

-No, John, tienes rasón. Se supone que a mí no me va nada mal en esta comunidad —el semblante de Waldo también se ensombrece—. Pero ya me sacaron mis impuestos por ello.

John se incorpora del asiento y se regala unos retoques con la yema.

-También entiendo que a la población de aquí no le haga ninguna gracia que un pituco blanco y adinerado les confronte con aires de superioridad —reflexiona ecuánime—. Esta gente ha sufrido mucho.

-¡Oh, venga, John! —estalla Waldo—. ¡No te comportes ahora como el típico turista compasivo! ¡Tú no tienes que soportarles cada día! ¡De pronto eres peor que ellos!

-¿A qué te refieres? —trata de orientarse John, sorprendido fuera de juego.

Waldo le acorrala, la árida mirada sin melindres ni afectación frivolizantes.

-¡Todos los capitalinos son iguales! ¡Ustedes vienen rebosantes de plata, pero también de desdicha! ¡Acuden aquí esperando encontrar una felisidad primigenia que no tienen, que no han sabido conservar! ¡Afluyen a nuestras calles pobres con esa bobalicona piedad cristiana, con esa mentalidad de que nuestra miseria es su edén perdido! ¡Todo para compensar sus malas consiensias y sus depresiones de niños bien! —el belicoso tono de Waldo ha intimidado a John, quien asiste a las idas y venidas de aquel con discreto acuse de recibo—. Pues entérate de una ves, maldito John de los buenos modales, la tele y el glamour: ¡tú no has cresido aquí, tú no tienes idea de lo que es naser y vivir aquí! ¡La sivilisasión y la barbarie sí se diferensian! ¡Sí hay diferensia entre un animal y un ser humano! ¡Sí hay diferensia entre la brutalidad y la sensibilidad! ¡Sí hay diferensia entre un ser compasivo y un ser desalmado! ¡Sí hay diferensia! ¡Tú no sabes lo que es ser prinsesa en este remoto agujero! ¡No sabes lo que es ser una flor delicada entre esos macacos!

WALDO ALZA SUS OJOS BERMELLONES, DEMUDADOS COMO LOS DE UN CONDENADO AL CADALSO QUE NO ESPERA PIEDAD Y DE PRONTO ES TESTIGO DE UN INSÓLITO INDULTO.

-Tranquilízate, Waldo, no pretendía…

-¡No, ahora me escuchas! ¡Son unas bestias, John, unas bestias despiadadas sin nosión de lo que está bien o mal! ¡Unas bestias ignorantes y crueles! ¡Y son más felises que tú y que yo! ¿Sabes por qué? ¡Porque se comportan como lo que son, como animales sin trabas! ¡No tienen que disimular sus instintos! ¡Tú y yo sí! ¡Escúchame! —John procura esquivar la mirada de Waldo, pero este le fuerza a devolvérsela a solo unos centímetros—. ¡Que me escuches, me llevan los demonios! ¿Sabes por qué me respetan esas bestias, John? ¿Sabes por qué? ¡Porque ya se cansaron de mí!

Waldo revienta en lágrimas y se precipita contra el pecho de John. Este le aferra los brazos, sintiéndose algo incómodo pero también compungido. Waldo solloza vehemente sobre el torso de su protector, abarcando su cintura.

-Cálmate, Waldo… Nadie te va a hacer daño. Yo estoy aquí…

-No sabes lo que me hisieron… Ni las veses que lo hisieron —los hombros de Waldo trepidan de pesadumbre y rabia—. Ellos son los invertidos… Ellos los visiosos… Ellos los enfermos…

-Sí… sí lo sé… sé lo que te hicieron —personaliza John, desencajado.

Waldo alza sus ojos bermellones, demudados como los de un condenado al cadalso que no espera piedad y de pronto es testigo de un insólito indulto.

-¿Tú… lo sabes?

-Sí… —John cierra los ojos y hunde el mentón, sobrepasado por los recuerdos recientes.

Waldo le contempla con creciente estupor. Al desentrañar el cariz de las palabras de John, la compasión agrega un matiz apaciguador a sus ojos encharcados. Entonces es él quien abraza a su ídolo.

John constriñe el rostro, la barbilla rota, empecinado en no llorar, pero claudica su partida voluntad al abrazo consolador de ese nuevo amigo.

-Y-yo... siento haberte achacado... —tartamudea.

Inesperadamente, Waldo vuelve a buscar los labios de John con la boca: le besa unos segundos.

John le hurta el rostro.

-No… eso no —veta.

Las lágrimas reafloran en la cara desolada del peluquero. Su mejilla enjuga su llanto sobre el blanco pecho de John.

CAPÍTULO 5

La mujer está cincelada en base a una constancia de privaciones y trabajo duro. Debe de mediar los cuarenta y sin embargo conserva un encanto inmarchito, o probablemente lo haya ganado con los años. Tiene pómulos y quijada protuberantes, con la declaración de intenciones de un cráneo yeguar, de esos que la juventud no tolera con gracia, pero que en la madurez adiciona cierto lustre, cierta osadía sensual en el maxilar pronunciado, si la mirada acompaña. La suya lo hace.

Ahora rastrilla alrededor de una jaula de monos, embutida en un peto naranja arenoso, como el color que predomina el terreno que se nos muestra del zoológico (la segunda opinión de un oportuno rótulo en lo alto de un poste lo define como EL PARQUE DEL AMOR), pero un grado más chillón, otorgando a la atmósfera un qué sé yo crepuscular que desalienta en conjunción con el fatigado tintineo de su abultado llavero colgado de una presilla. Un compañero en idéntico traje de faena barre con el surtidor de su manguera, asomada entre barrotes, el suelo de la jaula, arrastrando consigo hojas muertas, excrementos, matojos de pelos y todo tipo de restos orgánicos, mientras una caterva de monos de tamaño mediano le observan formales, aupados a las tristes ramas peladas que imitan su hábitat natural. Ella aguarda en un foso circundante de leve desnivel que la morralla derive allí y, cuando la manga remite su chorro, se aplica a barrer con el rastrillo y acumular los despojos en una espuerta.

John transita por el paseo entre jaulas y, al distinguir a la mujer, se aposta con reserva a dos metros de ella. Su rostro tiznado por Waldo semeja borrón grotesco.

-¿Socorro?

Socorro continúa rastrillando mientras responde afirmativamente sin despegar los ojos de su carga. John respeta la distancia:

-Waldo me dijo que usted podía proporcionarme posada.

Socorro maneja con destreza el rastrillo, probablemente la actriz ha recibido un entrenamiento previo orientado hacia la tesitura de laborar y hablar a un tiempo. Casi sin ojear al forastero ya lo ha calado:

-Usted no es de aquí.

John sonríe, sus dientes tienden al amarillo en contraste con el churrete, parece el cantante de jazz.

-¿Cómo lo sabe?

Socorro se señala el pelo, el gesto vivo y afable.

-Compartimos tinte.

John asiente, rindiéndose a la evidencia.

-Waldo es su peluquero.

-Y mi proveedor de inquilinos.

El compañero de Socorro se traslada ahora hacia el otro extremo de la jaula. Los primates protestan con agudo genio, pero eventualmente brincan al lado opuesto, justo antes que el reguerón de agua escobille esa mitad.

-Sería solo por esta noche –clausula John–. Ahora no tengo plata, pero le enviaré un giro desde la capital. Waldo dijo que usted se fiaría.

-Alto, alto –objeta Socorro.

John se alarma, pero las palabras no van destinadas a él, sino al manguero. El chorro se retrotrae hasta refugiarse chepudo en la boca metálica, Socorro se aparta a un segmento semioculto del foso y aprehende un peluche invertebrado con los dedos protegidos por látex.

-¿Qué fue? –pregunta el empleado.

-Un machín, pues.

John atisba por encima del hombro de Socorro y curiosea el cadáver del pequeño mono. Su tez clara aureolada de negro permite leer los humanoides rasgos faciales y su mueca de alivio placentero ante la muerte.

-¿De qué se fue a la Otra? –se interesa John.

-De añoransa. Añoran la libertad. Siempre hay alguno que no lo puede soportar.

Socorro no le mira, no lo advierte, pero como era de esperar, John acusa el dato. Su mirar adquiere un sesgo fúnebre y premonitorio. Socorro empotra el mono en el capazo.

-¿Y qué se supone que hacen con los animales muertos en el zoo? ¿Tienen un cementerio de animales o algo así? –poetiza John, como si tales ambages encerraran una posible metáfora indirecta que contribuyera a aclarar el devenir de sus propios restos mortales.

Socorro le estudia con escrutinio de tasadora. Hay una belleza inmanente en sus ojos negros, un cabrilleo opalescente y perenne en un fondo fenecido por su propia voluntad.

-¿Quiere verlo?

Socorro no exige respuesta y camina colgando a la espalda la espuerta repleta, dejando atrás la jaula de los monos. John la sigue, el empleado prosigue impasible su riego higiénico.

John se ve obligado a acelerar sus pasos para emparejar el ritmo determinado de las zancadas de Socorro.

-¿Quiere que le socorra? –ofrece.

-No.

Cruzan una avenida rodeada de jaulas con las consabidas especies exóticas de animales tropicales (a bote pronto reconocemos un receptáculo herrumbroso con caimanes, otro con papagayos y loros, otro con charapas de río), sin más orden ni propósito que el de ofrecer una estampa representativa del cliché selvático. Más allá, la avenida queda cortada por un frontis semicircular de adobe, que marca el inicio de una apacible laguna de aguas marrones. A cada lado del frontis, una balaustrada de caliza custodia la intromisión de sendas escaleras de roca en el subsuelo. Hacia allí se orienta Socorro y, remiso, detrás le va John.

La pareja desciende los escalones hacia la planta inferior, excavada en la tierra. Se trata de un túnel también semicircular cuya pared interior frontal está cubierta de suelo a techo por una gigantesca pantalla de cristal o plexiglás rectangular, permitiendo la contemplación del fondo del lago. En puridad, poco hay que ver, pues el agua, de tono más verdimarrón en esta recreación de estudio, impide prácticamente transparencia alguna, debido a lo limoso de su composición.

Socorro, liberándose del capazo y recuperando el dócil cadáver con sus guantes, hurga en un bolsillo posterior de su mono hasta asir un cúter. Desnuda cinco centímetros de cuchilla y la dirige contra la frente del simio.

-Con una heridita será sufi –informa.

John presencia horrorizado cómo Socorro practica un tajo longitudinal solo unos centímetros por encima de los ojos abiertos del machín, cuyo pelaje enseguida empapa el rojo derramado.

-¿Qué hace? –exige John, temeroso de algún nuevo rito chamánico o superchero.

-Espere aquí –ordena Socorro, con la rutina en su voz inmutable, sin involucración personal, dicho lo cual vuelve a subir los escalones a extramuros, el monito en los brazos como un bebé acunado.

La figura de John queda recortada contra el tanque de agua cenagosa. John observa con intriga el otro lado de la pantalla. El fondo de la laguna permanece turbio e impenetrable, pero en la nebulosa fosforescente se intuye un tráfico ocasional de pequeñas sombras que promete misterio y remueve inquietud.

John se arrima a la pared vidriada, aguzando la vista, intentando dilucidar si aquellas sombras huidizas son reales o responden tan solo a un matiz de juegos de luces submarinas. John pega la frente al cristal y no pestañea.

Las sombras continúan yendo y viniendo, la placidez de las aguas dulces perpetua, ininterrumpida al otro lado. John abre más los ojos, persiguiendo cada sombra que percibe por arriba y por abajo.

De repente, algo golpea muy rápido el cristal a la altura de la cara de John, haciéndole retroceder espantado. Parecía un rostro mínimo y deforme que picoteara el rostro humano. Pero solo ha durado una décima de segundo.

John suda la gota negra, recuperando el conmocionado aliento a un metro de la pantalla de cristal. El lago se preserva calmo, inalterado.

JUSTO ENTONCES, DE LA PARTE SUPERIOR DEL TANQUE, ALGO GRANDE
Y PELUDO CAE AMINORADO, COMO UNA HOJA OTOÑAL.

John parece reponerse. Justo entonces, de la parte superior del tanque, algo grande y peludo cae aminorado, como una hoja otoñal. Es el machín. El cuerpo, su volumen aumentado por la lupa de la tapia cristalina, se balancea de un lado a otro en su derrotero hacia el fondo, la sangre de su frente sajada delinea una trayectoria danzarina en el agua, se extiende y contorsiona sin disolución de continuidad.

El pequeño primate llega en su descenso al nivel de John. Los ojos simios están abiertos, fijos en él. Los ojos le miran como si simbolizaran un caso ejemplarizante para el humano. Son ojos no tan diferentes de los del hombre.

Y ahí se desata el Infierno. Cientos de cabezas diminutas aparecen y desaparecen en torno del machín. A cada desaparición intrusa, también se esfuma un trozo de carne del mono, que ha frenado su curso descendente: las dentelladas le mantienen flotante, suspendido a ras de los ojos de John. Este cede unos cuantos pasos hacia la pared opuesta, inmerso en un éxtasis de horror, como si la pantalla de cristal no fuera suficiente resguardo.

Los pececitos son todo ojos y dientes. También miran a John. Se comen al mono, pero miran a John.

El machín inicia una irreversible cuenta atrás de incorporeidad. Su apariencia revierte al estado de esqueleto con la celeridad fulgurante con la que Drácula moría en la estacada*. Cada cacho de carne escamoteado es sustituido a la vista por su equivalente óseo. Una nube de sangre y burbujas rodea al desafortunado cadáver, que baila al ritmo de los mordiscos que le propinan. La cola es lo único que batalla su estertor. Latiguea y se volatiliza que es un primor. Cuando sus huesos quedan mondos, la nebulosa se apacigua y estabiliza, las cabezas carnívoras se desvanecen y solo resta el esqueleto lirondo del machín, un esqueleto sin siquiera ojos ya que transmitan la moraleja a John.

El esqueleto retoma el trayecto que el mono había cancelado, y en su deslizamiento se pierde por debajo del nivel de la pantalla, laguna adentro. Donde estaba el simio hay ahora una estela de manchas rojas y mechones negros.

John respira por la boca, hipnotizado y estático, como si todavía pudiera visualizar la escena recién vivida. Un reguero de tizne surca su frente. Una mano en su espalda le hace saltar de pavor.

*Y con el mismo proceso de trucaje fotograma a fotograma mediante la socorrida técnica de stop-motion. (NdT)

-Entonses, ¿siempre nos vemos esta noche? –pregunta Socorro, ajena y apetente. El mono naranja y el mono blanco hacen furibunda combinación en aquella celda de barro.

John hace glup.

John pasea cariacontecido, abstraído en funestas reflexiones, de regreso a la entrada del zoológico. La avenida está vacía, la soledad y el arrebol tardío fundamentan la impresión de luctuoso agostamiento que asola a John.

De pronto, le vemos pasar desde un ángulo y una cualidad fotográfica diferentes: la perspectiva es acechadora, por encima del nivel medio de altura de un ser humano, y la imagen en blanco y negro, ligeramente emborronada. Además, los elementos en lejanía se muestran francamente desenfocados y todos con leve perfil duplo, como si este correspondiera a una visión estereoscópica mal engranada. Solo unos barrotes metálicos en primer término presentan un color azulado que desborda sus confines. John se aproxima a nuestra posición, aún extraviado en su desmayo espiritual.

Como si hubiéramos asimilado el punto de vista de otro ser, saltamos al suelo y vamos y volvemos a lo largo de los barrotes, espiando mientras John cruza a nuestro costado, ignorante de nuestra presencia. Y de golpe, nos precipitamos contra la pared barrada, provocando un ligero retumbo de choque carnal.

John congela su andar, ha oído algo. Se vuelve y encara una de las jaulas más grandes que hemos visto hasta ahora. Tras las rejas no se adivina movimiento ni inminencia de ninguna amenaza, aunque el retorcido tronco de árbol que ocupa la mitad del espacio contenido en el armazón de hierro asciende sus esqueléticas ramas fuera del campo de luz, hacia la penumbra, pudiendo ocultar cualquier ser vivo que se le antoje. Detrás, en la sección más alejada del recinto, sí se percibe el bulto de un animal grande sobre el suelo: parece un caballo echado de costado, dormido o, más probablemente, muerto. No tendría sentido un caballo vivo encerrado allí.

Contra todo pronóstico, John se acerca. Volvemos a acecharle desde la perspectiva del ente agazapado: definitivamente, John viene hacia nosotros, con una curiosidad serena y un audaz sosiego, como agradecido por haber sido expulsado de su estado taciturno y deseoso de experimentar una revelación. Su traje fosforece en la estampa incolora.

John se detiene frente a la jaula. El silencio más agorero reina en el interior. John da un paso y entonces oímos un espeluznante gorgoteo generado por una garganta que no parece de este mundo.

John retrasa la pierna y trata de retroceder, pero es demasiado tarde. El animal se propulsa desde las ramas y se adelanta en tres brincos hasta enfrentar a un aterrado John, que se inmoviliza en el acto, paralizado en pleno desnivel periférico. La caja torácica del animal ha originado varios gañidos al plantar garra en el suelo.

Se trata de una colosal* pantera negra, de reluciente pelambre y ojos de un rojo candente. Sus patas, cortas y poderosas, bien coyuntadas en las escápulas laterales, reposan a medio metro del estómago de John: advertimos que sus garras protráctiles permanecen retraídas, no pretende atacar.

La cara del felino melánico es enternecedora y maliciosa a un tiempo. Sus redondas pupilas púrpuras parecen flamear de la crueldad a la indiferencia y al sufrimiento. John no puede despegar su vista de la fiera. La pantera también le mira a él, en blanco y negro y borroso la expresión clemente de John resulta más indefensa y macabra, debido a los truculentos topos en el lugar de boca y ojos.

Se miden casi rostro con rostro, ojos frontales ambos separados por la línea de barrotes, que en color son negros. La pantera, de testa sensiblemente más voluminosa que la de su oponente, allega el hocico y parece andarse al husmo, oliendo el olor de John, que no se retira. Nada más olisquearle, la bestia repliega el labio superior y alza la faz como de orgullo con las fauces levemente entreabiertas, como si paladease el código fragante del humano, analizándolo y archivándolo en su memoria predadora. Luego rebufa amistoso.

La pantera acomete un garbeo de idas y vueltas con John como eje, sin que los ojos de la bestia se desvíen jamás de él. John admira la espléndida figura del animal, de cerca el pelaje negro se descompone en rosetas que la incidente luz hace brillar y realzar. De lejos el negro es total y maravilla su estilizado acecho.

La pantera ruge por vez primera. No parece un rugido hostil, sino un toque de atención sobre su triste paradero y su desvalidez absoluta. John se percata de que uno de los costados de la fiera está profundamente carcomido por una necrosis avanzada, que ha descompuesto el tejido externo del animal en purulentos sarpullidos.

*Deteniendo la imagen, he podido calcular que mide unos dos metros, más unos 85 centímetros de cola. (NdT)

...COMO SI PALADEASE EL CÓDIGO FRAGANTE DEL HUMANO, ANALIZÁNDOLO
Y ARCHIVÁNDOLO EN SU MEMORIA PREDADORA.

Las facciones de John expresan empatía y proyección personal respecto de la situación del félido. Comete la osadía de apoyar las manos en las rejas y entremeter la cara entre dos barrotes: asiste mortificado al ir y venir de la pantera, examina su flanco ulcerado con aflicción y se toca el propio, como si esas llagas fueran compartidas.

La pantera ruge una vez más y, como dando por finalizada su audiencia, se refugia tras el bulto equino, a engullir las partes blandas del caballo, que ahora confirmamos despanzurrado, con toda probabilidad animal ya viejo, supuestamente sacrificado y servido para alimentación del felino. La pantera deglute entrañas con voracidad de tarasca.

Recuperamos a John, la cara aún sobresaliente entre los barrotes, sollozando desconsolado el destino del otorongo.

CAPÍTULO 6

Una mano femenina posa un plato de caldo con pollo frente a un cogitabundo John embetunado, que por un breve lapso sale de su enfrascamiento mental:

-¡Hmmm! Tengo un hambre que me comería un…

Se refrena, ante la improcedencia de su comentario, y vuelve a ensimismarse en una cavilación excluyente de su entorno, mientras Socorro sirve con actitud cotidiana los platos de sopa a sus tres hijos.

Los cinco se encuentran en torno a una mesa redonda, cubierta con un mantel de hule, en una pequeña y básica cocina. La mitad de los azulejos blancos ya han saltado de las paredes y los fogones caldean cuatro cacerolas abolladas. Socorro hermosea en un floreado vestido azul y blanco y vanidosa se ha compuesto el pelo en un resultón recogido, como se encarga de recordarnos cada medio minuto con un repaso de sus dedos. Un caracolillo travesea con su frente y sus ojos subrayados de lápiz negro parpadean pintureros, intentando acaparar la atención de John. Este opta por esperar antes de lanzarse sobre el plato, pero los niños empiezan a comer sin dilación.

-¿Sí? ¿Le ocurre algo, John? –le anima Socorro al apreciar su renuencia.

-Bueno… –John parece incómodo–. Me preguntaba si no tenían ustedes la costumbre de orar antes de cada comida.

-No, no la tenemos. Pero estaremos encantados si usted quiere resitar una orasión para todos.

John descarta esa posibilidad carraspeando y concentrándose en la sopa:

-No, nada de eso. Solo pensaba que ustedes a lo mejor sí... Bueno –y, levantando los ojos hasta enfocar los de Socorro–. Buen provecho.

-Buen provecho –desean obedientes Socorro y los niños.

Los cinco comensales se entregan al sorbido deleitoso de la sopa vaporosa. Entre una y otra cucharada, John ojea a los niños, que aparentan abarcar edades de los tres a los ocho años, con intervalos de dos y pico entre cada uno. Los tres evidencian origen nativo, pero no guardan ninguna semejanza de rasgos: el más pequeño es relleno de cara, el mediano desgarbado, narigudo y de constitución débil, y el tercero esbelto y de ojos claros. John se muestra sorprendido ante la aplicada mansedumbre y sumiso concierto con que los críos mastican e ingieren el caldo y la carne, a duras penas un regüeldo involuntario, sin una pillería distraída, sin una queja. Sus ojos chocan con los de Socorro, que parece leerle el pensamiento: la madre acoge un brillo de orgullo en la mirada, y sus labios llenos se curvan, satisfechos. Su rotundo pecho parece proveerse más al saber reconocida la conveniente apariencia de su prole. John, aturdido ante el despliegue de formalidad familiar y la vanagloria de mamá pollo, se alcanza un plato de arroz blanco y, mientras se apropia una pizca con la cuchara, busca la manera de interrogar a su anfitriona:

-Ejem... ¿Y su... su esposo, no cena con nosotros?

-No tengo esposo, John –alardea Socorro, limpiándose los labios con una servilleta de papel.

-Disculpe... –se corrige John–. Me refería a... su hombre. Quizá tiene que trabajar de noche.

-No tengo hombre tampoco. Mis tres hijos son regalo de tres enamorados diferentes –y, extrañamente, se diría que Socorro destila engreimiento al pronunciar la siguiente frase, como pavoneando el mérito acumulativo de tantas calamidades–. Los tres prometieron llevarme al altar y solo me llevaron a la desgrasia.

-Oh. No sabe cuánto lo siento.

-Una historia bastante común por estas tierras –concluye Socorro, como si tal conclusión le proporcionara más que suficiente consuelo.

-Bueno, eso no significa que no haya que extirpar la vileza de semejante conducta en algunos hombres –el afán por quedar bien traiciona a John, forzándole a exhibir un puritanismo que sus acciones no han respaldado nunca.

-Un hombre no es un hombre si no es así —manifiesta Socorro, de nuevo imbuida de esa extraña y perjudicial petulancia.

-¿Usted cree? —John no puede evitar teñir de cierta mofa su réplica; sobre el guión, una mofa probablemente reforzada además por el origen burgués del huésped, quien lo pone de relieve aquí en forma de condescendencia hacia una actitud de prosélita que a buen seguro considera típica de una mentalidad pueblerina.

-Lo creo —defiende Socorro, con el impudor de quien no teme sufrir la burla del juicio ajeno—. El hombre es un animal salvaje, y así está bien que sea. Es lo que a las hembras nos atrae de ellos. Yo puedo haserme cargo de mi familia y pagar mis deslises. Pero un hombre… Un hombre que no sigue su instinto no es un hombre… Es un manso.

Esta última aseveración paraliza el curso de la cuchara de John, quien fija la mirada en el vacío, turbado y perdido por un segundo en su propia experiencia. Al instante se recobra y sigue sorbiendo.

-Y ahora a soñar con los angelitos, mis prínsipes hermosientos…

Oímos a Socorro susurrar su colofón durante el supuesto arropamiento de sus niños, en algún lugar del corredor, mientras John itinera su curiosidad por un minúsculo cuarto trastero repleto de cajas viejas acumuladas con aperos de limpieza, maniquíes* y botellas vacías, que en gran medida estorban una pequeña ventana en la pared opuesta a la entrada. Un somnoliento colchón soportado por un somier metálico de lo más elemental hace guardia en un rincón, semioculto tras la despellejada puerta.

-Sé que no es gran cosa, pero es lo poco que le puedo ofreser.

John oscila hacia Socorro, quien se había apoyado en el quicio de la puerta, inadvertida. John sonríe galán:

-No tiene de qué avergonzarse. Es más que suficiente para mí.

-No me avergüenso —lo que podía ser una declaración ofendida ante la falta de tacto de su hospedado, queda convertido en un simple subrayado probo, gracias al talante muelle de su caída de ojos. Su boca grande, sus rubicundas aletas nasales y sus dientes blanquísimos, más destacados aún por la prominencia mandibular, ofrecen un objetivo carnal de alto voltaje, según traiciona la arrebolada expresión de John.

*Como psicólogo, nunca he entendido la fascinación que despiertan los maniquíes en los trasteros de las películas. (Nota de Jonas Reinhardt)

Un silencio vibrátil de magnetismo dual se aposenta en la habitación. Socorro permite recaer su sien sobre el marco, un gesto que en aquella circunstancia despide connotaciones de infinita sensualidad. Para acabar de remozar el efecto, se pasa la mano por el mojado cuello y la fornida mejilla.

-Voy a procurarme un baño. Aquí en las noches se sancocha una.

John, estúpidamente, asiente.

-Si nesesita algo –recalca Socorro–, avíseme y ya.

John vuelve a asentir, su embobamiento el mejor cumplido.

Socorro se retira, sin entornar siquiera la puerta. John se escabulle de la sugestión carnal, dando la espalda al pasillo y la cara a nosotros, y es entonces cuando podemos valorar a placer y en su justa medida el azoramiento que le come terreno. Sus ojos nerviosos recorren las proximidades, perdido en probables conjeturas, muy posiblemente relacionadas con la intenciones más o menos veladas que hayan podido rezumar las palabras de Socorro: ¿había o no en sus declaraciones y sus movimientos una invitación al devaneo, un ofrecimiento incondicional y viable de sus difícilmente disimulables atributos físicos, un salvoconducto nominativo, garantía de una acogida con gusto del asalto y toma de su cuerpo imantado?, parece preguntarse un despampanado John*.

Mientras, de fondo, oímos trastear a Socorro, hasta que una puerta se ocluye con vigor definitorio. Más allá, una voz femenina canturrea amortiguada, un coro de chapoteos sofocados la acompañan en breve.

La angustia permea el rostro de John, un rostro descompuesto que reacciona con mayor crispación a cada argentina batida de agua. Cual novicio consagrado a resistir la tentación, John cierra la puerta del cuarto y, contradictoriamente, reposa su mejilla contra el paño, como prefiriendo el pecado auditivo al visual.

Pero lo resolutivo de su acción dura lo que una sucesión de cantarines derramamientos. John se muerde la mano y, acercando la otra a la broncínea manija de la puerta, la presiona, empuja y arriesga una ojeada. Fuera, al fondo, una habitación con la luz encendida y su puerta solo medianamente entrecerrada delata un dormitorio: una sencilla cómoda, peana de un espejo tripartito, se arrima contra la pared, un crucifijo pendula encima y, en un extremo, advertimos parte de la cabecera férrea de una cama. Pero la atención de John no vuela tan lejos: sus ojos

---

* Naturalmente, todo esto lo deducimos a partir de la expresión del actor que, aunque en otras ocasiones no anda muy fino, en esta escena concreta borda el papel de macho alterado. (NdT)

toman aliento en la dependencia más próxima, habitada en aquellos instantes si hacemos caso a la línea de luz que festonea la comisura inferior de su puerta clausurada. Tras de aquella hoja de madera se generan festivos los líquidos sonidos que tanto le ofuscan.

John persiste impávidamente inmóvil frente a la puerta, mirando la raya de luz terránea con una torva terquedad. La vocecita de Socorro tararea con relamida fruición un bolero masoquista. El semblante apesadumbrado de John se congestiona y observamos que sus ojos aletean mesmerizados, rondando el luminoso redondel que conforma el ojo de la cerradura.

John se llega hasta la puerta maldita, inclina la testuz y espía por el hueco. La luz blanca contrae su pupila y el panorama avistado dilata su globo.

A través de un túnel negro que simula el tránsito cerrajero, divisamos al otro lado la austera estancia, una sobria habitación de paredes desnudas y techo con ondulante bombilla pelada; un sencillo lavamanos de esmalte picado, empotrado en una pared; en la opuesta, un espejo de pie con marco de dorado carcomido; y en el centro, una tina de rechinantes duelas donde se solaza la mujer de la casa.

Socorro ha acomodado sus dominios en el fondo de la cuba y se complace en avivar su piel merced a la fricción pertinaz de un estropajo de auríferos alambres. Su boca golosa entona meliflua y sabia. Sus senos de turgente timidez sondean una posible fluctuación emancipada sobre la superficie del agua jabonosa, pero no se prodigan lejos de su maternal dueña, limitándose a catar la espuma con sus pezones marrones inmersos bajo la línea de flotación como gorriones malcriados, boyas para ahogarse. Pero el brillo más acuoso titila en sus ojos negros: un brillo líquido que sustenta su reclamo casi sin requerimiento del hechizo de sus carnes. Un difuminado muy caro al común de los directores de fotografía sensualiza la escena.

John contempla magnetizado por todos sus polos.

Socorro recibe sobre su cara un chorro exprimido del coleóptero plateado, dejando regocijarse al agua en los vericuetos felices de sus aún delicados rasgos. Y entonces sus manos se asientan sobre los bordes de la tina para permitirle auparse y surgir enhiesta como una diosa oscura. Erecta enmedio de la cuba, su piel rojinegra refulge invicta y ella se dispone frente al ojo de la cerradura (y de John) para recoger una toalla descuidada sobre un escabel chihuahua.

John exhala un respingo que la mano sobre la boca no puede contener.

Socorro no da muestras de haber captado el rezongo, pero al volverse una corita sonrisa triunfal embadurna su boca mientras la toalla explora sus recovecos íntimos. Con refocilo puntilloso, la hembra despoja su cuerpo de humedad externa, repasando una y otras veces el esplendor de su figura. Socorro sale de la tina con su vientre abombado vacilando perversiones.

John se alarma al ver a la mujer dando por finiquitado el baño. El hombre se incorpora, sudoroso y aún dubitativo, devolviéndose con torpe presteza a su cuarto, faltándole tiempo para estampar la puerta que abierta le descubriría. Apuntalando las espaldas en la castigada madera, boquea atribulado mientras oye el tarareo de Socorro ganando presencia en el corredor. Luego la melodía nasal se aleja, pierde fuelle y cesa.

John extravía la vista y respira hondo, en un arrebato de anhelo. Al retornar en sí de su embeleso, la casa en silencio, quién sabe si insolentado por la desnudez gustada por sus ojos, John abre la puerta y arroja un vistazo al pasillo, a campo abierto.

En el otro confín, el dormitorio continúa iluminado y, bajo el haz purificador, el cuerpo expuesto de Socorro, analizando alguna imaginada impureza de su belfo en el espejo trifacial. La mujer se gira, ahora sí, y envía una mirada directa que parece nutrir de certezas las presunciones y dilemas del varón chafardero. La mirada de Socorro dura siglos y exige.

Después, huye de nuestro campo visual al penetrar al fondo, hacia la derecha de su alcoba, y abandonarse sobre la cama, a juzgar por el graznido del somier. Su brazo moreno y vigoroso reaparece, enmarcado por el umbral, ejerciendo de carnal recordatorio, descansado lánguido sobre el lomo del colchón, inerte pero ansioso de inyectarse vida.

John prescinde del reparo. Con porte apropiadamente viril, comienza a caminar a lo largo del pasillo, en dirección al aposento donde podrá dar cuenta de la promesa no por muda menos cierta que le aguarda. Antes de enhebrar la línea recta de baldosines, invierte un atisbo en el tramo vestibular que hace ángulo recto, por si las moscas, y su mirar febril no le impide registrar en su encelado cerebro la argolla de llaves que descansa sobre el mono de trabajo naranja, que a su vez cubre la mesita de entrada.

No habrá salvado medio pasadizo, que se nos antoja más largo conforme lo atraviesa, cuando, hacia la mitad del corredor, John ralentiza su rumbo, por ra-

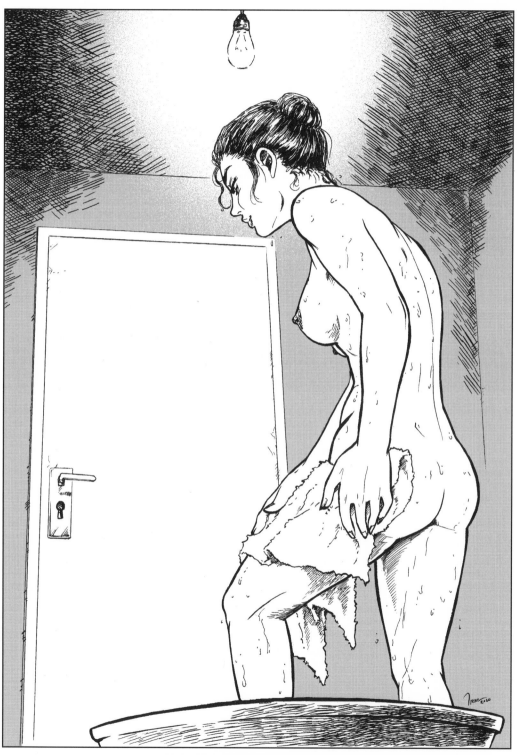

...PERO AL VOLVERSE UNA CORITA SONRISA TRIUNFAL EMBADURNA SU BOCA MIENTRAS LA TOALLA EXPLORA SUS RECOVECOS ÍNTIMOS.

zones imprecisas. A su lado, otra puerta se adentra a la oscuridad. John se desvía hacia ella, ciertamente intrigado, y arría sus ojos hasta el suelo enlosado que se interna en el cuarto desconocido. Allí, estirados sobre un colchoncito, compartiendo una manoseada tela de fina lana con desempeño de manta color parchís, duermen los tres niños de Socorro, la boquita abierta, el gesto dócil, el precio a pagar.

John se demora en la contemplación de los tres niños soñadores, tan diferenciados pero tan iguales en su condición. Vuelve a botar suspiros hacia el dormitorio de Socorro, pero ahora afligido, el fatalismo lastrando su deseo. En definitiva, se va por donde vino y retorna a su cuarto, cerrando de un portazo.

El brazo no da señales de vida, pero medio rostro de Socorro asoma extrañado.

Dentro de su habitación, la espalda una vez más encaramada contra la puerta para sofocar nuevo acicate, las facciones de John se transfiguran ahora más que nunca, como si la supresión de la lascivia desencadenara en su metabolismo una terrible mudanza. Consternado y sufridor, su mano alcanza con premura la altura de su bragueta. Colegimos por el zangoloteo repetido y el ahogado chasquido consecuente, aunque no lo ratifique una concreción visual, que John ha aireado su miembro viril y lo está masturbando con tirones hiperbólicos. El clímax llega raudo y eficaz. John cierra los ojos y simula eyacular en medio de zollipos y resoplidos de dramático poso. Se corre como si llorara.

Aún encarada a la puerta de su cuarto, Socorro atiende a los resollares y bufidos masculinos. Con indiscreta decepción, menea la cabeza y torna a acostarse, la cama chirriando su resignación maltrecha. La luz de su dormitorio se apaga y la oscuridad de la habitación ya no se distingue de la del resto de la casa.

Pasado el trance onanista, John abre los ojos. Eleva la mano culpable y la esgrime ante sí, cerrada en un puño.

Finalmente la descubre y lame su mojada palma con ávida urgencia, tragando su teórico contenido, ingurgitándolo con furor exacerbado, con el frenesí del criminal que pretende eliminar una prueba incriminatoria, como si fuera un mal que ha de absorber antes de que haga más daño: como si desaparecido el rastro, desapareciera la falta.

Una sustancia viscosa se adhiere a sus labios, John la relame con mayor ánimo completista que goloso, y la impele más allá de su garganta, a salvo de que produzca más desgracias en el mundo.

Después, se desplaza con paso más decidido que el que la lujuria le dictaba hacia la pared de enfrente. Apartando con injustificada furia cajas, cachivaches y maniquíes, sin parar mientes al alboroto provocado, consigue abrirse camino hasta la ventana, que por fin comparece plena y sugerente de posibilidades inéditas en su nueva y privilegiada ubicación dramática.

John destraba la puerta de la ventana y arraiga allí, quieto, absorto, sensible a la llamada del exterior, avisado a escuchar lo que el cielo negro le dicte. El viento remece las copas de los árboles en respuesta a la llamada de la naturaleza. Su pelo teñido lo alboroza la noche.

CAPÍTULO 7

El zoológico en hora de cierre parece un escenario postapocalíptico. Las jaulas semejan desnudas estructuras básicas de antiguos edificios, la arena esparcida sobre la avenida asfaltada aporta sequedad y dejadez, los arriates a merced del viento abundan en desolación, los gruñidos aislados de bestias insomnes impugnan la promesa de un futuro para la vida.

John se desliza pegado a los escasos árboles y arbustos que acompañan el infortunio de la fauna esclava. Su cautela busca la sombra, pero el traje blanco sigue siendo poco recomendable para acciones de camuflaje. Hace tiempo unos segundos en cuclillas, entre macizos de flores que proyectan sobre el suelo una mancha masiva de corona alanceada. Cerciorado de la soledad humana, abandona su cobijo y enfila hacia la jaula que le interesa.

Se detiene a dos metros de las rejas, brevemente sobrecogido por el hallazgo realizado: el tapetum lucidum ha delatado a la fiera, provocando que sus ojos refuljan en la noche como los de un ser diabólicamente poseído. La pantera le aguarda erguida sobre sus cuatro patas, delante del tronco que le refugia, anecdótico vestigio de un pasado de esplendor, y contra el que frota sus posaderas mientras observa al hombre que le viene a visitar. Su espalda estrecha le confiere una elegancia imposible de alcanzar por homínido alguno, incluso cuando como ahora propicia impertérrito la secreción de un hilo de orina que amarga la corteza marcada por sus garras.

La pantera no emite sonido mientras segrega, pero tampoco quita ojo de John. De nuevo asumimos su punto de vista, en difuso blanco y negro, donde el humano es tan solo un bulto de carne envuelto en algodones. John atiende a cualquier señal conminatoria que le envíe el félido, pero, confiado de su buena conexión espiritual, se atreve a andar varios pasos hasta quedar a uno de la puerta enrejada.

La pantera no transmite un solo signo de nerviosismo, de hecho, al cabo de unos segundos, incluso desdeña la mirada de John para dedicarse de lleno a su apacible marcaje territorial.

John echa mano a la argolla de llaves y, tras probar un par de ellas, atina con la que encaja a la perfección, la más voluminosa, en la cerradura de la puerta. Con mayor repelús del que una connivencia fraternal demandaría, fuerza un par de vueltas y abre todo lo que da de sí la hoja de barrotes. Luego mantiene el rostro gacho, como si no quisiera espantar a la fiera o comunicarle un mensaje erróneo al buscarla con la vista, pero el repiqueteo de orina finaliza y John no tiene más remedio que comprobar la ubicación física del felino.

La pantera vuelve a mirarle a los ojos. John desanda un trecho, interponiendo distancia, para descartar cualquier lectura amenazante y permitir que el animal obtenga espacio suficiente que le haga comprender la posibilidad de su libertad.

Ahora John se ha situado a diez metros de la jaula. La pantera sigue inmóvil, ni siquiera presta atención a la puerta abierta.

John se muerde los labios y vigila en torno, apremiante.

De pronto, sin ojeada alguna que lo anunciase o gruñido que lo presagiara, la bestia anadea grácil hacia el frontal de la jaula y salta por el hueco de la puerta, brincando a tierra y dirigiéndose con pasado confiado y desenvuelto hacia un lado de la avenida. John distiende su rictus, creído de que la pantera se irá sin más. Pero esta retorna sobre sus pasos, inspecciona el otro costado pegado a los parterres, husmea posibles residuos excretados por otras bestias, y solo después de varios segundos de olisqueo, de manera súbita, como perdiendo interés en favor de la presencia humana, como si esta tampoco fuera tan importante que requiriera protocolo solemne, requiebra por sorpresa y ronda en torno a John.

John se amedrenta ante lo inesperado del viro animal y ensaya un prudente retroceso que de nada le valdría si la fiera le atacara. Pero la pantera sofrena su impulso imprevisible a un metro, aposenta sus cuartos traseros sobre el asfalto y le contempla plácida. John adelanta el rostro, intentando absorber el mayor contacto visual posible compartido con la pantera. Su sentimiento de desahogo es palpable, la docilidad felina responde a sus ilusiones de haber hallado una contrapartida animal. Se moja los labios y dice, muy quedo:

—Otorongo… eres libre…

Su voz no varía la inexpresividad de la pantera, la tremenda testa no se tuerce de la trayectoria que lo liga al hombre. John carraspea y repite:

—Otorongo… eres libre.

De improviso, debido quizá a la brusquedad de la reiteración, el hercúleo gato se incorpora de un salto y se revuelve nervioso, yendo y viniendo sobreexcitado delante del humano, quien torna a mojarse los labios y a intentar recuperar el terreno perdido:

—Otorongo…

La pantera le mira hosco y suelta un aterrador bufido que permite admirar a placer sus tres afilados caninos marfileños, del grosor de un pulgar humano. ¡Le falta un colmillo! John respinga al descubrirlo y su rostro se inmuta y pierde la confianza que exudaba.

Las pequeñas orejas felinas inician un desconcertante giro, hasta mostrar el negro dorso. Las idas y venidas de la fiera permiten capturar el contraste de su piel negra contra las rosetas del pelaje, que solo resaltan en conflagración con muy directas incidencias lumínicas. La cola vitupera el cemento en constante batida, como los prolegómenos de un látigo listo para fustigar a su adversario.

—Otorongo… eres libre —porfía John.

La pantera sisea, algo impaciente ya. Quizá el estro de una hembra la haya alterado, pero el proceso de agresividad parece imparable, su progresiva hostilidad irreversible: la próxima pasada le acerca más al hombre, hacia el que ahora se enfrenta con sigilo de acechanza. Las orejas ya se han aplastado completamente a los lados de la testuz, la mirada funesta no se retira de John, el pecho se arrastra a ras del suelo y la tensión hieratiza el cuerpo predador. Dos pasos le desmarcan en plena sombra arbórea: su encubrimiento en la oscuridad resulta de tal completitud, que ahora la pantera es solo ojos y colmillos. Unos ojos y colmillos que apuntan hacia John a punto de actuar.

John recula y tropieza, temblequeante ante la tiesura de la fiera. Solo ahora parece comprender la estupidez de su osadía. Bañado en sudor, tienta la suerte una última vez:

-Otorongo… t-tú… libre…

La pantera responde con un gruñido que detona su acecho en una explosión de movimiento. Sin más aviso, el félido cabriola veloz y en tres poderosas zancadas trisca y se planta frente al hombre, sin darle tiempo de reacción, ni siquiera de volverse aturdido para emprender un conato de fuga. Las patas delanteras arrollan con ímpetu el tórax de John, las garras brotan brillantes y filosas, el animal se abalanza sobre el humano para demostrarle su infinita superioridad.

John cae a tierra aplastado por la contundencia de la fiera. La bestia descarga sus almohadillas plantares sobre el pecho de su contrincante, trincándole con su peso e inmovilizándole pese a los esfuerzos del hombre por debatirse y liberarse. Las fauces se abren y parecen capaces de abarcar toda la cabeza humana.

-¡Noooooooooooo! –chilla aterrado John, transformado por el miedo en mera criatura indefensa, susceptible de alimentar otro organismo por vindicación de la Naturaleza.

Pero sagaz, el depredador se ladea, tercia la faz e hinca sus incisivos superiores en la zona baja de la nuca humana, acogotando a la presa. Sus músculos temporales accionan y trepidan bajo la reluciente piel ébano, hundiendo a fondo la dentellada y sacudiendo como un guiñapo al débil animal bípedo que se abandona a la superioridad física de su cazador*.

Un estampido restalla en la noche. Un lado de la cabeza de la pantera revienta, llevándose un ojo felino por delante, y el animal se desploma abatido y muerto junto a un agónico John, la lengua palpitante y papilosa desdoblada sobre el suelo. La imagen del cadáver de la fiera negra salpicado en líquido rojo sobre el asfalto constituye una impactante estampa, de hermosura estética sin parangón en nuestras coordenadas civilizadas. Hay que verla para poder valorar en su justa medida el placer que transmite.

John, encogido y jadeante, también yace bañado en sangre, propia y ajena. El tizne que le ennegrecía uniforme ahora flaquea con parches de claridad, su pali-

---

*Naturalmente, la acción se ha representado con todas las combinaciones posibles establecidas entre un otorongo real, sustituido con entusiasta voluntarismo por una cabeza y unas patas delanteras falsas en el cuerpo a cuerpo, y la conjunción con imágenes del actor que encarna a John, suplantado en las ocasiones más peliagudas (p.ej. cuando John enfrenta a la pantera a solo unos pasos) por un doble de considerable parecido físico. (NdT)

SE MOJA LOS LABIOS Y DICE, MUY QUEDO: -OTORONGO...ERES LIBRE...

dez genuina se impone en las mejillas y parte de la frente. Bastante aturullado por la traumática mordedura, en absoluto le consideramos en condiciones de denotar excesivo interés por conocer la identidad de su salvador, y todavía menos cuando por el cielo reverbera clara la escala ominosa de una zampoña. John cierra los ojos, adopta una mueca de ofuscación temerosa. Unos pasos se acercan ahora a su altura, a juzgar por el sonido de suelas rasposas sobre la avenida.

Conforme se aproximan, adivinamos que tales pasos se corresponden a más de una persona, un eco de tumulto envolvente resuena acrecentado. John alza la vista merced a un esfuerzo desmedido, sin aparente intención de incorporarse para saludar a los recién llegados, y reconoce sin gran sorpresa la identidad de sus visitantes: el primero que penetra en su campo visual es el Cholo Lopes, con semblante contenido, sujetando hacia el cielo una antorcha encendida y hacia el suelo un machete afilado. Al poco se le van uniendo los compinches de su facción de facinerosos, sonrientes feroces cual felinos felices, armados hasta los dientes podridos con machetes y fusiles. El lugarteniente bigotudo acoge en sus manos una humeante escopeta recién detonada, sin dejar de reír el resultado.

Y al final, avanzando por un túnel que le han permitido los bandidos, irrumpe en la escena un hombre en guayabera colorinche y con una zampoña colgante: el Señor Santo, su rostro jubiloso y sus manos ofrecidas al ser yacente y lacerado, una sonrisa toda bondad y perdón. Su silueta compendiaría un icono de la generosidad humana y el amor incondicional si no fuera por el cerco de sus retorcidas patillas grises, inoculantes de un regusto lupino entre tanta pantera.

-John, alabado sea el Señor, al fin te ha vuelto a traer con nosotros, ¿sí? -saluda el Señor Santo, sus gruesos lentes reflejo del ondeante fuego amarillo. John parece frustrado ante la presencia del Señor Santo; mientras, un manchurrón le gotea pescuezo abajo-. Por fin has comprobado que los demonios no pueden ser liberados o acabarán con uno mismo, ¿sí?

-¿Cómo… cómo me habéis localizado? -pronuncia al borde del agotamiento.

El Señor Santo suelta una de sus sardónicas risas, complacientes con el mal:

-¿No pensarías por un momento que me iba a creer que la tierra te había tragado, como estos tarados me vinieron a contar? John, me subestimas. Creía que serías más cauto. Tuviste suerte, pero no resulta muy inteligente presentarse en un muelle ante mil estibadores salvajes con tu deslumbrante apariencia pituca. Entiendo que les subestimes, pero hasta ellos tienen la facultad de hablar y saber cuándo les conviene hacerlo… ¿Sí?

John apoya la cabeza sobre el asfalto, entrecierra los ojos y su voluntad escampa.

-¿Qué… qué has hecho con Nancy? –pregunta, claudicante ante la fatalidad que prevé.

-Eso lo verás a su tiempo, ¿sí? Cuando estés preparado.

Sin previo aviso, el rostro de John se desfigura en un grito sordo de dolor. La boca tiembla en un paroxismo de rabia desgarradora que le somete, ante la imposibilidad de oponer resistencia al destino.

-¿Qué… has hecho… con Nancy? –repite colérico.

John no espera respuesta. Volviéndose de costado, acomete la imposible tarea de levantarse del suelo, arrodillándose con torpeza de ternerillo y por fin irguiéndose con un impulso que deja sus rodillas convulsas y su expresión noqueada. Con supremo y goteante denuedo, consigue estabilizarse lo suficiente para enfrentar al Señor Santo y, sosteniendo la sibilina mirada del cacique, reiterarle masticando las palabras, roncas y ensalivadas:

-¿Qué… has hecho… con Nancy? ¡LA HAS MATADO, MALNACIDO!

El Señor Santo aguanta el embate de su némesis con una sonrisa de triunfo. Un nuevo arrebato de ira y suplicio extirpa lágrimas de los ojos de John. El corro goza divertido su agonía. Solo el Cholo Lopes le mira con respetuosa compunción.

-La has matado… –concluye John, como para sus adentros.

Inesperadamente, echa a correr. Su energía es poca y sus fuerzas escasas, pero aun así se entrega a una desesperada, tambaleante y lenta carrera, ante los ojos anonadados del grupo y los casi complacidos del Señor Santo. Lopes quiere apresurarse a perseguir a John y rematarle de un tajazo, a juzgar por la impetuosidad con que hace un amago con el hierro en alto, pero el Señor Santo le disuade con el dorso de su lánguida mano sobre el pecho olímpico.

-No tiene a donde ir, ¿sí? –alega, casi conmiserativo.

John se muerde los labios y concentra tesón en su afán por concatenar un paso tras otro, que le aleje cada vez más de sus antagonistas. Trastabilla, tremblequea y cae, la espalda bañada en sangre, pero vuelve a enderezarse y a consagrarse por entero a su despaciosa fuga.

Una ostentosa confianza domina en el colectivo observante, pero cuando John ya se ha distanciado de ellos sus buenos cincuenta metros, el lugarteniente repunta su mentón de comadreja y pregona entre nichos dentales:

-¡Se dirige a la cocha de las pirañas!

En efecto, John encamina su derrengado éxodo hacia la laguna, pasando de largo el frontis del conducto subterráneo, y encadenando con renovado brío cada pisada para alcanzar la macabra charca.

-¡El muy cojudo quiere que los bichos lo desaparezcan! –exclama el Señor Santo, inéditamente superado por las circunstancias–. ¡Cholo, detenlo como te expliqué!

El Cholo Lopes clava su machete en tierra y a continuación su puño desnudo hace un gesto imperativo hacia atrás: uno de sus hombres, el más canijo si consideramos lo bien que se camuflaba tras el pelotón, gana el primer término y le ofrece su espalda cruzada por una ruleta de machetes fijados a media vaina. Sin soltar la antorcha, el Cholo desenfunda uno en la diestra y, tras sopesarlo con traza de experto, arroja el hierro implacable en dirección al huidizo John.

El machete voltea por el aire con tremebunda promesa de muerte. Sin embargo, no se clava en la espalda de John ni le decapita, como ya anticipábamos: solamente cercena su brazo izquierdo, arrancado de cuajo a la altura del codo. El machete sigue su rumbo y se pierde en el lago anhelado, tal es su empuje: el agua en torno rebulle con onerosas burbujas que auguran presencias inciertas, quizá catando la sangre que el metal acompaña; el antebrazo cae como un yunque al suelo. John bandea escorado, pero en un segundo recobra el equilibrio y vuelve a trotar con redomado coraje, olvidado ya su desgajado apéndice, como si falto de lastre hubiera perfeccionado en ligereza.

El Cholo sacude la testa, quién sabe si admirado de la tenacidad inquebrantable de su evadido. Sin hacer gala de ninguna deportividad, desenvaina un nuevo machete de la espalda del por momentos aliviado esbirro. Ya con menos ritual ampuloso de por medio, se limita a apuntar brevemente con un ojo cerrado, la mano ordeñando la empuñadura… y allá va el segundo acero girando como un rotor.

El machete escinde en su trayectoria el brazo derecho del huido, sustracción que deja a John pateando como una gallina, dos surtidores de sangre secretando de sus muñones, demarcadores del terreno logrado por sus pies incansables. El machete se une a su igual en el cementerio de agua.

John resopla rojo y prosigue adelante, aspersor humano: ahora solo le quedan diez metros para rebasar el endeble cáñamo que levantado a tres palmos del suelo

-¿QUÉ... HAS HECHO... CON NANCY?

ejerce de barandal y precipitarse de cabeza a la laguna, que le recibirá con sus aguas infestadas.

Esta vez el Cholo emplea ambas manos. Tras proveerse con sendos machetes, los hace rotar cual hélices en paralelo como un artista circense y, tomando impulso con recule de talón, bornea el blanco y los propulsa al unísono, para ganar tiempo. Los machetes cortan el aire y con la carne no son menos: culminante uno detrás del otro por décimas de segundo, amputan las extremidades inferiores de un fumigante John bajo la rodilla, haciéndole caer de morros contra el firme de la avenida. Las piernas segadas resisten magníficamente de pie, alzadas como testimonio de un ex pedestre. Los dos machetes llegan a intuir una torsión de bumerán, solo para golpearse entre ellos, anularse mutuamente y terminar zambulléndose en molinete dentro del paciente lago.

John se retuerce sobre el cemento. Sus dientes escurren sangre. Como a un bebé, solo le queda la opción del gateo, aunque en su caso pecho y estómago son su auténtico agente motriz. Cual monstruo de feria en día de debut, John no ceja en aplicar toda su habilidad para llegar aún más lejos, contorsionándose como un gusano y arrastrando sus aún cohesionados restos en un intento de trazado coherente. A palmo por resuello, logra conquistar el parterre previo que conduce en ligera ascensión a la laguna. La inclinación del terreno no le favorece: obligado a invertir más energías en remontar la pequeña elevación de césped, John culebrea, exhala y escupe para reunir redaños sin apenas progresar metros, antes al contrario. Al otro lado, el agua chapotea, burlona, expectante.

Sin que se haya percatado, sus perseguidores ya le han dado alcance. Varias piernas le rodean mientras él se denoda en prolongar su futil reptar, dejando en su itinerario festones granas sobre la hierba.

Una bota ejerce de cuña bajo su axila y vuelve el espantajo que es John panza arriba, como se haría con una aterrada y sufriente tortuga para impedir su vuelta al hábitat seguro. John retuerce los maltratados rasgos, aún concentrado en emplear su último aliento en la escapada y, solo cuando vislumbra entre charcos de sudor y sangre que sus torturadores le han acorralado, al fin, se troncha su espíritu y sus ojos se inundan.

-Matadme… ¡matadme, os lo suplico! ¡Acabad de una vez!

El Señor Santo le enjuicia inmisericorde bajo la luz espasmódica de la tea. Su faz derrocha satisfacción.

-Aún no hemos acabado, John Figueroa, ¿sí?

A una nueva señal del Señor Santo, el Cholo Lopes se arrodilla junto al herido: el bello mestizo ha asistido a la agonía de John con la mansedumbre de un mandado, pero sus ojos azules saben también reflejar compasión; como ahora, que aprecia con ternura el rostro demudado y casi disuelto del moribundo modelo, mientras sus manos fieras e incapaces de duda desgarran y liberan la parte frontal del peto hasta más abajo de la cintura. Luego se pone en pie y mira al Señor Santo, expectante. Este le corrobora con nuevo gesto adusto.

-Es necesario... –miente, su cabello albo también asintiendo.

El Cholo reafirma la constricción de su mano sobre el mango de su propio machete, se acuclilla frente al extremo inferior del cuerpo de John, y abate su mano libre sobre el sexo expuesto.

John, creído más allá de todo pavor y padecimiento, no puede evitar articular un gemido de sorpresa al contemplar la acción que está a punto de consumarse sobre su mutilado ser. El pesado filo vuela en la noche y vuelve sobre su vuelo para clavarse en el césped, seccionando de paso el más minúsculo apéndice que restaba a su dueño.

El grito de John aúna dolor, incredulidad y espanto. El Cholo Lopes se endereza con un fragmento de carne lacia en la palma de la mano, ofrendándolo al Señor Santo para que verifique su eficacia en el cumplimiento del deber. El Señor Santo le dispensa con un colmado ademán de cabeza. Luego, se cierne sobre John, quien se encorva rígido, al borde del desmayo.

-Mátame ya...

-Te equivocas, John –le esclarece un fausto Señor Santo–. No se trata de matarte, sino todo lo contrario. Se trata de salvarte. Y para salvarte todo esto es necesario. Primero tengo que salvarte de ti mismo, matando tu demonio interior y obligándote a deshacerte de todo aquello que impediría tu reinserción civil en una vida digna de ser vivida. Ahora ya está. Ahora ya puedes volver, ¿sí?

-¿V-volver? –recochinea John, y cierto relumbre de ira aviva una marejadilla de cordura a su rostro–. Si vuelvo, pagarás por todo lo que te he visto hacer, ¡maldito santurrón hijo de chancho! Pagarás por haber matado a esos hombres, y por haber matado a Nancy... pasarás el resto de tus días en la cárcel... En cuanto regrese les contaré...

El Señor Santo sonríe apiadado.

-Tienes razón, aún falta una cosa para que estés preparado del todo antes de regresar…

Y sin añadir palabra, el Señor Santo vuelca su antorcha contra el césped, aplastando una llama que sin oxígeno a consumir perece en lo verde. Luego enarbola el humeante cabezal de resina hirviente y, mirando a John a los ojos, lo hiende con vigor en su garganta. La carne del cuello chisporrotea, la boca expele alaridos encabalgados de loco calvario, pero el Señor Santo no cede en su presión. Los bramidos crepitan, cada vez más raucos y afónicos, hasta que la herida acaba con la capacidad humana de hacerse oír. Una queja gutural aletea inútilmente. Y, por fin, John baja los párpados y se hace el silencio.

-Un auténtico mártir –las palabras del Señor Santo suenan a epitafio.

Él y los suyos permanecen unos segundos inmóviles, celebrando a sus pies el despojo informe anteriormente conocido como John. Por fin, a una indicación del Señor Santo, la banda hace mutis, encomendando aquel recuerdo de hombre solo a su destino.

La misma oscuridad que envuelve a John nos es impuesta.

-¿John? ¿John, estás bien?

John abre los ojos. Un halo de luz mística disipa los ángulos de la escena, dotándola de un registro semionírico o celestial. John continúa tendido (si el terrón casi cuadrado en que le han convertido preserva la cualidad de tenderse o erguirse o nada) boca arriba en la misma pendiente de grama adyacente a la laguna donde le dejamos. Ya es de día, un día bonancible de sol radiante, y la luz fulgurante trae consigo inesperadas esperanzas: a un palmo de sus ojos, Nancy le escruta inclinada, una Nancy embutida en su impecable mono blanco, su rostro absolutamente inmaculado y adorable, su pelo rojo un estandarte de triunfo humano. Nadie parece haberle infligido ningún mal o tortura y, lo que es más sorprendente, se diría incluso más guapa y esplendorosa que nunca. Luce encantada de reencontrarse con John. No solo su semblante diáfano rebosa euforia y lozanía, sus pupilas desprenden un brillo de dicha conmovedora*.

John sonríe, los ojos húmedos de correspondiente felicidad. Se apresura a decir algo, pero de su achicharrada garganta no nacen más que gañidos muy parecidos a los de la pantera cuando estaba encerrada.

*Si tenemos también en cuenta esa bizquera suya que en las mujeres bonitas como Nancy añade vulnerabilidad y despierta instinto de consuelo y ansia por procura de ternura en el sexo opuesto –y unas ganas de llorar inexplicables–. (NdT)

Nancy repara, aparentemente por vez primera, en el estado lamentable de John.

-¿Qué te ha ocurrido, cariño? ¿Por qué te han hecho este descalabro? —sin embargo, su tono piadoso es barrido al punto por un optimismo febril—. No importa, yo cuidaré de ti. ¿Sabes que ninguno de mis raptores se atrevió a ponerme la mano encima? Simplemente me mantuvieron encerrada todo este tiempo en una especie de suite prenupcial. Se podría decir que hasta fue un rapto de lujo. Unos servidores encapuchados se ocupaban de mí: me servían los más ricos manjares locales, se molestaban en que cumpliera con una tanda de ejercicios físicos diarios, me acosaban con los más selectos productos de belleza para que mi cutis no se resintiera en la soledad… Y así hasta que hoy me han traído aquí con una venda en los ojos. Y ahora te encuentro, destrozado pero vivo…

La mirada que Nancy envía a John es la más pura, entregada y hermosa que jamás hembra humana haya enviado a varón alguno. Cualquier hombre se sentiría el más afortunado del mundo al ser objeto de una mirada así.

Empero, John solo atina a dibujar una mueca muy parecida al horror.

Nancy no desiste:

-Ahora que volvemos a estar juntos, te prometo que yo cuidaré de ti y que nunca más volveremos a separarnos. ¿No es maravilloso? —Nancy abraza a John en un delirio de sincera pasión—. ¡Ya nada se interpondrá entre nosotros!

John, su mejilla pegada a la de Nancy, observa los pegoteados muñones de sus brazos y piernas, pero sobre todo su vista queda fija en algo que destaca sobre el césped, más allá de sus muslos. Parece un dedo flácido, reposa entre las briznas. Las hormigas recorren el trozo de carne tumefacta, tastándola y casi seguro que calculando cómo transportarla, mientras una voz humana, no por estridente menos melodiosa, sigue aturdiendo el aire:

-¡Nunca más estaremos separados, John! ¡Nunca más!

EPÍLOGO

El espléndido día con que amanece el convento parece hijo o prolongación del día anteriormente descrito, de tal manera que incluso el siniestro torreón se diría beneficiado por una vez del derroche de lindeza que el sol, liberado ni que sea temporalmente de filtros de nubes o polución, reparte a todo aquello que ilumina, y al repartir comparte.

Dentro del torreón, en el salón que hizo las veces de despacho personal del Señor Santo, este coordina la mudanza de bultos, maletas, infolios y documentos por parte de sus empleados. Frente a él, los abades Píos le escuchan sentados, ellos compartiendo además del sol, un vasito de pisco.

–Mi hermano y yo nos alegramos infinito de que su altruista labor aquí haya sido de su gusto –le agasaja Pío I mientras Pío II asiente y bebe.

–Yo también me alegro –declara el Señor Santo, sin dejar de asignar por doquier instrucciones gestuales–. Ha sido realmente una experiencia intensa, exhaustiva y agotadora, pero no puedo negar que me voy contento, y con la conciencia tranquila de haber hecho cumplir mi deber una vez más –y, en un arranque de falsa ecuanimidad, completa–. Bueno, todos lo hemos hecho cumplir.

-Y tanto. También veo que se lleva algún recuerdo del salón —el abad que habla señala un trozo de pared donde cuelga un marco familiar, ahora enmarcando tan solo la propia pared.

-Supongo que no les importará que me haga cargo de esa tela, quizá la pueda recomponer —se excusa el Señor Santo—. De todos modos, si como prevén las encuestas sube al gobierno la opción conservadora más ortodoxa, se la arrebatarán por contravenir las buenas leyes de nuestra religión. Es un cuadro casi herético, pintado por un indiano con demasiadas ideas propias. Den por seguro que estará mejor en mis manos.

Ningún abad hace objeción alguna, empeñados en servirse un nuevo vasito de aguardiente.

-¡Bien! —la palmada del Señor Santo da carpetazo a su visita—. Es hora de irme. Gracias por su hospitalidad. Tal vez el año que viene volvamos a coincidir en un nuevo Acondicionamiento.

El Señor Santo se dispone a salir, tras el último cargamento de sus bártulos, pero el abad Pío I le interrumpe sonriente:

-Sí, pero antes…

Y en su mano sostiene un vaso de pisco lleno hasta el borde. El Señor Santo exhala un suspiro de resignación pía.

El Señor Santo recorre la antesala del convento, siguiendo a varios cholos que transportan sus enseres. Sin embargo, al reparar en la cúpula, demora sus pasos para absortarse una vez más en la contemplación de la espectacular bóveda de media esfera. Los dedos del Señor Santo acarician la zampoña suspendida sobre el pecho al tiempo que su mirada acaricia las piezas de madera incrustadas a presión contra el semiesférico techo.

Sus ojos distorsionados por los lentes sobredimensionan la emoción que le embarga al afrontar el estético orden que rige allí arriba. Su vista recorre las formas geométricas perfectas que engarzan todas las piezas en juego.

De pronto, las líneas geométricas pierden su definición concreta, se desdoblan y triplican, y un evanescente chorro de serrín espolvorea sobre el sorprendido Señor Santo. Su mano se aferra más a la zampoña.

UN EJÉRCITO DE COLOSALES FRAGMENTOS DE TECA INICIA LA CAÍDA LIBRE EN CRECIENTE DESBANDADA...

Un temblor sacude el convento, arrancando quejidos y virutas de la cúpula de madera. El Señor Santo siente la intensidad del sismo, pero sus pies permanecen impávidos bajo la bóveda, sus ojos alucinados prevén un acontecimiento digno de vivirlo en primera persona.

La cúpula se resquebraja entonces en veinte rayas divergentes, tremendas ondas de inestabilidad agrietan el corazón de la bóveda y acaban por romper la presión de las piezas encajadas. Un ejército de colosales fragmentos de teca inicia la caída libre en creciente desbandada, chocando alrededor del Señor Santo con amenazante solidez, pesados y contundentes.

Pero el Señor Santo no se mueve. Sus lágrimas encharcan los cristales de sus gafas y, sin dejar de abrazar la zampoña, sigue mirando hacia la desfalleciente cúpula y hacia el cielo que se abre más allá, a medida que se desmorona la obra humana.

-Consuelo… Consuelo… Al fin juntos otra ves…

Un zafarrancho de techumbre se precipita abajo, hundiendo con él al íntegro Señor Santo. De entre los tempranos escombros de roca y teca, solo sobresale una mano delicada, rodeando confiada una zampoña invicta.

Pero el terremoto continúa…

En una casa residencial de influencia hispánica, bajo el bello arco de un dintel color aguaje, John es testigo de la lluvia de cascotes que se ha desatado sobre el salón. El suelo de piedra se ha abierto voraz a un metro de donde John permanece sentado, o mejor dicho, adosado; en concreto, a una silla de ruedas provista de respaldo alto y correajes, que perdura segura bajo la protección de una viga maestra. John tiene las extremidades enfundadas en mangas y perneras especialmente adaptadas a su anormal longitud, sin bocamangas ni ruedos para los pies: las tiras de tela, limitadas a la mitad de su extensión corriente, envuelven las bolas de carne en que terminan sus miembros y rematan con un anudado; incluso lucen rabillo como los extremos de un embutido. El conjunto resulta cómico y cruel.

Pero ahora John, a quien los muñones de sus muslos y los tocones de sus brazos convierten en un bloque inamovible, en un bebé deforme e igual de indefenso, no puede apartar la mirada del caos desencadenado frente a él. Sus ojos se clavan hipnotizados en las grietas abiertas a sus ruedas y que fácilmente podrían tragarse a un hombre. Tragarle, masticarle y escupirle hecho pulpa que en nada difiera de la lava que uno puede encontrar en las entrañas de la Tierra. Pulpa insensible.

John aprieta los dientes, se esfuerza en avanzar. Con tirones de cadera, pretende desplazarse sobre el breve pero afianzador margen de asiento que le separa de la caída segura. Más allá el suelo ruge su furia por el hueco de sus heridas profundas, identificándose con el mudo padecer de John.

El cuerpo de John prospera un centímetro sobre la silla y su cabeza se adelanta con tenacidad intentando marcar la diferencia, pero no es suficiente para que el peso de su torso le aboque al Infierno desatado bajo su deformidad y le vuelque. John se desespera. Se balancea con la clara intención de tirarse al vacío que se abre en el salón de su casa. Va y viene y en un último y exasperado impulso, lanza todo su tronco adelante, y a punto está de conseguir desplomarse contra el desastre.

Pero no genera el contrapeso necesario. Resollando, John recupera su posición de partida, volviéndose a recostar, sudoroso y boqueante.

-¡John! —resuena la voz de Nancy, próxima, buscándole.

John no se da por aludido. Reemprende su operación de autoderribo, solo para darse cuenta recién reanudada de que es inútil. Le fallan las fuerzas. El terremoto arrecia.

-¡John, John! —grita de nuevo Nancy, quien aparece alarmada detrás, procedente de una anchurosa escalinata, sujetándose al marco del vano con una mano tocada de alianza y rematada por anillos variopintos—. ¡Gracias a Dios, estás aquí!

Las lágrimas asoman a los ojos de John, mientras indiferente a sus sollozos, Nancy recoloca la silla de ruedas con el respaldo bien arrimado a la pared segura, para a continuación repasar, con detallismo de enfermera quisquillosa, el estado físico de su esposo. Sus ojos son los de una esposa dedicada y su pelo ya no está suelto ni flota exuberante:

-¡No llores más, cariño, ya estoy aquí! Por suerte, la chacha te ha recogido antes de salir huyendo. Aquí debajo estás seguro, no tengas miedo –Nancy se escandaliza–. ¡Será cojuda, la bruja, mira que no ligarte!

Las manos de Nancy agarran los correajes que cuelgan a ambos costados de la silla y los engasta con gesto experto en torno a la cintura y tórax de John. Este, al verse fijado contra el asiento, reincide en su desconsuelo. El mapa apergaminado de territorio roquizo que se despliega sobre el cuello de John recuerda la herida de fuego recibida y justifica su imposibilidad de comunicarse con eficacia verbal.

-¡Vamos, vamos! –le abraza y mima Nancy–. No llores, corazón. El temblor pasará. Aquí no corres ningún peligro. Y yo estaré siempre a tu lado para cuidarte y protegerte... ¿Sí?

Nancy mira maternal a su amado.

John, si se le puede seguir llamando así, asiente con la cabeza y sonríe, mientras su llanto no tiene fin.

SUS OJOS SE CLAVAN HIPNOTIZADOS EN LAS GRIETAS ABIERTAS A SUS RUEDAS
Y QUE FÁCILMENTE PODRÍAN TRAGARSE A UN HOMBRE.

CONCLUSIÓN

INFORME CONFIDENCIAL PARA LA FISCALÍA DEL ESTADO EN HANNOVER

Fecha: 22/2/1978

Fiscal del Estado: Johan Meyer

Oficial a cargo de la investigación: Jonas Reinhardt, Detective Psicólogo del Dpto. de Policía de Hannover

Inculpado: Rainer Nögler

Fecha de nacimiento: 10/9/61

Motivos de su arresto: Homicidio en primer grado

Estimado Herr Meyer:

Ha pasado una semana desde mi informe anterior, durante la cual, como yo preveía, se ha demostrado sin lugar a ninguna posibilidad de duda la culpabilidad del muchacho Rainer Nögler (Identitäts-aunsweis: 2876298452) en el asesinato premeditado de sus padres Simon y Karin. Los informes de balística confirmaron que el arma del parricidio fue el Heckler – Koch G3 de su ex empleador, y asimismo en Huellas Dactilares han encontrado suficientes rastros identificados positivamente como pertenecientes a los dedos de Rainer, quien limpió previamente el rifle de todo resto proveniente de los manoseos de su dueño, Herr Schmidt. Parece que deseaba ser hallado culpable.

Por supuesto, su confesión (ver Declaración S-2241, archivada el pasado lunes) ha sido la piedra de toque de la investigación. Rainer Nögler ha admitido de propia iniciativa, supuestamente en sus cabales y con todos los datos suficientes y a decir verdad más que abundantes que certificarían su sinceridad, ser el único autor material e intelectual del crimen de sus padres.

Ello da carpetazo a este desagradable homicidio. O aparentemente, al menos.

Al ser mi deber profesional el escarbar en las motivaciones criminales de nuestros culpables y enviarle este informe con mi impresión sobre el estado de salud mental del detenido, me he demorado algo más antes de llegar a una opinión concluyente. Ello se debe principalmente a que veo en el caso de Rainer Nögler un apasionante y quién sabe si ejemplar enigma donde la condición de su psique resulta fundamental para categorizar la magnitud de su delito.

Estudiado desde cualquier ángulo, Rainer Nögler me parece una persona que no estaba en posesión de todas sus facultades mentales a la hora de ejecutar el asesinato de sus padres. ¿Cómo lo puedo deducir? Por muchas impresiones personales que el propio Rainer despertó en mí durante nuestro primer encuentro (su mirada algo alucinada, su indiferencia ante un crimen de tal aberración, su ausencia de llanto o pena tras la pérdida de sus padres —un matrimonio poco disfuncional, como ya sabemos—; todo peccata minuta en verdad, conociendo hasta qué punto muchos asesinos fingen cierta desorientación para alegar locura temporal o definitiva a la hora de su enjuiciamiento); pero, desde luego, el asunto de su fantástica "trascripción" sigue siendo el elemento esencial en este caso.

En primer lugar, por más que he rebuscado e inquirido, no he hallado pistas sobre ninguna película de producción o coproducción estadounidense con título exacto o semejante a "Quítame tus sucias manos de encima" ("Get off your dirty hands off me", en apropiada traducción), ni de ninguna cuyo argumento sea remotamente parecido al que nos ocupa (asimismo, dudo que película estadounidense alguna sea capaz de incluir

escenas de pornografía exacerbada como las que trufan
esta supuesta película, si hacemos caso de lo fidedigna
que afirma ser la versión de Rainer Nögler, claro
está*). He llamado a las editoras y distribuidoras
de vídeo alemanas más relevantes, y ninguna reconoce
contar con un título de estas características dentro
de sus catálogos. Asimismo he consultado la Filmoteca
de Hamburgo, he hablado con conocidos cinéfilos de la
ciudad e incluso he llegado a telefonear a mi buen
amigo Hellmuth Karasek (como usted sabe crítico de cine
en Der Spiegel). Karasek y algún otro especialista
hamburgués han sido tan amables de confesarme la
imposibilidad de una respuesta satisfactoria en un cien
por cien, pero en todo caso dudan que exista un filme
con tales particularidades. No consta en ninguna de las
guías publicadas a su alcance, a no ser, concretan, que
la película sea de reciente producción y todavía no
se haya estrenado, cosa imposible si como afirma Rainer
dicho título se hallaba ya disponible en una videocasete
comercializada (las películas suelen aparecer en versión
videográfica un año después o más desde su estreno
cinematográfico). Asimismo, mis consultados, tras un
resumen del argumento, coinciden también en afirmar que
difícilmente un largometraje de 90 minutos (la duración
estándar de este formato) podría albergar toda la trama
que desarrolla la "transcripción"; tampoco resulta
una aseveración definitiva, bien conocidas son esas
películas, casi siempre macroproducciones, de casi 200
minutos de metraje (esta salvedad también es aducida
por los expertos cinematográficos, yo no habría sabido
hacerla; soy, repito, poco aficionado al cine y, desde
ahora, menos).

Es cierto que existe un afiche gráfico de la película
con el elenco y el equipo artístico participantes.

*Sin embargo, para mi sorpresa y personal repugnancia, sí he podido constatar
la existencia de algunas películas de contenido igualmente perverso y macabro, o
superior incluso: de origen italiano en su mayoría.

Pero hay muchas posibilidade s de que el propio Rainer lo diseñara al servicio de su propia fantasía, como autolegitimación de sus desvaríos. Recordemos que, poco tiempo antes, su padre trabajaba en una imprenta... No le hubiera costado nada encargar allí este falso programa de mano. Lo sabremos en breve.

Karasek me confirmó empero un dato que me hizo helar la sangre y que seguro encontrará fascinante: ¡todo el equipo artístico de la película existe realmente! No solo sus protagonistas, sino todos los actores secundarios, así como los guionistas, productores, director, etc. Eso abre nuevas posibilidades de realidad a la hipotética obra cinematográfica a la que nos remite la "transcripción" de Rainer: por poner un ejemplo, tanto la revista como el autor a los que los créditos aluden como fuente de inspiración de la historia, son reales, existen (bueno, en puridad, existieron); no puedo aún confirmar que el cuento que sirvió de base sea real o inventado. Mis ayudantes están trabajando en ello actualmente. Karasek me ha prometido llamar a alguno de sus colegas estadounidenses, cuya erudición nos ofrezca una mínima garantía. Asimismo, pronto localizaremos a los agentes cinematográficos de alguno de los actores incluidos en el reparto para que nos confirmen o desmientan la veracidad de esta película, probablemente maldita antes siquiera de su misma existencia.

La cuestión de fondo, sin embargo, va más allá de comprobar finalmente la materialización o no de una versión fílmica, de un primer antecedente objetivo de "Quítame tus sucias manos de encima". La cuestión real es: ¿qué diferencia comporta la existencia o no de esa película respecto a Rainer Nögler?

Bueno, desde un punto de vista psicológico, la cosa cambia bastante, aunque el resultado siga siendo el mismo:

1)Dada la hipótesis de que la película no exista, como creo que casi podemos llegar a concluir, nos encontramos ante unególatra adolescente de imaginación exacerbada, con alucinaciones de carácter psicosexual que le llevan a concretar fantasías en "hechos" ritualmente simbólicos (como lo puede ser una descripción escrita de todo su imaginario reprimido), así como de instinto potencialmente violento. Casi todas sus inquietudes fantasiosas presentan un inequívoco cuadro de obsesión y fetichismo sexuales, en gran medida de connotaciones homoeróticas (en este sentido tiene suerte de no haber nacido una década antes, o al cargo de doble homicidio en primer grado se sumaría el de invertido), así como una fijación racial que probablemente tenga su génesis en un complejo de culpabilidad parental debido a su origen familiar semita o quién sabe si, antes al contrario, en una crisis de identidad propia provocada por la enorme complejidad de sentimientos inherente hoy día al simple hecho de ser alemán, debido a las atrocidades cometidas en nombre de nuestra patria por un reconocido monstruo durante la infausta II Guerra Mundial*. Pero lo más grave, por supuesto, sería su confusión entre fantasía y realidad, una confusión aparentemente benigna (muchos artistas parecen sacar partido de tal confusión; es más, Rainer parece compartir con ellos su desbocamiento creativo), si no fuera porque ya se ha cobrado dos víctimas en las personas de sus progenitores. En este caso, recomendaría el ingreso a perpetuidad del muchacho en un psiquiátrico, donde poder controlar químicamente la evolución de su trastorno psicopático e impedir que esa confusión entre fantasía y realidad se lleve consigo más vidas humanas, reencauzada hacia secuelas de carácter inocuo.

*Recordar obviar esta gilipollez a la hora de declamar el relato al Presidente o se cabreará mucho. (Nota al margen a mano del Restaurador del Libro)

2)Esta segunda posibilidad resulta aún más insólita y escalofriante: ¡que la película exista y Rainer Nögler, realmente, la haya "transcrito" escena por escena! Desde luego, escrita por él está (Rainer guardaba la máquina de escribir con que tecleó la historia, marca Adler, sobre una mesita de su cuarto). Pero, ¿se imagina usted qué significaría esta opción desde un punto de vista psicológico? Básicamente, exacerbaría el componente obsesivo-compulsivo de Rainer hasta límites inauditos, máxime sabiendo que, según propia confesión, su trascripción habría sido posible a raíz de haber visto y memorizado el filme fantasma durante más de un millar de ocasiones. No quiero imaginarme las consecuencias de tamaña hipótesis, caso de poder probarla algún día cercano: en cualquier caso, agravaría mi dictamen sobre el estado psicológico de Rainer Nögler, convirtiéndole en algo muy cercano, según mi punto de vista, a un sociópata absolutamente desquiciado y con un enclaustramiento en sí mismo digno de estudio por nuestros mayores especialistas en pensamiento freudiano. Hasta tal punto sería intensa su obsesión con una película a buen seguro de nula calidad artística y consagrada al puro entretenimiento popular, basado en la más elemental noción del "pan y circo", como para convertirla en el altar y receptáculo de sus inquietudes y ofuscaciones. ¡Una película que ha visto tantas veces como para poder reproducirla con pelos y señales mediante el lenguaje escrito! Dicha opción sería, sin duda, aún más peligrosa a fines prácticos que la primera, pues revelaría una interacción del enfermo con la realidad mucho mayor y, quizá, impulsaría a Rainer Nögler a actuar de manera irracional en la vida real más a menudo y, probablemente, de forma tan violenta en la mayoría de ocasiones.

En cualquiera de ambos casos, sin embargo, mi

diagnóstico primordial no varía: debido a la ausencia
de móviles en su horroroso parricidio, creo que
Rainer Nögler es una persona que, aun en proceso de
consolidación de la personalidad, ya no está en sus
cabales, por mucho que él lo niegue, y por tanto debería
encarar un tratamiento psiquiátrico de por vida, en un
centro adecuado a tal fin. Dejo a su buen juicio el uso
penal de mi parecer durante la causa judicial, caso
de que le interese o no llegar a un acuerdo con la
Defensa.

En todo caso, me permito finalizar mi informe con la
trascripción (de pronto, esta palabra se ha convertido
a mis ojos en sinónimo del acto humano más malévolo
y abominable y siniestro y vil, en una metáfora de
muerte) de la breve conversación que ayer mantuve con
Rainer Nögler en visita a su celda, en ausencia de
su abogado*, veinticuatro horas después de firmada su
confesión autoinculpatoria. Debo reconocer que encontré
al acusado mucho más sosegado, locuaz y a gusto consigo
mismo, casi casi me atrevería a escribir "aliviado".
Como si con el asesinato de sus padres hubiera llevado
a cabo una buena acción y no le hubiera dejado ninguna
secuela considerada por él como perjudicial.

Sigue a renglón seguido, pues, la reveladora
conversación que mantuvimos.

Transcripción del examen psicológico practicado al
detenido Rainer Nögler el día 15/2/78

"JR: —Hola, Rainer.
RN: —()
JR: —He leído tu historia, Rainer.
(La sola mención de este detalle despierta su

---

*De hecho, el propio Matthias Schültz me pidió que viera a su defendido a
solas, con la esperanza de que dicho encuentro "sin intromisión de terceros" (sic)
confirmara la ilógica de sus motivos criminales y me decidiera a un veredicto
psicológico como el ya especificado.

locuacidad y, casi, su interés.)

RN: —No es mi historia.

JR: —¿Sigues insistiendo en que es una película? ¿En que existe?

RN: —Piense lo que quiera. Yo ya he confesado.

JR: —Has confesado que mataste a tus padres, sí

RN: —¿Qué más quiere que confiese?

JR: —pero sigo sin entender los motivos.

RN: —Váyase al Infierno.

(Pero no lo dice con inquina. Me manda al Infierno como quien pide que le dejen en paz, que le deje en su silencio, me lo pide casi con apacibilidad.)

JR: —¿Por qué los mataste, Rainer? Sinceramente, no lo entiendo.

RN: —Porque sí.

JR: —Nadie mata a sus padres sin motivos.

RN: —Los adolescentes odian a sus padres, ¿no?

JR: —Tú no los odiabas. No hay antecedentes de violencia doméstica entre tus padres, ni de ellos hacia ti.

RN: —Mis padres jamás me pusieron la mano encima.

JR: —Lo dices orgulloso. Eso significa que sentías afecto por tus padres.

RN: —Claro que sentía afecto por ellos. ¿Tú eres tonto o qué? (sic)

JR: —Entonces, ¿por qué, Rainer? ¿No entiendes que no tiene sentido matar a unos padres que han sido buenos contigo?

(De la apacibilidad aparente pasa de pronto a la ira descompuesta.)

RN: —Vete a la mierda. Loquero de mierda (sic. A PARTIR DE AQUÍ, TRANSCRIBO TAL CUAL TODOS SUS ABUNDANTES Y CRUDOS INSULTOS). Para ti es muy fácil decir que estoy loco. Crees que los maté sin motivo, ¿a que sí? En tu cabeza es imposible imaginar lo que puede pasar por la mollera de alguien inteligente y sensible de verdad (sic). Los loqueros no sois más que eso. Sois personas grises y mediocres que queréis que todo el mundo sea como vosotros, y los que no, ya tienen que ser encerrados. Os conozco, caraculo.

JR: —Tú vas a ser encerrado por un acto criminal, no por tu sensibilidad. Y seguramente serás encerrado en una cárcel en cuanto cumplas los dieciocho, no en un centro psiquiátrico. A menos que yo lo impida.

RN: —Me da igual lo que me hagan, capullo. Los maté sabiendo lo que conllevaba, de eso podéis estar seguros.

JR: —Necesito comprender, Rainer. Necesito comprenderte para ayudarte.

RN: —¿Pero no has leído mi la la historia?

(Nótese el titubeo, transcrito tal cual de la cinta grabadora.)

JR: —Sí, lo he hecho.

RN: —Pues ahí se explica todo. Todo.

JR: —La he leído con mucha atención y sigo sin entenderlo. (Aquí, Rainer solo resopla.) ¿Puedes explicármelo tú? ¿Puedes explicarme la razón por la que mataste a tus padres y que según tú está implícita en esa historia que inventaste?

RN: —No me la inventé. ¿Por qué no te vas a la mierda de una vez?

(Se hace un silencio incómodo. Intento contraatacar por otro lado, por ver si ha bajado la guardia.)

JR: —¿Eres nacionalsocialista, Rainer? (Silencio de Rainer.) ¿Eres nazi?

RN: —¿Pero con qué bazofia me vienes ahora? Claro, para ti sería muy fácil a estas alturas etiquetarme de neonazi loco y tarado, ¿verdad? De pro-ario avergonzado del origen de su sangre. Así se explica todo. Qué bonito, qué simple. ¡Bang bang! Un judío avergonzado de su árbol genealógico. Otro tonto añorante de Hitler*

*Alabado sea su nombre (Nota al margen a mano del Restaurador del Libro)

haciendo de las suyas, recurriendo a la violencia irracional. Asunto resuelto y archivado.

(Confieso que me sorprendió la lúcida articulación de este razonamiento.)

JR: —¿No es así? ¿El asesinato de tus padres no ha sido irracional?

RN: —No voy a dignarme contestar semejante subnormalidad.

(Rainer enmudece, parece inabordable por ese lado. Pero su ira responde. Probemos otro similar.)

JR: —¿Eres homosexual, Rainer?

RN: —Sí, pero solo con los psicólogos gordos y preguntones como tú. ¡Me vuelven loco! Te follaría hasta rebajarte esas roscas que tienes bajo los sobacos, cacho cabrón.

JR: —¿Por qué me insultas? ¿Te hace sentir mejor?

RN: —No, nada de eso. ¿Sabe qué me pasa, doctor? ¿Sabe por qué digo todo el tiempo palabras feas? ¡ES QUE ESTOY POSEÍDOOOOOO!

(Empiezo a notar que está burlándose de mí.)

JR: —¿Tus padres sabían que eres homosexual, Rainer? ¿Quizá no sabías como contárselo a ellos y eso te torturaba?

RN: —El que me está torturando eres tú, tío. ¡Vete a darle la tabarra a otro ya con tu mierda! ¡Yo no soy un chivo expiatorio de tus fantasías! ¡A mis padres jamás les hubiera importado tener un hijo maricón, ¿te enteras?!

JR: —¿Por qué utilizas tal término? ¿Te parece menospreciable esa condición sexual? ¿Te autodesprecias?

RN: —Sí, me autodesprecio por aguantar a un pesado como tú. O nazi o maricón. ¿Tardaron mucho en darte el diploma, doctor?

JR: —Hay que odiar mucho a unos padres para tener la sangre fría de matarlos.

(Aquí vuelve a caer un espeso silencio. Rainer se torna repentinamente serio y calla, parece haberse metido de nuevo en su crisálida autosuficiente y triste. En momentos así, me agota. Pasa un minuto antes de que vuelva a hablar.)

RN: —Tú no sabes nada, subnormal.

(Pero ya no insulta con convicción.)

JR: —Dime lo que sabes tú.

RN: —Yo sé por qué lo hice.

JR: —¿Y por qué no me lo cuentas?

RN: —Porque no os lo merecéis.

JR: —¿Quiénes no nos lo merecemos, Rainer?

RN: —Nadie. Nadie de vosotros. Nadie en este país, nadie en esta Tierra. Y menos tú. Nadie comprende lo mucho que amaba a mis padres.

(Otro silencio melancólico. No puedo permitir que vuelva a enfrascarse en su aislamiento excluyente de comunicación.)

JR: —Tienes razón. Nadie lo comprenderá. Todos pensaremos que en realidad los odiabas y que estás loco. (Aquí fuerzo la mano, lo admito. Rainer está a punto de levantarse y llamar al vigilante de guardia. Siguen unos segundos de mucha tensión, en los que Rainer no deja de mirarme con odio, antes de que se apacigüe y se decida a responder.)

RN: —Ya no me importa.

(Echo el resto.)

JR: —Pero a mí sí me importa, Rainer. Me importas tú. Una vez más: ¿por qué los mataste?

RN: —Nunca lo entenderíais.

JR: —¿Era porque ellos se llevaban mal? ¿Porque discutían? ¿Porque se peleaban?

RN: —¿Lo ves? No entiendes nada, como los demás, como todos.

JR: —Quiero entender, Rainer.

(Por fin se traiciona a sí mismo. Exclama sin prever las consecuencias.)

RN: —¡Ellos nunca se peleaban, ¿vale?! ¡Ellos nunca discutían! Ellos se querían.

JR: —Entonces, ¿por qué, Rainer?

RN: —Ya te lo he dicho.

JR: —¿Que me lo has dicho? No entiendo.

(Rainer se rompe. Por fin.)

RN: —¡Ellos se querían, imbécil! ¿No lo ves? Ellos se querían.

JR: —¿Y eso qué tiene de malo?

RN: —¡Ellos se amaban de verdad! Y sacrificaron su vida el uno por el otro. ¿Pero qué sabes tú de eso? Todas sus ilusiones, todos sus proyectos, todas las cosas que cada uno quería hacer las dejaron de hacer por estar juntos. Renunciaron a todo por quererse. Eran demasiado buenos, demasiado poco egoístas y se querían demasiado. Eran demasiado buenos para hacerse daño entre ellos. Así que renunciaron a sus sueños personales. ¡Renunciaron a ser felices porque se querían! ¡Renunciaron a sus propias vidas por estar juntos! ¡Renunciaron a ellos mismos! Decidieron ser desgraciados y mediocres el resto de sus vidas por estar juntos. Así que los maté.

JR: —

RN: —Déjelo. Es más fácil decidir que estoy loco.

JR: —No, Rainer. Te... te entiendo. De veras.

(Rainer se echa a llorar, sacando el niño que lleva dentro, y no vuelve a mirarme ni a decir palabra. Fin de la transcripción.)

TÚ NO SABES NADA, SUBNORMAL... YO SÉ POR QUÉ LO HICE.

Lima, 2005 – Barcelona, 2010

ÍNDICE DE ILUSTRACIONES

Para mí ha sido un privilegio contar con tamaño elenco artístico para dibujar las ilustraciones de este libro, y conseguir que aporten a cambio de nada su infinito talento. A todos ellos solicité personalmente su colaboración, no solamente porque admiro su arte, sino también porque me unen a sus presencias lazos de amistad o afinidad vital.

Agradezco su contribución a los cincuenta y un artistas que han regalado su virtuosismo gráfico a esta obra, que ahora es tan de ellos como mía, sin duda para beneficio del lector.

1)Peter Bagge

Probablemente el mejor autor satírico del cómic estadounidense. Su serie *Hate* ("*Odio*") es un referente de la historieta independiente finisecular.

2)Eric Reynolds

Redactor jefe de la mítica editorial de cómic Fantagraphics, Reynolds es además un excelente entintador y un no menos fabuloso dibujante. El y yo sabemos que el Niño Milagroso existe. Nos dio su Bendición.

3)Max

Autor con clase y trazo exquisitos, y ya una leyenda viva del cómic español. Premio Nacional del Cómic por *Bardín el Superrealista*.

4)Miguel Ángel Martín

Sus cómics empezaron siendo un revulsivo contra los convencionalismos (*Brian the Brain*, *Psicopathia Sexualis*) y han terminado por ser un análisis implacable de la alienación moderna (*Playlove*).

5)Edmond

Veterano autor de cómics, creador de *Jan Europa*, un héroe pacifista y catalán como él. Sus ilustraciones para la colección de novela negra *Club del Misterio* (publicada por **Editorial Bruguera** a principios de la década de los 80 y que yo leía a los 10 años) fueron la fuente de inspiración principal para esta novela ilustrada.

6)Diego Olmos

Sólido autor catalán que combina la vertiente comercial (*Batman en Barcelona*) con una más personal, onírica y sugerente sin renunciar al pulp (*H2Octopus*).

7)Man

Un talento visceral con el que he colaborado en muchos cómics (*El hombre con miedo*, *Kung Fu Kiyo*, *Ari la salvadora del universo* y *Laura Pop*) y cuyos guiones tampoco son mancos (*Saltando al vacío*). El único artista español capacitado para crear una industria historietística él solo.

8)Paco Roca

Autor valenciano con un amor irrefrenable a la fantasía y el arte de contar historias. Premio Nacional del Cómic 2008 por *Arrugas*.

9) Santiago Arcas

Un dibujante asombroso que empezó publicando como (asombroso) guionista de la saga *Claus y Simón* (con Daniel Acuña al dibujo) y terminó dejando boquiabierto con su primer álbum en solitario, *Sandra*, publicado en Francia y España.

10) Kenny Ruiz

El autor de cómic con mayor carisma mediático de su generación. *El cazador de rayos* fue una excelente apuesta por el cómic de acción, pero nada hacía presagiar su evolución hasta la epatante *Dos espadas*.

11) Andrea Jen

Jovencísimo diamante en bruto asiático-argentino, Andrea domina el dibujo puro con preclara maestría. Sus ilustraciones para el clásico *Alicia en el país de las maravillas* pertenecen ya casi a la misma categoría, y su ambicioso manga *El delirio de Ani* promete su consagración.

12) Studio Kösen

Pareja de autoras de manga con un gran conocimiento teórico de dicha especialidad, además de un talento abrumador como autoras (*Daemonium*, *Lettera*). También dirigen con mano firme la primera colección de manga hispanoamericano (Línea Gaijin).

13) Santiago Sequeiros

Un talento hemorrágico y en carne viva. Sus cómics (*Ambigú*, *Nostromo Quebranto*, *To Apeirón*) han sido los más copiados del cómic español de las últimas dos décadas. Actualmente da lecciones de ilustración con sus colaboraciones en el diario El Mundo.

14) Pepo Pérez

Tanto en su faceta teórica (el blog *Es muy de cómic*) como práctica (dibujo de la serie *El vecino*, con guión de Santiago García), la labor historietística de Pepo Pérez resulta altamente estimulante y un referente insoslayable del cómic español.

15) Joan Marín

Mi yan artístico. Nos descubrieron mutuamente para la novela gráfica *Olimpita*, ahora repetiremos para el proyecto *Plagio*, y aún me pide más. También realizamos conjuntamente la serie de humor *Latinópolis*, primero para la revista peruana *Etiqueta Negra* y ahora para *Dedomedio*. Un dibujante de base clásica y vuelo moderno.

16) Beroy

Uno de los artistas más admirables de los años 80. Sus álbumes *Mabuse*, *666* y *Ajeno* marcan uno de los hitos de la historieta fantástica española. Todos esperamos su retorno al medio con el corazón en un puño.

17) Natacha Bustos

De trazo agresivo y hermoso a un tiempo, Natacha Bustos está empezando a cautivar todas las miradas, gracias a dos inminentes novelas gráficas que dibuja a una mano: *Alicia en el país de los camareros*, con guión de Gabriela Wiener y Jaime Rodríguez; y *La zona*, con guión de Francisco Sánchez.

18) Marcelo Sosa

Otro de los ejemplos del virtuosismo del cómic argentino: Sosa ha trabajado para la Marvel haciendo superhéroes (*Hulka*), pero yo también he trabajado para él, creando al servicio de sus mágicos lápices el cómic pornográfico *Asia*, publicado en la revista *Kiss Comix*.

19) Javier Rodríguez

Autor de concepto deslumbrante (*Lolita HR*), colorista estrella de la Marvel, excelente músico proveniente de la escena asturiana (*Kactus Jack*, *Laherzio*) y fabuloso teorizador de casi cualquier tema. Un genio con piernas.

20) Juaco Vizuete

Uno de los mejores autores independientes de su generación. Este artista alicantino comenzó creando el personaje adolescente más memorable de la escena indie española (*El resentido*), co-creó conmigo la obra más incomprendida de nuestra comicgrafía (*Julito el cantante cojito*) y deslumbró a todos con *El experimento*.

21) Rafael Fonteriz

Excelente dibujante (*Efecto Dominó*, *Iberia Inc.*, o *Avatar*, con guiones del fantástico escritor fantástico Juan Miguel Aguilera) cuyo trazo bebe del clasicismo y se nutre del cómic de género, apenas cultivado en nuestro país. Era imprescindible su participación en este libro, al ser el más destacado ilustrador pulp de nuestros tiempos (*Fu Manchú*, *El Capitán Trueno*).

22) Álvaro Ruilova

Autor boliviano, creador de una saga de terror autóctona absolutamente gozosa: *Cuentos de Cuculis*. Tan inquietante dibujante como avezado guionista, la gran deuda pendiente del mercado europeo es descubrir su obra.

23) Genies

Dibujante de uno de los cómics españoles más entretenidos de los años 80 (*Alex Magnum*, guionizado por el maestro Abulí), Genies se retiró lamentablemente del mundo de la historieta durante dos décadas. Su trazo sigue siendo género puro.

24) Nono Kadáver

Nadie plasma la repulsión facial como él. Sus retratos son obras maestras que inmortalizan la hediondez humana. Se puede comprobar en su *Caretos*. También es un rotulista fuera de serie.

25) Lydia Sánchez

Ilustradora de primera categoría, destaca su manejo del color y las texturas. Ha sido autora del álbum de cómic *Cornelia*, y portadista de *Ellas son únicas*, libro editado por el añorado Santiago Navarro.

26) Perro

Carlos García, más conocido como "Perro", es un dibujante e ilustrador cuyo trazo, más que dibujado, parece cincelado sobre la página. Su serie *Camaleón* le situó como uno de los autores más interesantes de la hornada de los años 90, y juntos hemos realizado nuestro álbum más negro: *Desalmado*.

27) Rubén del Rincón

El segundo dibujante con quien publiqué profesionalmente: en concreto, la obra de romanticismo porno *La salida de la clase*. El dibujo de Rubén es muy dinámico: sus obras *Nassao Views* y *Mesalina* son sendas odas a la sensualidad. También trabaja para el mercado francés (*Los tres mosqueteros*).

28) César Carpio

Quizás el artista con más talento del cómic comercial peruano. Especialista en acciones sin respiro y féminas que lo quitan, la gran oportunidad de Carpio en el mercado europeo podría llegar con *Chiqui Chiqui Boom*, un álbum de 100 páginas que he escrito para que su talento convierta en heroína de tebeo a la estrella Chiqui Martí.

29) Josep Maria Beà

Uno de los grandes nombres del cómic mundial de todos los tiempos, capaz de vivir todas las etapas imprescindibles de la historieta española, desde el tebeo de agencia a la obra de autor. Creador de *Historias de la taberna galáctica*, *En un lugar de la mente*, *Siete vidas*, *La esfera cúbica* y co-creador de la mítica revista *Rambla*. Gran narrador, como demostrará su regreso al medio como guionista en *La tierra negra*, con dibujo de Javier Rodríguez.

30) Xian Nu Studio

Jovencísimo dúo de autoras, creadoras de *Wicked Lovely* o la inminente *Bakemono*, e inmejorable ejemplo del auge y gracejo que el cómic hecho por mujeres está viviendo en nuestro país gracias a la difusión masiva del manga.

31) Bernardo Muñoz

Autor de *Morbo*, el mejor álbum español de cómic erótico que he leído. Muñoz ha estado una década apartado de la historieta, pero ahora regresará para dibujar mi guión *Unidos en la División*, un cómic de hazañas bélicas protagonizadas por la olvidada División Azul.

32)Feliciano G. Zecchin

Autor argentino de versátil grafismo que ha dibujado tanto series guionizadas por el ingenioso Alejo Valdearena (*Peatones, 4 segundos*), como también ha firmado en solitario una obra visualmente fascinante, *Rail King*.

33)Juan Bobillo

Espectacular dibujante argentino que, además de trabajar para la Marvel o guionistas de leyenda como Carlos Trillo, creó junto a Gabriel Bobillo y Marcelo Sosa la serie de cómic que, por dibujo y guión, ha marcado un hito en la historieta americana de acción y erotismo: *Anita, la hija del verdugo*.

34)Rayco Pulido

Heterodoxo e inconformista dibujante de cómics canario, con el que realicé una obra enigmática incluso para nosotros, *Final Feliz*. Su siguiente novela gráfica fue *Sordo*, con guión del solidísimo David Muñoz.

35)Jaime Martín

Ha sido el puente entre los autores underground de los 70 y los 80, y la generación "cínica" de los 90. Su obra primera (la exitosa saga *Sangre de barrio*) está arraigada en el compromiso social airado; hoy su sabiduría narrativa y gráfica le han convertido en un peso pesado del cómic europeo (*Lo que el viento trae*).

36)Enric Rebollo

Más que el dedo en las llagas de nuestra sociedad, el genial Rebollo pone el pie. *R-Boy*, *Pitiflor* o *Pajas mentales* son algunos de sus divertidos cómics. Mi guión de historieta más brutal (que ya es decir) lo dibujó él: *Arsesino: de terrorista a Rey de España*.

37)Carlos Bribián

Puede llegar a ser uno de los grandes. Si Eisner hiciera manga, dibujaría como Bribián. *Sademo* y *Pinocho Blues* han sido sus primeras apuestas. Sensibilidad y serenidad y un extraño instinto para saber cómo dibujar para todos los públicos.

38)Noiry

Osadísima mangaka de poco más de dos décadas de vida, que ya ofrece en sus obras más sexo y violencia de los que caben en una larga existencia. En su próxima obra, *Underdog* (con guión de *Black Velvet*), esta asturiana promete romper los mitos sobre manga femenino.

39)Marcos Martín

Uno de los más finos autores españoles que ha embellecido con su arte seriales de las factorías Marvel y DC, protagonizados por clásicos como Batman, Batgirl, Robin, o el Dr. Extraño Actualmente dibuja *The Amazing Spiderman*.

40)Pedro Rodríguez

Soy fan de los comics de Pedro Rodríguez (*Omar el navegante* y *Las aventuras imaginarias del joven Verne*) y del propio Rodríguez. Solo alguien sin una brizna de malicia puede llegar a su capacidad de entrega artística: para muestra, su ilustración.

41)Daniel Torres

Si tuviera que recomendar un título español para abrir los ojos al lector sobre las posibilidades de la historieta como medio narrativo, recomendaría con los míos cerrados su *Burbujas*. Torres es además el autor nacional que mejor ha conciliado la cinefilia con el talento para el cómic, como demuestra su Roddy McDowall.

42)Angel

Cartagenero con una gracia inimitable para hacer "dibujitos", el álbum de ilustraciones humorísticas *Necróticas* reveló a Angel como un autor capaz de aunar estética juvenil y contenido de calidad.

43)Oswal

Uno de los tótems del cómic argentino. Aunque allende el Atlántico se le conoce por mil series (*Sónoman* entre ellas), en España muchos le recordamos por *Consumatum Est* (con guión de Yaqui) y sus *Historias Tremendas* (con guión de Abulí). Nadie baila como su trazo.

44) Irene Roga

Otro ejemplo de la nueva hornada de mangakas españolas: la andaluza Irene tiene un brillante porvenir profesional, gracias sobre todo a su línea grácil, eterna más allá de modas, efectismos y conjunciones generacionales. *La canción de Ariadna* será la obra que desvele su talento al mundo.

45) Javier Pulido

El "hermanísimo" de Rayco es un titán de los cómics, narrativa y plásticamente. Él y Peter Milligan formaron para *Human Target* uno de los tándems creativos más relevantes del mercado anglosajón, alcanzando una perfección artística difícil de igualar.

46) Paco Alcázar

Con su capacidad para reinventarse, el gaditano Alcázar ha ofrecido formas artísticas tan colosales como *Silvio José Emperador* o *El manual de mi mente*. Su obra es cáustica y muy sana.

47) Sergi San Julián

Creador de la serie *Gorka*, el estilo de San Julián ha evolucionado hasta abarcar todos los demás. También ha dibujado *La cuenta atrás*, con guión del maestro Carlos Portela.

48) Mauro Entrialgo

Si el mundo se fuera a pique y hubiera que salvar una obra que explicara a las formas de vida venideras cómo era esta época, habría que salvar sin duda cualquiera de Mauro: *Herminio Bolaextra*, *El Demonio Rojo*, *Ángel Señja* o *Cómo convertirse en un hijo de puta* son solo agujas en su pajar del humor.

49) Felipe Almendros

Uno de los artistas más iconoclastas del cómic actual. *Pony Boy* y *Save our souls* son sus dos triunfos más recientes.

50) Álvaro Portales

Álvaro Portales es ya uno de los nombres imprescindibles del humor gráfico latinoamericano. Su tira humorística *La calle está dura* para el diario *Trome* es un espejo fiel de la surrealidad peruana. Fue lo mejor del suplemento humorístico *El Otorongo* en el diario *Perú 21*, y hoy dibuja en la revista *Dedomedio*.

51) Daniel Acuña

Uno de los talentos más portentosos del cómic internacional. Tras iniciar sus pasos en la historieta independiente (*Claus y Simón*), dio el salto a Estados Unidos, para convertirse en uno de los dibujantes y portadistas estrella de la Marvel (*Uncanny X-Men*) y la DC (*Green Lantern*).

ÍNDICE

Su debut literario fue toda una bomba en los medios de comunicación y escandalizó a los estamentos políticos más biempensantes: el libro de cuentos Todas Putas (2003, El Cobre), cuya edición varios partidos políticos españoles propusieron prohibir por supuesta "apología de la violación y la pederastia" y que llegó a protagonizar una polémica sesión en Las Cortes Españolas.

Migoya escribió a continuación la novela intimista a todo color Observamos cómo cae Octavio (2005, MR Eds. Planeta), sobre el mundo de la infancia a través de su propia mirada, y el libro de relatos Putas es poco (2007, MR Eds. Planeta).

Como escritor de no ficción, ha sido biógrafo del autor clásico estadounidense de novela negra Charles Williams (Calma total, El arrecife del Escorpión) con el libro La tormenta y la calma, realizado en colaboración con la hija del biografiado, Alison Williams; y de la stripper española Chiqui Martí (Piel de ángel).

Migoya ha guionizado innumerables cómics dibujados por los mejores artistas españoles (Man, Juaco Vizuete, Enric Rebollo, Perro, Rubén del Rincón, Iron), tocando todos los géneros: el thriller en El hombre con miedo (Premio al Mejor Guión del Salón Internacional del Cómic de Barcelona), el erotismo en La salida de la clase (Premio del Público al Mejor Álbum Erótico del mencionado Salón), la ciencia-ficción en Ari (Mención Especial del I Premio Internacional de Manga 2007, concedido por el Ministerio de Asuntos Exteriores de Japón), la sátira paródica en Julito el cantante cojito, la acción cañí en Kung Fu Kiyo, la política ficción en Arsesino: de terrorista a Rey de España, el género negro clásico en Desalmado Su último éxito en ese medio ha sido la novela gráfica de tinte social Olimpita (Norma Editorial), dibujada por Joan Marín, sobre el maltrato y la inmigración en las calles de Barcelona, y que fue nominada a Mejor Obra Nacional del Salón Internacional del Cómic de Madrid Expocómic 2009.

También ha dirigido durante casi una década la mítica revista de cómics El Víbora, y actualmente dirige una línea de cómic español en Ediciones Glénat.

En el medio cinematográfico, Migoya ha dirigido dos cortometrajes (DNI y El desnudo de Jenni), y escrito los guiones de varios largometrajes: entre ellos, Eskalofrío de Isidro Ortiz, la tercera película española más taquillera de 2008; y Las salvajes, inminente debut cinematográfico del director de videoclips Joan Vallverdú.

La comedia ¡Soy un pelele!, un homenaje a la españolada, seleccionada en SITGES 2008, fue su debut en el largometraje como director.

Actualmente, con el dibujante Joan Marín y también para Norma Editorial, prepara Plagio, una nueva novela gráfica basada en el secuestro real que su esposa sufrió en Perú.

www.hernanmigoya.com

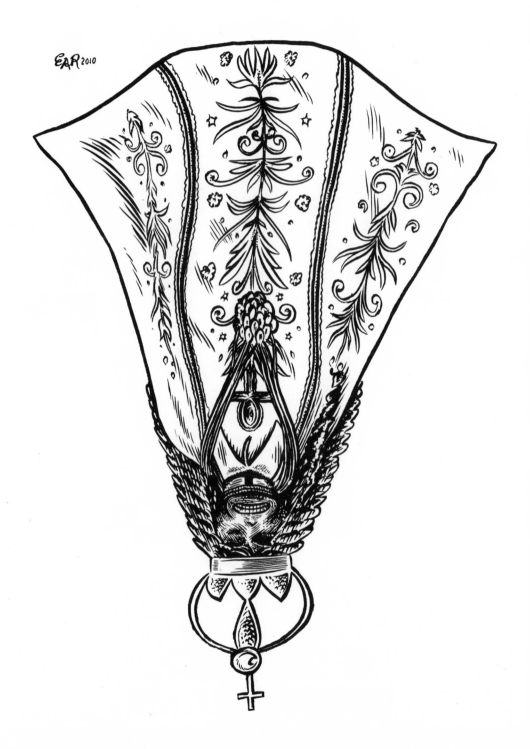